Magnolia

Grażyna Jeromin-Gałuszka

Magnolia

Prószyński i S-ka

Projekt okładki
www.studio-kreacji.pl

Zdjęcie na okładce
© Michelle Anderson/Trevillion Images

Redaktor prowadzący
Anna Derengowska

Redakcja
Ewa Witan

Korekta
Grażyna Nawrocka

Łamanie
Ewa Wójcik

ISBN 978-83-7839-513-3

Warszawa 2013

Wydawca
Prószyński Media Sp. z o.o.
02-697 Warszawa, ul. Rzymowskiego 28
www.proszynski.pl

Druk i oprawa

DRUKARNIA TINTA

1   200 Dzi   Żer   gury 22
                www

Kiedy zważam na krótkość mego życia, wchłonniętego w wieczność będącą przed nim i po nim, kiedy zważam małą przestrzeń, którą zajmuję, a nawet którą widzę, utopioną w nieskończonym ogromie przestrzeni, których nie znam i które mnie nie znają, przerażam się i dziwię, iż znajduję się raczej tu niż tam...

BLAISE PASCAL

CZĘŚĆ I

Piętnastego kwietnia, kilka minut przed czwartą po południu, Filip Spalski zmarł. Tak przynajmniej wydawało się sąsiadce z drugiego piętra, niejakiej Owsińskiej.

– Ni z tego, ni z owego, na huśtawce! – dziwiła się ogromnie, prowadząc ekipę pogotowia ratunkowego od bramy na wewnętrzne podwórze apartamentowca. – W środę przyleciał, w czwartek zostawiła go żona, a dziś proszę! – Wskazała zastygłego nieruchomo na huśtawce mężczyznę, dodając: – Dzieci wystraszył, pouciekały do domów. Zdrowy, młody człowiek, ni z tego, ni z owego… Wszyscy się dziwią.

Nie wszyscy. Sam Filip Spalski w ogóle nie był zdziwiony, uparcie utrzymując – nawet wtedy, gdy doktor już stwierdził rozległy zawał – że nic mu nie jest. To tak, jakby nagle coś go zatrzymało, tłumaczył potakującemu obojętnie głową lekarzowi pogotowia. Tak jakby wszystko dookoła działało nadal, tylko on przestał działać.

Ale wcześniej, gdy go zdjęli z tej huśtawki i nieśli na noszach przez całe podwórze, zwrócił ciemne oczy w stronę wyraźnie rozczarowanej sąsiadki z drugiego piętra i powiedział:

– To było w czwartek!

– W czwartek? – zdziwiła się, nie mając pojęcia, czemu mężczyzna, który jeszcze przed chwilą nie dawał znaku życia, patrzy na nią z taką pretensją.

– W czwartek przyleciałem, głupia krowo – powtórzył, akcentując dobitnie drugą część zdania, bo nie spodobało mu się, że obca kobieta w dwóch zdaniach spuentowała obcym ludziom całe jego życie.

W życiu Filipa nie było rzeczy ważniejszych niż żona i lotnictwo. Jednym i drugim cieszył się od osiemnastu lat. Jedno i drugie prysło w tej samej chwili, w ów feralny czwartek.

Niektóre sprawy dzieją się tak szybko, kołatała mu w głowie ta jedna myśl i za nic nie chciała się odczepić. Tak ogromnie szybko, bez uprzedzenia. Coś jest, a za chwilę czegoś nie ma. Większości zdarzeń nawet nie daje się przeczuć.

Jeszcze wtedy, gdy postawił maszynę na płycie lotniska i w otoczeniu roześmianych stewardes szedł w stronę budynku kierownictwa portu, wyśmiałby każdego, kto by mu powiedział, że wszystko, co robi, robi po raz ostatni. Za nic na świecie by nie uwierzył, że w jednym dniu może się zdarzyć tyle złego, ile dobrego działo się przez całe życie. A jednak.

Po raz ostatni poderwał boeinga z płyty nowojorskiego lotniska i przeleciał Atlantyk, ucinając sobie jakąś relaksującą pogawędkę z nawigatorem albo drugim pilotem. Po raz ostatni doznał tego satysfakcjonującego uczucia, gdy

koła samolotu, lądując, miękko dotykają płyty lotniska; uczucie, którego nie da się porównać z żadnym innym.

Chwilę później dowiedział się, że wyniki okresowych badań, jakim byli systematycznie poddawani ludzie pracujący w jego zawodzie, są niezadowalające. Właściwie całkiem złe. Wiedział, oczywiście, co to oznacza, nawet jeśli nie od razu w to uwierzył.

Z żoną minął się w bramie. Zawsze witała go w drzwiach, więc najpierw pomyślał, że to nie ona. Gdy zawołał za nią, czemu nie czeka w domu, odparła, że znudziło jej się czekanie na niego w domu. Tak jak i na wszystko inne. A najbardziej na dziecko. Spytała, czy wie, ile ona ma lat, a kiedy w pierwszej chwili nie mógł sobie przypomnieć, nie czekając, aż go olśni, przypomniała mu sama, że trzydzieści osiem. I że to dla niej ostatni moment, by urodzić dziecko. Z jego udziałem lub bez. Właściwie to już teraz wie, że na pewno bez jego.

Nie zrozumiał, więc mu wytłumaczyła, że są mężczyźni, którzy nie wzbraniają się przed pewnymi sprawami. Nie bujają wiecznie w obłokach (dosłownie i w przenośni), dbając tylko o idealnie wyprasowany mundur, idealnie białe zęby, nie mówiąc o idealnie dobranej kompozycji męskich perfum czy odcieniu skarpetek (każdy odcień do innych butów).

Przypomniała mu, jak kiedyś spóźnili się na cały pierwszy akt opery, w której występowała jej najlepsza koleżanka z liceum, bo nie mógł znaleźć krawata, pasującego do szarego garnituru, w który się wystroił, jakby nie mógł się wystroić w którykolwiek z piętnastu innych. Znudziło jej się być żoną perfekcjonisty, tak na gruncie zawodowym, jak i prywatnym, potrzebowała odrobiny chaosu i bardzo dobrze się w tym chaosie odnalazła.

– Chaosu? Jakiego chaosu? O czym ty mówisz? – Tylko to był w stanie wydusić z siebie w tamtej chwili, bo chaos, cokolwiek oznaczał, był chyba czymś najmniej bolesnym z tego wszystkiego, co usłyszał.

– Dobrze wiesz, o czym mówię – odparła.

Nie wiedział. Nie miał pojęcia, o czym mówi miłość jego życia. Pierwsza i jedyna. Najważniejsza.

Nie wróciła na noc. Następnego dnia przyszła po swoje rzeczy. Próbował jej powiedzieć, że już nie będzie latał i odtąd wszystko się zmieni, ale mu nie pozwoliła, pochłonięta wyliczaniem wszystkiego, co w ich życiu było idealne: każdego pokoju w tym cholernie luksusowym apartamencie, urządzonego pod kreskę (nie pod jej kreskę), każdego dnia, który mijał według ściśle określonego planu, w zależności od tego, czy on akurat szykował się do lotu, czy z niego wracał.

Nie próbował jej zatrzymywać, bo nie wiedział jak. Nie potrafił. Nie był przygotowany, a przede wszystkim prawie do samego końca nie wierzył, że to naprawdę jego dotyczy. Oglądał jakiś film, w którym kobieta odchodzi od mężczyzny: pakuje swoje rzeczy, opróżnia szafy i półki z butami w takim tempie, jakby uciekała przed pożarem, rozgląda się, czy wszystko wzięła, wraca po to lub tamto, a potem idzie do drzwi, taszcząc to wszystko, zaraz trzaśnie drzwiami... Kiedy trzasnęła, wyszedł z domu na wewnętrzne podwórze, zgonił jakiegoś dzieciaka z huśtawki, usiadł na niej i siedział, dopóki sąsiadka z drugiego piętra, głupia krowa, nie zaczęła mu się podejrzliwie przyglądać i nie wezwała karetki. W drodze do szpitala myślał tylko o samolotach i żonie. Wciąż mu się zdawało, że jest jakimś statycznym, zatrzymanym w czasie i przestrzeni punktem, wszystko dzieje się poza nim i odtąd już tak będzie.

Na rozprawie rozwodowej była już w widocznej ciąży. Nie chciała z nim rozmawiać. Zdołał mimo to zapytać, dlaczego przez osiemnaście lat była idealną żoną, którą kochał nad życie, przecież wystarczyło porozmawiać, sprzeciwić się czemuś, o coś zapytać, postawić sprawę tak lub inaczej... Dwoje ludzi zawsze może się z obłoków sprowadzić na ziemię, jeśli tylko jedno uważa, że w drugim mu coś nie pasuje, i jeżeli oboje uznają, że warto między sobą coś zmienić. Są rozmowy, kłótnie, kompromisy.

Prychnęła pogardliwie, nawet na niego nie patrząc, i dopiero wtedy pojął, że jest obcą kobietą, do której na darmo wracał przez osiemnaście lat szczęśliwego życia. Po każdym odbytym locie. O mało nie przypłacił tego kolejnym zawałem. Poprosił swoje serce, żeby się uspokoiło i pozwoliło mu raz jeszcze na spokojnie nad wszystkim się zastanowić.

Odchodząc, zabrała jeden z samochodów (ten lepszy) i pokaźną zawartość konta. Miał czterdzieści pięć lat, niezłą emeryturę, idealnie urządzony apartament i nic poza tym. Żadnych znajomych, przyjaciół. Jedni odeszli wraz z żoną, inni z lotnictwem. Filip sprzedał apartament z całym wyposażeniem (znalazł frajera, któremu to pasowało), wsiadł w samochód (ten gorszy) i wyjechał z bramy. Gdy znalazł się na ulicy, przez chwilę się zastanawiał, w którą stronę jechać, ale zaraz pomyślał, że to nie ma absolutnie żadnego znaczenia. Po jakimś czasie, już za miastem, zorientował się, że jedzie na południe, i uznał, że to kierunek równie dobry jak każdy inny.

Jechał wiele godzin, zatrzymując się tylko dwa lub trzy razy na stacjach benzynowych, nie patrząc gdzie, bo i specjalnie go to nie interesowało. W pewnym momencie dostrzegł na poboczu starszego mężczyznę, młodą kobietę i dziecko, posilających się przy niedużym stoliku. Surrealizm tej scenki kazał mu chwilę się zastanowić, czy nie ma jakichś zwidów i czy nie lepiej byłoby się zatrzymać, odpocząć. Zastanowił się i pojechał dalej. Zmęczony czy nie, chciał po prostu jechać.

Przed wieczorem skończyła się droga. Mógł zawrócić i może dobrze by było, gdyby to zrobił, coś jednak kazało mu wyjść z samochodu i rozejrzeć się, a gdy się rozejrzał, stwierdził, że dotarł do stacji kolejowej w odległym od głównych dróg i cywilizacji zakątku Bieszczad. Nie było tu żadnych podróżnych, ani tych, którzy przyjechali, ani oczekujących na jakiś pociąg. Piękny budynek dworcowy stał pusty i samotny. Peron z obydwu stron ginął w oparach wieczornej, wczesnojesiennej mgły. Za nim w dali rysowała się rozległa połonina i niewielkie wzgórza. Cisza z minuty na minutę zdawała się nabierać coraz pełniejszej głębi.

Kątem oka dostrzegł faceta wyłaniającego się zza węgła budynku. Podszedł i zapytał z ciekawości, jak często przejeżdżają tędy pociągi.

– O tej porze roku w ogóle – usłyszał. – W sezonie… dwa razy na dzień, a tak to nie.

– To na co czeka tamten człowiek? – spytał, dostrzegając sylwetkę mężczyzny na ławce w samym końcu peronu.

Jego rozmówca wzruszył ramionami.

– A wiadomo, panie, kto tu na co czeka. Przyszedł, połaził, usiadł i patrzy. Niech tam sobie patrzy.

Filip Spalski odwrócił się bez słowa i spojrzał na mężczyznę na ławce, a potem zaczął iść wolnym krokiem w tamtą stronę.

– W czwartki mam chleb – usłyszał za sobą. – Żona piecze. Niektóre tu specjalnie przyjeżdżają, jak raz spróbują. Madej, właściciel Magnolii, to dziesięć każdego tygodnia brał. – Kładąc odruchowo rękę nad czołem, dodał: – A nie wiem, czy to nie on…

Spalskiego nie zainteresowała perspektywa kupowania chleba w czwartki u ciecia, pilnującego umarłej stacji kolejowej. Podziękował za pogawędkę skinieniem głowy i poszedł na koniec peronu. Mężczyzna na ławce nie zwrócił na niego uwagi. Siedział z rękoma wyciągniętymi na oparciu i wpatrywał się w coraz mniej widoczną we mgle połoninę daleko za torami. Po jego lewej stronie

15

leżał płaszcz w równie dobrym gatunku co garnitur, który miał na sobie, po prawej butelka koniaku. Gdy Filip wracał, ich spojrzenia się spotkały. Nieznajomy uniósł butelkę i bez słowa wyciągnął w jego stronę. Filip pokręcił głową, ale usiadł obok. Przcz chwilę obaj siedzieli i patrzyli za tory. Tamten pociągnął dwa łyki i powiedział:

– Muszę jak najprędzej sprzedać Magnolię.

– Magnolię?

– Żona jest wielką miłośniczką melodramatów, ta nazwa to jej pomysł. – Zorientowawszy się, że nic tym nie wyjaśnił, dodał zaraz: – Knajpa z hotelikiem w budynku po starym więzieniu. Nie chciałby pan kupić?

Co to za dziwne miejsce, pomyślał Filip, gdzie można kupić chleb u ciecia na stacji kolejowej albo stare więzienie, i odpowiedział:

– Dlaczego nie?

≈ ≈

Rok później Filip Spalski siedział na tej samej ławce i podobnie jak wtedy patrzył na rozświetloną wrześniowym słońcem połoninę daleko za torami. Mężczyzna obok niego patrzył w tym samym kierunku. Filip nigdy go tu nie widział, gdy przyjeżdżał do zawiadowcy stacji po chleb. Zawsze zerkał na ławkę, zastanawiając się, gdzie by teraz był i co by robił, gdyby tamtego feralnego dnia nie zatrzymał się tu i nie spotkał Madeja. Czasem, gdy mieszkanki lub bywalczynie Magnolii za bardzo mu dopiekły, miał wielką ochotę usiąść koło jakiegoś faceta i zwyczajnie, po męsku się wygadać. Teraz wreszcie przyszła na to pora.

Mężczyzna obok był bardzo młody. Dwadzieścia siedem, może dwadzieścia osiem lat – z bliska. Miał siwiejące włosy i ciemnoszary garnitur, co razem jakoś tak nie pasowało do jego młodych oczu. Z daleka ktoś mógłby go wziąć za człowieka w średnim wieku. I na tyle go Filip ocenił, zanim spojrzał mu w twarz. Nie miało to jednak żadnego znaczenia. Tamten patrzył oczami dojrzałego człowieka przed siebie albo wprost na Filipa i słuchał. Filip nie był pewien, który z nich pierwszy usiadł na tej ławce, a który się dosiadł. Miał wrażenie, że od wielu dni, a może i tygodni, nie nadąża za czasem i zdarzeniami, jest w jednym, a potem zaraz w innym miejscu, jakby mu się ciągle urywał film. Nie miał pojęcia, od ilu godzin opowiada obcemu facetowi o ostatnim roku swego życia, wciąż nie znając powodu obecności owego mężczyzny w tym miejscu.

– Muszę ci powiedzieć… – po chwili zamyślenia wrócił do tematu – że póki nie uporałem się z formalnościami, wynikającymi z zakupu Magnolii, ani razu się nie zastanawiałem, dlaczego zrobiłem coś podobnego. Nawet wtedy, gdy zobaczyłem to po raz pierwszy. „To" – wydawało mi się w tamtym momencie najwłaściwszym określeniem. Nazwa wskazywała na uroczy, oddalony od świata zakątek, idealne miejsce dla człowieka, któremu się zdawało, że przez czterdzieści pięć lat był cholernie fartownym sukinsynem. Fart, zdaje się, opuścił mnie w pewnym momencie życia na całej linii. Tylko że... dziwna rzecz... miałem to gdzieś...

🐌 🐌

Magnolia i całe jej otoczenie stanowiły raczej przygnębiający widok. Oklejony werandami i przybudówkami dawny budynek administracyjny oddziału zewnętrznego wciąż czynnego więzienia, znajdującego się kilka kilometrów stąd, właściwie nawet nie zachęcał do wejścia. Wszystko było takie toporne i jakby niedokończone. W całości wyglądało to nijak. Może poza niektórymi elementami. Na przykład okna były naprawdę ładne: proste, dzielone, z elementami drewnianymi pomalowanymi na niebiesko. Chciało się w nie patrzeć, by zobaczyć, co jest za nimi. Może dla tych okien ktoś tu w ogóle wchodził. I jeszcze brama, równie solidna co ładna. Co do reszty ogrodzenia: kawałek stało tu, kawałek tam, a w całości widać było rękę przypadku. Kabaryny, murowany barak z celami, gdzie dawniej lokowano więźniów z małymi wyrokami lub tych, którym już niewiele zostało do wyjścia, stały tuż za wjazdem przy bramie, dokładnie naprzeciw głównego wejścia do Magnolii. Nie wiadomo po co.

Filip wiedział, że coś z tym wszystkim będzie musiał zrobić. Nie miał jednak najmniejszego pojęcia co. Podszedł do tego z właściwym do swojego życiowego położenia dystansem. Popatrzył na z grubsza uporządkowane obejście, usiadł na ławie pośrodku podwórka i mruknął pod nosem:

– Niech się dzieje, co chce.

Tak właśnie się zaczęło.

Nic nie było zaplanowane ani przemyślane. Wszedł w pewną rzeczywistość i pozwolił, by go wchłonęła. Nie miał zielonego pojęcia o prowadzeniu tego rodzaju przedsięwzięcia i nie zamierzał zawracać sobie tym głowy.

Poniewczasie zaczął się zastanawiać, czy nie lepiej by było, gdyby z miejsca poprzeganiał stąd wszystkie te kobiety. Może wtedy nie działoby się nic. Hotelik i knajpę zasypałby zimą śnieg, a latem może ktoś podłożyłby ogień, który w krótkim czasie strawiłby wszystko, nic nie zostawiając.

Najpierw zjawiła się ta mała. Ledwie usiadł. Takie rude, piegowate nie wiadomo co. Już nie dziecko, a jeszcze nie nastolatka. I, jak się zaraz okazało, niewiarygodnie przemądrzałe.

– Nieźle się pan wpakował – usłyszał piskliwy, denerwujący głosik.

Obrzucił ją obojętnym spojrzeniem. Nie chciało mu się komentować czegoś, z czego i tak zdawał sobie sprawę. Dziewczynka była wyraźnie zawiedziona.

– Nie dalej jak wczoraj pani Gawlińska mówiła, że po tym, co tu się działo, próżno wyczekiwać kolejnego jelenia. A tu proszę! Dzień nie minął...

– A co tu się działo? – nie wytrzymał.

– Nic – odparła z zadowoleniem.

19

– Zupełnie nic?

– Normalnie, jak wszędzie. Przywiózł pan jakieś książki?

Jeszcze czego. Książki powinny mieć swoje stałe miejsce. Szafkę lub regał w przytulnym pokoju z fotelem.

– To szkoda – odpowiedziała na wymowny gest, który mimowolnie wykonał. – Jak się rozniosło po okolicy, że znalazł się chętny na Magnolię, to od razu pomyślałam: pójdę, zapytam o książki. Jak nie mam co robić, to czytam. Na pewno pan nic nie przywiózł?

– W bibliotece szkolnej zapytaj – mruknął pod nosem.

– Już wszystko przeczytałam.

– Czytaj drugi raz.

– Drugi raz też już czytałam.

– Gdzie mieszkasz? – spytał bez specjalnego zainteresowania, byle tylko zmienić temat.

Mała wyciągnęła rękę w jedną ze stron i powiedziała:

– Tam.

Czterdziestokilkuletnia Czesia Gawlińska była bardziej konkretna. Przynajmniej do pewnego czasu. Dostrzegł ją w oknie dobudowanej do głównego budynku knajpy. Nie chciało mu się tam wchodzić, ale wszedł, bo miał już dość denerwującego głosu tej małej. Wnętrze pozytywnie go zaskoczyło. Było proste, przytulne, bezpretensjonalne. Parę stolików, nieduże, dzielone okna na całej długości ścian, mosiężny kominek pośrodku i narożna kanapa w kącie, obita wypłowiałym pluszem w kolorze miodu.

Czesia Gawlińska, niewysoka, szczupła, odruchowo przegarnęła dłonią krótkie włosy w kolorze kasztanowym, tuszującym zapewne pierwsze ślady siwizny.

– Co pani tu robi? – zapytał z ciekawości.

– Czekam – usłyszał natychmiastową odpowiedź.

– Od samego rana. Zaraz będzie wieczór.

– Na co?

– Na to, co mam dalej robić.

– A co pani dotąd robiła? – dociekał cierpliwie.

– Wszystko. – Omiotła wzrokiem całe wnętrze z przyległą do niego kuchnią. – Na tym froncie wszystko. Gotowałam, podawałam, sprzątałam…

– A kelnerki? – przerwał, siadając na pierwszej z brzegu ławie. – Nie ma tu kelnerek?

– Są. Osiemnastoletnie, długonogie, ze sterczącymi cyckami.

– Po co ten sarkazm? Usiłuję czegoś się dowiedzieć. Czegokolwiek.

Bez nutki sarkazmu Czesia Gawlińska poinformowała go, że poza sezonem sama sobie dawała radę, a jak była w planach jakaś większa impreza, wołała do pomocy siostrzenicę. Na sezon kogoś się zatrudniało. No i żona właściciela pomagała. We wszystkim. Zarządziła, zaplanowała i panowała nad całością. On był tylko do załatwiania. Tego lub tamtego. No i do zachwycania się. Żoną i tym miejscem. Kiedy wszystko pozałatwiał, poprzywoził, siadał w tamtym kącie na kanapie i patrzył, mrużąc oczy jak kot wylegujący się w ciepły dzień na słońcu. Czesia

Gawlińska widziała różnych ludzi, ale tak szczęśliwego człowieka jak Madej, gdy siedział w tamtym kącie i patrzył na żonę, krzątającą się tu i tam, nie widziała nigdy. Kiedy odeszła…

– Zostawiła go? – wpadł jej w słowo Filip, dostrzegając pewną analogię między losem swoim a tamtego mężczyzny. Może powinien napić się z nim tego koniaku.

– Nie – zaprzeczyła kobieta. – Nie jego. Zostawiła to miejsce.

– A co za różnica.

– No chyba zasadnicza. – Czesia Gawlińska odruchowo przejechała palcem po parapecie, po czym oparła się o jeden ze stołów i ponagliła: – No to co? Bo nie wiem. – Spojrzała na zegarek. – Pora zajrzeć do umierającej babki.

– Ależ proszę bardzo! – Filip gwałtownie zerwał się z ławy, omal jej nie wywracając. Pewne słowa, czy też raczej sytuacje, zawsze robiły na nim wrażenie.

Czesia lekceważąco machnęła ręką.

– A nie… Nie ma pośpiechu. Babka od siedmiu lat jest umierająca. A nie wiem, czy nie od ośmiu. Nikt już na poważnie tego jej umierania nie bierze – kontynuowała – ale od czasu do czasu trzeba zajrzeć, bo raz, że babka, a dwa, że obiecała tuż przed śmiercią wyjawić największą tajemnicę swojego życia, więc wystarczy, że zakaszle dwa razy albo chwyci się za serce, a cała rodzina zbiega się do łóżka i z zapartym tchem czeka, aż babka zacznie mówić. Każdy zachodzi w głowę, jakąż to wielką tajemnicę może mieć dziewięćdziesięciotrzyletnia kobieta, która przez całe swoje życie nie odeszła z tego miejsca dalej niż na kilka kilometrów. Po czterdziestym siódmym roku, kiedy w tej okolicy zostało tylko kilka rodzin, można się było dziwić i pytać, dlaczego akurat te, a nie inne. Może właśnie tu był pies pogrzebany, to znaczy ta wielka tajemnica babki Klary…

– Niech pani robi to, co dotąd! – przerwał Filip, zniecierpliwiony potokiem nic nieznaczących słów. Przynajmniej nieznaczących dla niego.

Czesia jakby tylko na to czekała. Wyjęła z kieszeni stylonowego fartucha równiutko złożoną kartkę i położyła na stole przed Filipem ze słowami:

– To w takim razie ma pan tu napisane, co najpilniejsze. Wszystko się pokończyło. Madej w ostatnim czasie już do niczego nie miał głowy, na niczym mu nie zależało, a ja z niczego też cudów nie nawymyślam, z warzyw i nabiału, które przywiezie Olga, jak tylko się dowie, że Magnolia znowu czynna, schabowego nie wyczaruję, jak się kto trafi, a wystarczy, że Marlena przyjdzie na popołudniową kawę. Z rana jakoś ją zbyłam, ale kiedy zobaczy, że coś się dzieje, tak łatwo nie pójdzie. Usiądzie i będzie narzekać na cały świat i gderać na wszystko, a nie daj Bóg, żeby zabrakło lavazzy. „Co, nie ma lavazzy – zacznie się dziwić – to co ja mam pić", a lavazzy zabrakło już w tamtym tygodniu, bo Madejowi nie zależało. Swojego się nasłuchałam, dopiero była dziesiąta, a już proszę bardzo, trzecia po południu…

– Pani Czesławo! – wrzasnął Filip, chwytając się za głowę.

Czesia Gawlińska obejrzała się na wszystkie strony.

– Do mnie pan mówi?

– A jest tu jeszcze ktoś prócz pani?

– No to bardzo proszę, żeby tak jak wszyscy. W życiu jeszcze nikt do mnie „Czesławo" się nie odezwał.

– Pani Czesiu… – Filip zacisnął zęby i przymknął na chwilę oczy, żeby się uspokoić, po czym wyciągnął z kieszeni spodni garść zmiętych banknotów i rzucił je z kartką, którą mu położyła na stole. – Proszę to wziąć, kupić wszystko, co trzeba, i dać mi święty spokój.

Czesia wzruszyła ramionami. Wybuch Filipa nie zrobił na niej żadnego wrażenia.

– A mogę pokupować. I tak miałam jutro jechać do Leska, to dziś pojadę, prosto od babki.

Filip marzył tylko o tym, żeby rozsiąść się wygodnie w tym kącie, zamknąć oczy i nie myśleć o niczym. Nie chciało mu się nawet czego oglądać. Ani na nic patrzeć. Mimo to spojrzał spod przymrużonych powiek na Czesię Gawlińską.

– Jeśli ma być tu jakieś jutro… – mruknął, ledwie otwierając usta. – Jeśli ma się tu w ogóle coś dziać, a pani w tym czymś chce uczestniczyć, nie chcę pani widzieć w tym fartuchu.

– Nie podoba się panu mój fartuch?

– Mnie też się nie podoba – usłyszał głos małej. Weszła z dworu jak do siebie, wzięła jabłko z parapetu i zaczęła je głośno jeść.

Czesia pokrzątała się po kuchni i zdjęła fartuch. Zbierając się do wyjścia, rzuciła w stronę Filipa.

– Aha, jutro czwartek.

– Co z tego?

– Trzeba pojechać po chleb. Na stację.

– Żartuje pani.

– Nie. Madej co czwartek przywoził.

– W sklepach tu nie sprzedają chleba?

– Takiego nie.

Do Filipa zaczęło powoli docierać, że kupując bez mrugnięcia okiem Magnolię, wkroczył w rzeczywistość, w której nie należy się niczemu dziwić i trzeba przyjąć pewne rzeczy z całym ich dobrodziejstwem. Nie zdziwił się i nie zaczął dopytywać, bo to, co już powinien wiedzieć, to wiedział. Mimo to zapytał:

– A pani nie może?

– Mnie akurat z domu na stację nie po drodze.

– A gdzie pani mieszka? – zapytał mimo woli.

Czesia Gawlińska wyciągnęła rękę w którąś stronę i powiedziała:

– Tam – a po chwili zwróciła się do małej: – A ty się tu, Tuśka, nie kręć. Żadnych resztek dla psów nie ma. Jak się zacznie normalnie gotować, to będą.

– Tak tylko przyszłam.

– To i tak tylko wyjdź.

Tuśka wzięła jeszcze jedno jabłko, a potem jeszcze kilka i upychając je sobie po kieszeniach, spytała Filipa:

– Chciałam tylko zapytać, czy nie przywiózł pan jakichś książek.

– Już pytałaś.

– I co?

– Nie przywiozłem – odparł ze stoickim spokojem.

– To szkoda.

Nie chciało mu się pytać dlaczego, ale Czesia wyjaśniła:

– Czyta co nie bądź, a potem wymyśla jakieś bzdury, że niby się zdarzyły, a to ciotce z Rzeszowa, a to sąsiadce…

– Opowiadam tylko prawdziwe historie! – zaprotestowała Tuśka. – Właśnie przypomniałam sobie taką jedną. Popłakać się można, taka tragiczna.

– Dobrze, będziemy płakać, ale teraz zmykaj do domu. Filip musi sobie to i owo poukładać. Jutro przywiozę kawę, Marlena od razu wpadnie, jak tylko nosem wyczuje, do tego pierwsza, Olga przyjedzie z warzywami, będziesz miała komu opowiadać.

Chciał zapytać, czy to poprzedni właściciel wprowadził tu zwyczaj mówienia sobie na ty, czy też to jakieś tutejsze niepisane prawo. Usiłował sobie także przypomnieć, w którym momencie i czy w ogóle się przedstawił, skoro wiedziała, jak się do niego zwrócić, w porę jednak pomyślał: co za cholerna różnica.

– On miał na imię Rudolf, a ona Luiza – rzuciła mała, pakując sobie jeszcze kilka jabłek w kieszenie, i wyszła.

– Tak więc, mój przyjacielu, tak sobie teraz myślę, że są momenty w życiu człowieka, kiedy najlepsze, co może zrobić, to usiąść w jakimś kącie, zamknąć oczy i nie myśleć o niczym. Jak długo się da.

– Jak długo się dało? – spytał młody człowiek, który, zanim obaj usiedli na tej ławce i zaczęli rozmawiać, był obcym facetem. (Tego „przyjaciela" przyjął w takim znaczeniu, w jakim Filip go użył, to znaczy wyrażającym tyle co „kolego" lub „proszę pana").

Potem wymienili parę uwag na ten lub inny temat i swoboda, z jaką obydwaj to uczynili, najpierw zaskoczyła, a następnie ucieszyła Filipa. Wtedy pomyślał, że tak swobodnie i o niczym mogą rozmawiać ze sobą ludzie, którzy znają się od wieków. Albo których łączy coś bardzo ważnego. Poznali się przed chwilą, a co ich mogło łączyć, że tak po prostu w pewnym momencie przeszedł od bzdetów do czegoś więcej, nie miał pojęcia. I właściwie nie miało to wielkiego znaczenia.

Przez cały rok właśnie kogoś takiego mu brakowało. Kogoś, z kim można by posiedzieć, wypalić papierosa i wymienić parę zdawkowych uwag o pogodzie, cenie paliw albo arogancji polityków. Nie trzeba było nic więcej. Za każdym razem, kiedy w czwartki przyjeżdżał tu po chleb, siadał na obłażącej z farby ławce, wypalał papierosa i rozglądał się za kimś takim. Potem, nie znajdując nikogo, z kim dałoby się wymienić parę uwag, wlepiał wzrok daleko za tory, gdzie piękna połonina kokietowała niezmierzoną swobodą, wyłaniając się z mglistych oparów wokół wzgórza, i patrzył. Godzinę, dwie albo i trzy... Chociaż może tylko tak mu się zdawało.

Czas gubi tu swoje znaczenie. Rok, który minął od dnia, kiedy po raz pierwszy znalazł się na tej stacji, raz wydawał się wiecznością, a kiedy indziej znów tylko chwilą. Nie przeszkadzało mu to, wręcz odwrotnie: za każdym razem gdy tu siadał, odnosił wrażenie, że nic go nie ogranicza i nie ma na niego żadnego wpływu, tak jak on nie ma wpływu na nic. Odkąd nie przyjeżdżają tutaj i nie odjeżdżają stąd żadne pociągi, czas, być może, łapie tu oddech od wszelkich zdarzeń. Człowiek, który mimo wszystko próbuje nad tą zapomnianą stacyjką (z zamiłowania czy też obowiązku) jakoś zapanować, jest jak widmo. Chodzi z psem daleko torami, potem wraca. Czasem zamiata perony, a czasem ginie w budynku i długo go nie ma.

– Dyskretny człowiek. – Filip z uznaniem popatrzył za zawiadowcą, oddalającym się na przeciwległy kraniec peronu. – Ani słowa zdziwienia, że nie brałem w tym tygodniu chleba, więc musi wiedzieć o całej tragedii.

– Pewnie tak – zgodził się młody człowiek.

– Trudno zresztą, żeby ktokolwiek w okolicy o tym nie wiedział... – Mimo to darował sobie wszystkie te banalne słowa, które zazwyczaj ludzie w takich sytuacjach plotą...

– Niekiedy to pomaga.

– Niekiedy… Nie mam pojęcia, jak powinienem zareagować na coś podobnego. Nie oczekuję żadnych słów, tylko tego, żeby mnie ktoś wysłuchał. Od początku do końca.

– Chcesz jeszcze raz coś przeżyć?

Filip z niezdecydowaniem pokręcił głową.

– Zrozumieć?

Filip, wciąż patrząc za zawiadowcą, milczał chwilę.

– Od razu jak cię zobaczyłem tu na tej ławce, pomyślałem, że to prawdziwe zrządzenie losu, przyjacielu. Nie wiem dlaczego, ale mam wrażenie, że nikt poza tobą tego wszystkiego, co chcę powiedzieć, by nie zrozumiał…

– To proste – odparł młody człowiek po chwili namysłu. – Mam taki sam zamiar.

– Przeżyć coś od początku? – Tamten pokiwał głową. – To może chciałbyś zacząć…

– Nie…

– Moja historia będzie bardzo długa.

– Skoro już zacząłeś… Chyba nigdzie nam się nie spieszy.

– Nigdzie – zgodził się Filip. – Na czym skończyłem?

– Usiąść w jakimś kącie, zamknąć oczy i nie myśleć o niczym, jak długo się da – przypomniał mu młody mężczyzna. – Jak długo się dało?

– Nawet nie wiem dokładnie – odparł Filip po namyśle. – Kiedy się ocknąłem, życie w Magnolii toczyło się pełną parą. Prawdę mówiąc, nikt na mnie nie zwracał specjalnej uwagi…

Filip znalazł dla siebie miejsce na górze; wybrał jeden z dwóch pokoi, przyjmując go z całym dobrodziejstwem inwentarza: łóżkiem, komodą i regałem z książkami. Mogła to być sypialnia poprzednich właścicieli albo jakiś specjalny pokój gościnny. Nie zawracał sobie tym głowy. Przylegająca łazienka załatwiała sprawę. Przez chwilę się wahał, gdy znalazł na końcu korytarza ładnie urządzony, przytulny i jasny pokoik, ale już po przekroczeniu progu wyczuł w nim rękę kobiety. To pewnie był pokój żony Madeja, miejsce, w którym odgradzała się od chłodnych korytarzy, a może także od przypadkowych gości, pomyślał i wrócił do poprzedniego. Całość miała się do jego dawnego apartamentu jak nędzna chabeta do rasowego araba, ale dało się wytrzymać. Poczucie estetyki nie opuściło go, zdaje się, do końca, bo większość czasu spędzał na dole w sali jadalnej, jedynym pomieszczeniu, które było naprawdę ładne. Zresztą wszyscy inni również, choć z innych zupełnie przyczyn, spędzali tam większość czasu.

Czesia przyjeżdżała z samego rana swoim wymuskanym dżipem, co w tej łupkowej okolicy wydawało się nadludzkim osiągnięciem, i odjeżdżała późnym wieczorem. Tylko nagły alarm o złym samopoczuciu babki mógł ją w ciągu dnia ruszyć z tego miejsca. No i na początku wszystkie sprawy związane z normalnym funkcjonowaniem Magnolii, które z czasem Filip łaskawie zdjął z jej barków i załatwiał automatycznie, bez mrugnięcia okiem. Miała dwóch dorosłych synów, obydwaj studiowali, i męża na pobliskim cmentarzu, a także trochę niezobowiązującej rodziny dookoła, z której największym zainteresowaniem darzyła umierającą babkę, choć można by się spierać, czy to troska, czy też po prostu zwykła ciekawość od lat niezaspokojona. Magnolia stała się dla Czesi Gawlińskiej wymarzonym miejscem pracy, choć Filip nieraz odnosił wrażenie, że to coś znacznie więcej. Po kilku tygodniach przyzwyczaił się i przestał słyszeć jej wszędobylski głos. Jedyne, co go od początku do końca irytowało, to jej obsesyjna świadomość upływającego czasu.

– Dopiero była dziesiąta, a już, proszę bardzo, trzecia po południu. Tylko patrzeć, jak minie wiosna, a potem jesień i za moment zima.

– Zapomniałaś o lecie – wtrącał na początku.

– E tam, lato to chwila. Nawet nie wiadomo, kiedy mija. Marlena dopiero co wypiła jedną kawę, odsiedziała swoje, a tylko patrzeć, jak przyjdzie na drugą.

Marlena, zdaje się, nie miała nic więcej na głowie, jak celebrować dwa razy dziennie picie kawy przy najmniejszym stoliku, przytulonym do ściany oddzielającej jadalnię od zabudowanej werandy, skąd miała widok na całość: salę, wejście, kuchnię i korytarz prowadzący do części hotelowej. Siedząc tam, obserwowała, poddając bezustannej krytyce wszystko i wszystkich, małe lub wielkie rzeczy, jakie działy się tu lub gdziekolwiek na świecie.

31

– Patrz, Cześka, co tu piszą w gazecie! – irytowała się.

– Znowu się kłócą o jakieś pierdoły te aroganckie dupki. Cholera jasna, wszystko inne, a zwłaszcza lud pospolity, mają, żeby się nie wyrazić, wiadomo gdzie!

Czesia wzruszała ramionami.

– Co będę patrzeć, gazeta sprzed tygodnia.

– A jakie to ma znaczenie? Bez przerwy to samo, na okrągło się kłócą.

– Więc po co czytasz, jak to samo?

– Żeby wiedzieć, co się dzieje, i mieć świadomość, że nie ma to na mnie żadnego wpływu.

– Tak ci się tylko wydaje.

– I cieszyć się tym.

– Więc się ciesz. Czemu się wściekasz?

– Cieszę się, ale nie oczekuj ode mnie, żebym skakała do góry. Mam czterdzieści lat.

Marlena miała czterdzieści lat i na tyle wyglądała, choć według Czesi Gawlińskiej był to najlepszy dowód, że ma pięćdziesiąt. (Z biegiem tygodni Filip przestał się dziwić swoistej logice Czesi – jak i wszystkiemu innemu). Od paru miesięcy mieszkała kilkaset metrów od Magnolii, w łemkowskiej chacie, którą jej znajomi kupili jakiś czas temu nie wiadomo w jakim celu. Nie wiadomo też, w jakim celu Marlena tutaj zamieszkała. Przynajmniej nie dla Czesi. Marlena, przyparta czasem do muru o powody, które skłoniły młodą, atrakcyjną i wykształconą kobietę do życia w takim miejscu, co rusz opowiadała inną wersję. Tę ze stwierdzonym rakiem krwi Filip lubił najbardziej, bo była najkrótsza.

– Chcę w spokoju dożyć swojego końca, bez narzucania się z objawami choroby znajomym, rodzinie… Pasuje?

– Łże jak pies – komentowała zwykle to wyjaśnienie Czesia. – Przez pół roku już by się przekręciła. To już prędzej uwierzę w więzienie.

– W jakie więzienie?! – Od czasu do czasu Filip, chcąc nie chcąc, musiał zareagować na niedorzeczności płynące z ust Czesi.

– No, że siedziała… parę miesięcy, za podatki, bo prowadziła jakąś działalność i nie dopilnowała, co trzeba. To jej wersja. Kogo wsadzają za podatki?

Co miał powiedzieć?

– Marlena mówi, że prostych ludzi.

– I może jeszcze uczciwych? – Chwila refleksji. Czesia robiła wtedy bardzo zagadkową minę. – Choć z drugiej strony, co właściwie znaczy ta uczciwość…

– Pojęcie względne – wymknęło się Filipowi.

– Jakie?!

– Niejednoznaczne. Takie, które można wielorako interpretować. To znaczy tłumaczyć.

Na początku dał się nabierać na niektóre gierki Czesi w stylu: „Jestem prostą kobietą, nic nie wiem i na niczym się nie znam". Potem po prostu mówił: „Nie udawaj Greka, Cześka".

W sobotnie wieczory, kiedy Filipa naszła ochota na wypicie flaszki, Marlena po dwóch głębszych lubiła opowiadać inną wersję o tym, kim była, zanim pewnego dnia prawie wylądowała u czubków. Wtedy znajomi

33

zaproponowali jej tę chatę, póki nie dojdzie do siebie, a oni nie zdecydują, co z tym fantem w ogóle zrobić. Była więc policjantką, psychologiem więziennym, opiekunką do dzieci (traumatyczne doświadczenie), akwizytorką jednorazowych naczyń, a na koniec właścicielką biura detektywistycznego. Po trzecim głębszym Marlena zastanawiała się jednak, czy koniec końcem wariatkowo nie byłoby lepszym rozwiązaniem.

Zawsze miała przy sobie gruby organizer pełen notatek, choć nikt nie widział, żeby kiedykolwiek robiła jakieś notatki. Tuśka podejrzała, że ma w chacie trzy laptopy, każdy innej firmy (jakby to miało jakiekolwiek znaczenie). Jeden trzymała na wierzchu, a dwa pochowane, w tym jeden w piecu chlebowym, a gdzie trzeci, to nawet sama Tuśka nie wiedziała. Nikt Tuśki nie zapytał, skąd wie o trzecim laptopie, skoro nigdy go nie widziała. Marlena, pytana o to, po co jej dwa laptopy, odpowiadała, że na wszelki wypadek. Codziennie rozmawia na skajpie z dwudziestoletnią córką, która studiuje w Anglii, i gdyby coś stało się z jednym, zawsze ma pod ręką drugi.

– Ma pięćdziesiątkę, jak nic – szeptała Czesia, nalewając Filipowi wódki. – Takie jak ona nie rodzą dzieci przed trzydziestką.

Marlena z zasady kończyła na trzecim kieliszku, ale od czasu do czasu zdarzało jej się zapomnieć. Po czwartym kieliszku rozglądała się dookoła i mówiła:

– Wszystko jest tyle warte, co kot napłakał. Albo tyle co istnienie motyla, kończącego beztroski żywot na szybie okna.

Wszyscy spojrzeli na motyla, który wpadł przez otwarte drzwi i nie zdążył odlecieć do swojego świata, trzepotał więc teraz chaotycznie skrzydłami, rozpłaszczony na szybie, dopóki starczyło mu sił. Potem zamierał na chwilę na parapecie i znowu próbował. W końcu Czesia zamknęła go w dłoni i wypuściła na zewnątrz.

– Dużo mu to da. – Marlena wydęła pogardliwie wargi. – To tylko motyl. Dziś jest, jutro go nie ma.

– A człowiek to co? – Czesia wpadła jej w słowo. – Dopiero co było lato, a już zima. Nim się obejrzysz, będzie po wszystkim.

– Po jakim wszystkim? – Marlena była już po piątym kieliszku i wyraźnie szukała zaczepki.

– Życie minie. Nie wiadomo kiedy.

– Życie po to jest, żeby mijało. Tyle to wszystko warte.

Filip nie był w stanie zliczyć, ile takich dyskusji przy sobotniej siódemce się nasłuchał. Jeszcze dobrze, jak paplały o niczym. Najgorzej, kiedy zaczynały roztrząsać dylematy egzystencjalne – to go okropnie wkurzało. Pamięta, że przy tej historii z motylem była akurat Olga. Sączyła cieniutkiego drinka, wpatrując się w okno.

– Jeśli wszystko dzieje się tylko po to, by minąć, po co siedzimy tu, patrzymy na siebie i rozmawiamy? – spytała cicho, bez patosu i w ogóle bez jakiejkolwiek emocji w głosie. – Życie motyla, życie człowieka, życie drzewa…

Odstawiła drinka, pozbierała przy wejściu kosze, w których przywiozła świeże warzywa na niedzielny rosół, i pożegnała wszystkich, życząc dobrej nocy. Filip patrzył za nią, dopóki nie zniknął za drzwiami, a potem jeszcze za oknem w świetle lampy przed wejściem. Za każdym razem, gdy odjeżdżała rowerem spod Magnolii, odprowadzał ją wzrokiem, dokąd było można. Tyle piękności z całego świata przewinęło się przed jego oczami, ale nigdy za żadną tak nie patrzył, choć Olga była prostą kobietą.

Gdy Czesia któregoś z tych pierwszych dni oznajmiła mu, że warzywa i nabiał bierze się tu od Olgi, mruknął z niechęcią, że po jakiego diabła to stąd, a to stamtąd, jakby nie można było za jednym zamachem w jednym miejscu wszystkiego kupić, bez żadnego kłopotu…

– Ja z kupnych warzyw gotować nie będę – przerwała mu stanowczo, odgarniając włosy ręką upapraną w wałkowanym akurat cieście.

Machnął ręką, bo już wiedział, że z Czesią nie wygra. Następnego dnia pojawiła się Olga. Jej uśmiech i bijące z twarzy ciepło widać było już z daleka. Patrzył na nią, kiedy zsiadała z roweru i zdejmowała z niego dwa kosze, a potem poszła z nimi do kuchni. Ale najpierw przedstawiła się z uśmiechem i kilkoma ciepłymi słowami, że jak to dobrze, bo myślała, że po tym, jak Madej pewnego dnia wstał z ławki pod ścianą, wyjął z barku butelkę koniaku i poszedł z nią na stację, ona, Olga, nie będzie już w Magnolii potrzebna. Jasne, miękkie włosy miała podpięte z tyłu, tak że dostrzegł meszek na górnej części karku. Pomyślał, że mężczyźni powinni kochać tylko takie kobiety, bo one są tego warte, i niemalże w tej samej chwili zdał sobie sprawę, że to było jedyne konkretne spostrzeżenie, jakie wówczas przyszło mu do głowy. Gdy odjeżdżała, patrzył za nią, dopóki całkiem nie znikła mu z oczu, i od tamtej pory robił tak za każdym razem. Czasem wychodził przed hotel, by jak najdalej odprowadzić ją wzrokiem. Wtedy odwracała się i machała mu ręką. Gdy zapytał, gdzie mieszka Olga, bo może mógłby sam podjechać co któryś dzień, żeby nie musiała wozić tych koszy, Czesia wyciągnęła rękę w którąś stronę i powiedziała: „Tam", a po chwili dodała:

– E, to dla niej jedyna rozrywka, co tu przyjedzie. Chłop od roku nie wstaje z łóżka po wylewie, wszystko od rana do nocy na jej głowie. A dzień krótki, wiadomo, chociaż może dla niej to lepiej.

Czesia miała swoje ulubione tematy. Jednym z nich był nieubłagany upływ czasu. Drugim praca.

– Ja się narobię – kontynuowała już w kuchni. – Ale Olga haruje jak wół, od rana do nocy. Dla kogo to wszystko – nie wiem. Dzieci nie mają i już mieć nie będą. A ona, proszę, zawsze zadbana, zawsze pogodna, czysta… W polu ją kiedyś widzę, myślę sobie: To niemożliwe, żeby tak wyglądać w polu. Zatrzymałam dżipa, wysiadłam, pytam: Olga, to ty? A ona od ucha do ucha uśmiechnięta, patrz, mówi, jak mi się rozrosły w tym roku ogórki, żeby tylko jakie kwaśne deszcze znowu nie przyszły…

Filip nie miał zielonego pojęcia, co mają kwaśne deszcze do ogórków. Choć może i miał, ale nie chciało mu się nad tym zastanawiać. Tak jak i nad tym, skąd się nagle wzięła Tuśka. Zawsze pojawiała się nie wiadomo skąd, a jak już się pojawiła, to nie na darmo.

– Moja mamusia chodziła do jednej klasy z Olgą. – Tym razem najpierw usłyszał jej głos, nim ją zobaczył. Zajrzała do kuchni, pogrzebała w resztkach, które Czesia zostawiała jej dla psów, i zaczęła pakować odpadki. – Raz rozmawiały z ciotką Sabiną, że Olga straciła rozum, kiedy ni z tego, ni z owego zdecydowała się wyjść za starego Gorzelaka. Może ją zmusił.

Marlena ze swoimi notatnikami i gazetą rozsiadała się akurat do popołudniowej kawy.

– Kto rozmawia o takich rzeczach przy dziecku! – Skrzywiła się z niesmakiem.

– A to przy Tuśce trzeba o czymś rozmawiać, żeby wszystko wiedziała? – Czesia nie była pewna, czy tamta skrzywiła się na jej kawę, czy na słowa Tuśki, obejrzała więc z każdej strony puszkę i uspokojona, huknęła na małą: – Zabieraj te paczki i wynoś się! Nasłuchasz się tu tego, tam tamtego i opowiadasz niestworzone głupoty gdzie popadnie.

– Nigdy żadnych głupot nie opowiadam – broniła się Tuśka. – Tylko samą prawdę. Jak chcecie, to wam opowiem, co tu się dwadzieścia lat temu zdarzyło na stacji. Ciotce Sabinie się akurat przypomniało…

Nie chcieli. Marlena rozpostarła przed sobą gazetę, wsunęła na nos okulary (Czesia, przechodząc, szturchnęła łokciem Filipa. Kto nosi okulary przed pięćdziesiątką?) i zaczęła przeglądać stronice. Niezrażona Tuśka mruknęła pod nosem, że jak zacznie opowiadać, to nie przestaną słuchać. On miał na imię Rudolf... Czesia pokazała jej wzrokiem drzwi.

– Czy ten Gorzelak był bogaty? – Po wyjściu małej Marlena wróciła do tematu. – A może jest? Albo jedno i drugie?

– Dlaczego pytasz? – zdziwiła się Czesia.

– Usiłuję zrozumieć, dlaczego taka kobieta jak Olga wychodzi za starego mężczyznę. Ile ona ma lat? Trzydzieści parę? Jej rówieśniczki w Warszawie są menedżerkami, agentkami, prezeskami, a wieczorami włóczą się po klubach i dopiero rozglądają się za ojcem dla swojego przyszłego dziecka...

– No, akurat Olga za ojcem dla dziecka to się nie rozglądała – wtrąciła Czesia. – A Adam Gorzelak wcale nie był stary, kiedy za niego wychodziła. Nie miał czterdziestki, to pewne, bo Witek im się przytrafił, gdy oboje z Basią robili maturę.

Marlena chwyciła się za głowę.

– Co, na miłość boską, ma do tego wszystkiego jakiś Witek?!

– Syn Gorzelaka, chłopak Olgi, od podstawówki. Łobuz, jakich mało! Leser i lekkoduch. Kiedy Baśka umarła na raka, Gorzelak przestał sobie z nim radzić. Choć nieraz mu wpieprzył, tak się przynajmniej słyszało. Ale widać za mało. Nikt tego Witka tu w okolicy nie lubił, każdemu dokuczył, każdy coś miał do niego. Jedna Olga nie odstępowała go na krok, jakby ją zaczarował...

– Zaraz! – Marlena nie mogła się połapać. – To Olga chodziła z Witkiem, a teraz jest żoną jego ojca?

– Zgadza się – odparła Czesia.

– Jak, na litość boską, do tego doszło?

– Daj powiedzieć, to się dowiesz.

Rodzice mieli kurzą fermę, dziewczynie niczego nie brakowało. I nie brakowałoby do tej pory, gdyby się ojca słuchała, poszła na studia i znalazła sobie porządnego męża. Ojciec patrzył w nią jak w obrazek. Nic dziwnego, jedynaczka. Wszystko, co stworzył, było dla niej. Ale gdy się dowiedział, że jest w ciąży i nie zamierza nic z tym zrobić, kazał jej się wynosić z chałupy. Spakowała się i wyszła. Do Witka. A on, kiedy się dowiedział, że Olga jest w ciąży, roześmiał jej się w twarz i oświadczył, że świat na niego czeka. Spakował się i poszedł na stację, nie stanął na wysokości zadania. Olga z walizką wróciła do domu. Ojciec nawet się ucieszył. Co tam, ciąża jest i nie ma, życie zawsze można zacząć od nowa, a teraz już nie te czasy co kiedyś, żeby się takich rzeczy trzeba było wstydzić i oczy w kościele po kątach chować. Bachor bez ślubu też już żaden wstyd, ale nie wnuk Gorzelaka! Po jego trupie! Przyjaźnili się kiedyś? I co z tego? Czy przyjaciel robi dziecko twojej narzeczonej i zaraz potem bierze z nią ślub? Tego mu do końca życia nie mógł zapomnieć. Umówił córce znajomego ginekologa na wieczór. Ale przed wieczorem przyjechał po Olgę Adam Gorzelak…

– Dlaczego to Gorzelak przyjechał po Olgę? – Marlena potrząsnęła głową, nic nie rozumiejąc.

Czesia wzruszyła ramionami.

– Stanął na wysokości zadania.

– Zamiast syna?

– Zamiast syna.

Teraz Marlena wzruszyła ramionami.

– Czegoś jeszcze nie rozumiesz? – spytała ze zniecierpliwieniem Czesia. – Niedorozwinięta jesteś?

– Trochę to dziwne…

– A co w tym dziwnego? Olga była w ciąży z Witkiem Gorzelakiem, który wyjechał w siną dal, jak tylko się o tym dowiedział. Jej ojciec nie chciał w domu bachora, wnuka kogoś, kto kiedyś odbił mu narzeczoną. Był mściwy, z nikim się nie liczył i zawsze stawiał na swoim, więc kiedy przyjechał ojciec Witka i zaproponował Oldze pomoc, przyjęła ją, jednej chwili się nie zastanawiając. Wyszła za nim bez słowa i bez niczego, tak jak stała. „Mogłaś mieć wszystko" – miał jej podobno rzucić ojciec na pożegnanie, a Olga spuściła głowę i nie wiedziała, co powiedzieć. Nawet nie zajrzała do swojego pokoiku na górze, gdzie na środku stało piękne łóżko, które znajomy ojca przywiózł ze Szwecji, a w oknach wisiały upinane zasłonki w kratkę. Co miał Gorzelak? Parę hektarów ziemi i starą chałupę. Robota od rana do nocy. Kilka miesięcy później wzięli ślub. Rodzice Olgi sprzedali wszystko i wyjechali. Ze wstydu. Ludzie się w głowę stukali i gadali, że Olga dłużej jak pół roku nie wytrzyma, bo do roboty nie przywykła, tylko do wygód. Zestarzeje się, zgorzknieje, znienawidzi świat cały.

A Olga, tak pół roku po ślubie, jak i po piętnastu latach, zawsze zadbana, młoda, uśmiechnięta…

– A co z tą ciążą? – przerwała ze zniecierpliwieniem Marlena.

– Martwe się urodziło, w szóstym miesiącu – odezwała się z przedsionka Tuśka.

– Tak było – przytaknęła Czesia. – Jeszcze tam jesteś?

– I mogę wam jeszcze powiedzieć, dlaczego za starego wyszła.

– Dlaczego? – zawołały jednocześnie Czesia z Marleną.

Tuśka wychyliła głowę z przedsionka.

– Kiedy ją ludzie pytali, co robi, to odwracała głowę na wszystkie strony i nic nie mówiła, ale ojciec, jak pakował cały dobytek przed wyjazdem, to na całą okolicę się darł, że nawet jakby za samego diabła wyszła, to i tak nie odpokutuje tego, co zrobiła, więc ludzie długo podobno byli przekonani, że stary Gorzelak to taka Olgi pokuta.

– Pokuta?! – zawołała Marlena. – A niby za co?

– A bo ja wiem? – Dziewczynka już odważnie wyszła z przedsionka. – Może za tego inżyniera z Rzeszowa, co tu za nią przyjeżdżał, a ojciec na siłę chciał ją za niego wydać. Ciotka Sabina mówiła, że Olga bardzo podobała się mężczyznom, a ten inżynier z Rzeszowa to piękny był jak marzenie.

– Już nie fantazjuj. – Czesia spróbowała sprowadzić małą na ziemię. – Nic o żadnym inżynierze nie słyszałam.

– No właśnie! Olga też nie chciała o nim słyszeć. Jakiegoś hopla dostała na punkcie tego Witka, bo przecież pił, łajdaczył się i nic nie robił...

– Jak ty się wyrażasz, Tuśka? – przerwała jej Czesia.

– Powtarzam słowo w słowo, co ciotka Sabina kiedyś mówiła.

– Daj jej powiedzieć – wtrąciła się Marlena. – Wielkie mi słowo, łajdaczył się... Jakby Tuśka nie słyszała innych.

– Pił, łajdaczył się – kontynuowała dziewczynka – a ojciec, stary wdowiec, zasuwał na gospodarce...

– Już wam mówiłam, że nie był taki stary – przypomniała Czesia. – Opanuj się trochę, Tuśka.

– To mam mówić czy nie? – Dziewczynka dramatycznie zatrzepotała rzęsami.

– Mów! – wrzasnęła Marlena. – A ty się nie wtrącaj i daj małej powiedzieć.

Tuśka spojrzała na nią z wdzięcznością, Czesia natomiast mruknęła na stronie, że chyba Marlena wchodzi w menopauzę, skoro taka nerwowa. Dziwne, bo te sprawy to chyba tak raczej koło pięćdziesiątki...

– Zamknij się! – fuknęła na nią Marlena i zwróciła się do dziecka: – Powiedz w końcu, co to niby za pokuta.

Tuśka wzruszyła ramionami.

– A skąd mam wiedzieć. Pokuta i tyle.

Marlena demonstracyjnie rozwinęła przed sobą gazetę.

– Idźże ty już do domu, psy z głodu pozdychają, zanim dojdziesz. Znowu jakaś katastrofa lotnicza.

Filip na chwilę otworzył oczy i wlepił je w Marlenę, ale zaraz się zorientował, że jej słowa to reakcja na to, co wyczytała w gazecie. Oparł się więc wygodnie o ścianę w swoim ulubionym kącie i znowu przymknął powieki. Już wiedział, że katastrofa lotnicza to historia.

– Nie wiem – zaczęła Czesia, stawiając przed Marleną kawałek szarlotki, którą upiekła z antonówek – czemu kupujesz gazety sprzed tygodnia od tego wariata ze sklepu obwoźnego. Już kiedy o tym mówili.

– Właśnie dlatego.

Marlena była najlepszą klientką Zenka Jaszczuka, szaleńca, który od świtu do południa przemierzał oddalone od głównych dróg wsie wysłużoną furgonetką, nie patrząc na doły, górki, błoto, pył ani na nic innego. Kiedy mu się coś potłukło, mruczał pod nosem: „Trudno, miało prawo się potłuc", jak się rozsypało, mówił tak samo: „Miało prawo się rozsypać". Gdy Marlenie coś się nie podobało, mamrotał: „Jak się pani nie podoba, może pani nie kupować" – co w tym wszystkim podobało jej się najbardziej. Skóra cierpła jej na samo wspomnienie namolnych sprzedawców w świecie, od którego parę miesięcy temu wzięła sobie bardzo długi urlop. Na samą myśl o agresywnej, wszechobecnej reklamie dostawała mdłości. Zenek Jaszczuk niczego nie zachwalał. Sprzedał co nie bądź i koło południa wracał rozklekotaną furgonetką do domu, nie omijając żadnego wyboju. Raz tylko Marlena się zdziwiła, czemu to ma płacić za stare gazety tyle co za nowe, a wtedy wybałuszył na nią oczy i warknął, że dlaczego nie, skoro taka na nich cena. Jak jej się nie podoba, to może nie brać. Bracia Wilczewscy z Górki, którym je woził, póki się tu nie wiadomo skąd nie przypałętała i którzy tak jak ona nosa nie wyściubiają z chałupy (chyba że idą kłusować albo na grzyby, nie mówiąc o kościele każdej niedzieli), okiem nie mrugną i jeszcze podziękują. Zenkowi to bez różnicy, czy sprzedaje stare gazety Wilczewskim czy Marlenie. Taką ma trasę, że u niej jest pierwszy, ale może w końcu zmieni, bo już mu się nie chce słuchać, jak Wilczewscy pomstują i straszą, że jej chałupę spalą, więc niech się kiedy nie zdziwi. Marlena nie przestraszyła się gróźb braci, tylko tego, że Jaszczuk w końcu zmieni trasę, więc oddawała mu na drugi dzień po przeczytaniu stare pisma, a on jeszcze tego samego dnia sprzedawał je Wilczewskim. Po nominalnej cenie. Pochwalił Marlenę za pomysł, bo już mu się nie chciało słuchać wszystkich tych wyzwisk. A jeszcze się bez przerwy pytali, z czego ta kobieta od roku tu żyje, na co Marlena odparła, że na pewno nie z kłusownictwa. Dużo kogo obchodzi, z czego ona żyje albo jakie gazety czyta. Nie przyjechała tutaj, żeby się komu z takich pierdół tłumaczyć. Ma czterdzieści lat (w tym momencie Czesia zrobiła oko do Filipa) i już na studiach nieźle zarabiała, sprzedając bluzki, które przywoził z Włoch jej były mąż. Zawsze, cokolwiek robiła, szukała sobie dodatkowego zajęcia i żadnej łaski od nikogo nie potrzebowała. Bracia Wilczewscy mogą jej naskoczyć. Nigdy nikogo się nie bała i teraz też nie ma zamiaru, zwłaszcza takich dzikusów, co chyba nawet nie wiedzą, na jakim świecie żyją, bo jakby wiedzieli, toby może od czasu do czasu gdzieś wyszli.

Marlena przeglądała więc przy popołudniowej kawie stare gazety, narzekała i złorzeczyła, ale cieszyła się, że mimo wszystko zażegnała konflikt. Nie to, żeby się bała tamtych, ale wolała trzymać się od takich dzikich ludzi z daleka.

Filip od czasu do czasu otwierał oczy i spoglądał na obydwie ze swojego kąta, kiedy tak paplały o niczym; nie mógł się nadziwić, że tak długo i z taką nieustającą energią można gadać o niczym. W końcu kiedyś przyszło mu do głowy, że w swoim dawnym życiu tak samo o niczym naprawdę ważnym z ludźmi nie rozmawiał. Nie przypominał sobie rozemocjonowanych dyskusji do białego rana ani ważnych dylematów, które chciałoby mu się z kimś roztrząsać. Różnica jednak polegała na tym, że jego paplaniny – bo tak je w końcu nazwał – nie były tak absurdalne. Ale w jego dawnym świecie nikt nie kupował gazet sprzed tygodnia. Liczył się tylko bieżący dzień i ewentualnie to, jak będzie się miał do przyszłości. Przeszłością nikt się nie przejmował.

Przez wiele miesięcy Filip Spalski nie przejmował się niczym. Ani tym, co było, ani tym, co będzie. Teraźniejszość nie miała większego znaczenia. Budził się, schodził na dół, pokręcił się po okolicy, raz w tygodniu jeździł po mięso i masę innych produktów spożywczych, bo ktoś tu mimo wszystko coś jadł, lub wybierał się do pralni z bielizną pościelową, bo ktoś tu mimo wszystko spał.

Nigdy nie było tłumów, ale kuchnia Czesi przyciągała ludzi. Tak samo tanie noclegi. Czesia chodziła dumna jak paw, kiedy jakieś państwo ze stolicy minęło dziesięć restauracji i zjeżdżało na obiad do Magnolii, bo znajomi polecili albo w zeszłym roku zapuścili się tu przez przypadek i nie pożałowali. Noclegami nikt się specjalnie nie zachwycał, ale za trzydzieści parę złotych chyba nikt zdrowy na umyśle luksusów nie oczekuje. Przespać się, wstać i iść lub jechać dalej.

– Z Bożą pomocą jakoś wszystko się kręci – odpowiadała Czesia Gawlińska, gdy od czasu do czasu zagadnął, czy są pieniądze, by zapłacić jej pensję, a także Oldze za warzywa, no i na to, co niezbędne, czy też będzie musiał dokładać.

Sam dla siebie potrzebował tylko świętego spokoju.

– A jeść to niby nie je! – dogadywała Czesia, kiedy zbyt głośno wyraził swoje myśli. – Nie kąpie się i nie kładzie co tydzień do łóżka w czystej pościeli? Myślałby kto, że nic mu nie potrzeba. O zimie trza pomyśleć zawczasu.

– Dopiero październik – wtrącił.

– Wielka mi nowina! Po październiku przychodzi listopad, a po listopadzie grudzień. Tylko patrzeć.

– Mamy na to jakiś wpływ?! – ryknął, bo nie wytrzymał.

– Wody do kaloryferów trzeba dopuścić, odpowietrzyć, co się zapowietrzyło, i zacząć już powoli przepalać, bo zimno. Ta para, co tu spała w zeszłą sobotę, marudziła, że zmarzli. Więcej na nocleg nie przyjdą.

– A niech nie przychodzą!

– Chyba że na obiad, bo im smakował. Drzewa, dzięki Bogu, z zeszłej zimy zostało, Madej na mrozy się przygotował, ale mrozów nie było. A w tym roku wiadomo, jak będzie? Nie wiadomo. Tylko tyle, że minie...

Niech mija, pomyślał, niech w jasną cholerę wszystko mija.

❧ ❧

– Jeszcze od czasu do czasu śniły mi się samoloty. Lot w chmurach... Lądowanie, lśniące terminale na drugim końcu świata... Wszystko w jakimś chaosie, jak to w snach...

– A żona?

– Nigdy nie śniła mi się żona.

– To nie bolało?

– Nie wiem. Myślę, że wszystkie emocje, w tym także zdolność odczuwania bólu, zamarły we mnie w tamto kwietniowe popołudnie, kiedy omal nie wykitowałem na tej huśtawce.

– Ale nie umarły?

Filip spojrzał na młodego człowieka i przemknęło mu przez myśl, czy to czasem nie jego dwudziestokilkuletnie alter ego usiadło obok na tej ławce, by poprowadzić wewnętrzny monolog na temat zysków i strat całego życia. I jeśli Filip koniec końców pozostanie przy samych stratach, tamten przypomni: „Zaraz, a to, a tamto...

A pamiętasz?". I kiedy Filip skończy swoją historię, tamten zacznie opowiadać ją od nowa. „Posłuchaj teraz, przyjacielu – powie – jak powinno wyglądać twoje życie". Tymczasem zaś słucha. Słucha i zadaje pytania.

Popatrzył mu w oczy. Jednak nie. Jego dwudziestokilkuletnie ja było najszczęśliwszym człowiekiem na świecie, wracając z pierwszych, wymarzonych od dzieciństwa lotów do skromnego mieszkanka na Żoliborzu, gdzie czekała najbardziej na świecie kochana żona.

– Nie, do cholery – odpowiedział. – Nic tak naprawdę do końca nie umiera. Nawet gdyby się bardzo chciało. Ciągle coś czułem.

– To pięknie.

– Irytację, złość albo zniecierpliwienie, gdy Marlena z Czesią zaczynały swoje i przeganiały tę małą, jak tylko zaczynała opowiadać tragicznie piękną historię, która miała się zdarzyć dwadzieścia lat temu na stacji. Nie wiem, czy tak pięknie…

– Oprócz irytacji, złości czy zniecierpliwienia… Co jeszcze?

Filip odparł po namyśle:

– Tkliwość na widok Olgi. Nieustającą, za każdym razem.

– A jednak.

– Olga… Zawsze taka pogodna, zawsze zadowolona ze swojego ciężkiego życia. Ani razu nie słyszałem, żeby na coś narzekała. Zawsze było w niej tyle subtelności. Nawet wtedy, kiedy zaczęła się zastanawiać, w jaki sposób zabić męża.

– Co takiego?!

– Nigdy… – Filip wstał i podszedł do krawędzi peronu.

– Po kilku miesiącach chyba do wszystkiego przywykłem. Albo uspokoiło się we mnie to, co jeszcze nie zdążyło się uspokoić. W pewnym momencie nawet poczułem jakby lekkie znużenie. Ciągle to samo i to samo. I wtedy zjawiła się Doris.

– Doris?

– Tak się przedstawiła, wysiadając z samochodu. „Dorota Leszcz – oznajmiła – ale wszyscy mówią do mnie Doris". Przy tym, jak wyglądała, mogła powiedzieć, żeby ją nazywać Uciekający Strumyk, i nikt by się nie zdziwił.

– Jak wyglądała?

– Jak Doris.

&. &

Na kilka dni przed świętami Czesia zaczęła piec pierniki. Monstrualną ilość pierników, jak ocenił Filip, gdy obłożyła całą kuchnię produktami i foremkami. Kiedy zapytał, czy zamierza za jednym zamachem napiec ich na kilka lat, odparła, żeby się nie zdziwił. Nie zdziwił się, myśląc, że to pewnie jedyna rzecz, jaką będą w tym czasie jeść. Szybko wyprowadziła go jednak z błędu, przypominając o trzech kaczkach, które trzeba odebrać od Józefiny. Ile Józefina powie, to trzeba zapłacić, ale najpierw dokładnie obejrzeć, czy dobrze oskubane. Jak niedokładnie, uciąć na każdej z dziesięć złotych, niech się Józefina na drugi raz nauczy. Skórka ma być żółciutka i gładka. Ręką niech przejedzie, jak nie dowidzi.

– Gdzie mieszka ta Józefina?

– Tam.

– Może byś sama pojechała – zaproponował nieśmiało, wiedząc, że w żaden sposób nie odróżni dobrze oskubanej kaczki od źle oskubanej i potem się nasłucha.

– A jeszcze czego! – Czesia na to. – Dwunasta minęła, a ja jeszcze w lesie.

– Zaraz będzie lato – dokończył.

W spiżarni Filip, rozglądając się za jakimś koszem na drób, dostrzegł kilka glinianych garów z zamarynowanym mięsem. Postukał się w głowę, ale nie skomentował. Na kuchni coś bulgotało. Czesia szybko go oświeciła, że to na pasztety.

– To będą jeszcze pasztety?

– Mecenas Lorka, jak głównych dróg nie zasypie, na pewno zjedzie z rodziną na święta. Śmiertelnie by się obraził, gdyby nie było pasztetu.

– To ten, co powstawiał plastikowe okna do starej chałupy?

– Ale tak to miły człowiek. – Czesia za nic w świecie nie powiedziałaby złego słowa na kogoś, kto w stolicy rozsławiał jej potrawy, tak że nieraz na specjalne zamówienie piekła pasztet dla jego gości, jeśli wcześniej uprzedzili, a Wilczewskim akurat udało się skłusować parę zajęcy. – Tylko nie daj Bóg, jak jest na kacu, a po Nowym Roku to murowane…

Znał już ten temat. Mecenas Lorka był też myśliwym. Po noworocznym polowaniu miewał takiego kaca, że na przestrzeni kilku kilometrów musiała panować bezwzględna cisza. Wszyscy w okolicy o tym wiedzieli, zresztą komu by się chciało po Nowym Roku hałasować. Wszyscy poza Jaszczukiem. Ten nie miał litości. Drugiego stycznia (chyba że akurat wypadała niedziela, ale to rzadko), skoro świt, śnieg nie śnieg, mróz nie mróz, wyjeżdżał swoją rozklekotaną furgonetką i gnał po zaspach czy dołach jak opętany. I walił w klakson bez opamiętania, żeby ten, kto jeszcze spał, natychmiast się obudził i kupił u niego co nie bądź. Choćby dla świętego spokoju.

Lorka trzymał w sieni załadowaną strzelbę i jak tylko Jaszczuk przejeżdżał, trąbiąc przeraźliwie, wyskakiwał z łóżka, łapał strzelbę i strzelał za obwoźnym sprzedawcą, wrzeszcząc:

– Jaszczuk! Ty zbóju! Już nie żyjesz! Za rok o tej porze jesteś martwy, bo za rok inaczej się przygotuję. Z kałachem od Ruskich tu przyjadę i inaczej cię tu w nowym roku, ty bieszczadzka mendo, powitam!

Co roku to samo. Raz mu podziurawił blachę, raz przestrzelił opony, ale sam Jaszczuk, jak widać, ciągle był żywy.

– Może mi naskoczyć – przechwalał się wszędzie Zenek po każdej takiej akcji. – On i cała ta jego warszawka. Nikomu jakoś nie przeszkadza, że sobie znienacka przejadę po okolicy z samego rana, choć u każdego pod ręką gnat lepszy od tej jego zakichanej pukawki.

O tym Filip już sam się zdążył przekonać, gdy Czesia spytała go pewnego razu, jakby od niechcenia, gdzie trzyma broń, jakby co.

– Jaką broń?! – zdziwił się.

– To nie masz broni?! – Zdziwiła się jeszcze bardziej.

– Tu wszyscy mają.

– I niby do czego mi potrzebna? – spytał z irytacją. W życiu nie miał nawet porządnego noża.

– Żebyś się nie zdziwił – Czesia na to.

Przeklęte kaczki były – na oko – żółciutkie i dobrze oskubane. Józefina, kobieta na oko sześćdziesięcioparoletnia, podała mu je z wyszukaną elegancją na lnianych ścierkach i rozwinęła, żeby mógł popatrzeć. Miała na głowie koronkowy kapelusz i suknię z niebieskiego atłasu, ozdobioną tu i ówdzie kolorowymi kokardkami. Parę miesięcy temu Filip może jeszcze by się zdziwił. Gdy się uśmiechnęła, dostrzegł dopiero, jak piękne miała oczy, więc jakoś tak odruchowo odwzajemnił uśmiech, a wtedy zapytała o to i tamto, dodając na koniec:

– Miałam tyle lat co pan, kiedy tu wróciłam. A Luiza była wówczas młodą panienką.

Obejrzał kaczki z każdej strony, przejechał ręką, czy gładkie, zapłacił, ile chciała. Do niczego nie mógł się przyczepić, bał się jednak, że Czesia będzie innego zdania. Ale zajęta rozmową z Marleną, ledwie rzuciła okiem na drób i machnęła ręką, że może być. Zaprzeczyła, kiedy spytał, z kim ta Józefina tam mieszka.

– Sama jest – odparła.

– Zanim wyszła, słyszałem, jak gada z kimś w chałupie.

Czesia przewróciła oczami.

– A widziałeś, jak wygląda?

– Widziałem.

– Nie zdziwiło cię to?

– Trochę.

– To i nie dziw się, że sama ze sobą gada.

Marlena, ocierając łzy, ozdabiała uformowane pierniki jakimiś masami.

– Najpiękniejsze wspomnienia z dzieciństwa… – wyjaśniła Filipowi, pociągając nosem, kiedy raz czy dwa ze zdziwieniem zerknął w te jej pełne łez oczy. – Mamusia, brat i ja… I cały stół kuchenny w piernikach. Teraz nagniotą jakiegoś badziewia, zapakują w folię i wmawiają ludziom, że domowe. Cholerne czasy. Kiedyś zakupy były przyjemnością. Teraz musisz się mieć na baczności i pilnować, żeby ci ktoś nie wcisnął puszki z powietrzem, którym oddychał nasz wielki papież. Aleś mi, Cześka, radość zrobiła.

– Akurat nie miałam takiego zamiaru.

– Wiem, że nie miałaś. Daj jeszcze tego lukru, co tak żałujesz? Na Mikołaja. I sanki. Dawaj jeszcze na sanki.

– Zgoda, ale jak mi potem pomożesz kręcić mięso na paszety – postawiła warunek Czesia.

– Dobra! – Marlena lekko machnęła ręką.

– I mak – rozzuchwaliła się tamta.

Marlena powtórzyła gest. Ale na widok masywnej, ręcznej maszynki, którą Czesia zaczęła przykręcać do stołu, mina trochę jej zrzedła.

– Ręcznie?!

– A co?

– Nie ma tu elektrycznej maszynki?

– Nie obrażaj mnie. – Czesia dumnie wypięła pierś i na chwilę zacisnęła usta. – Kręć, a ja tu zacznę trochę wszystko ogarniać.

Mięso na pasztet Marlena skręciła bez mrugnięcia okiem. Po pierwszym kręceniu maku zaczęła narzekać na zasięg w telefonie, że jak najbardziej potrzebny, to go nie ma („Lataj po całej wsi i szukaj!"), po drugim na internet („A miał łączyć z prędkością światła!"). Pod koniec kręcenia maku trzeci raz Marlena złorzeczyła już na wszystko. Zaczęła od bandyckich podatków, które idą nie wiadomo na co, a skończyła na sprzedawcach butów w sklepach wielkopowierzchniowych (Na samo słowo „galeria" czy „supermarket" dostaje gęsiej skórki, więc ich nie wymienia). Tam buty nie kosztują siedemdziesięciu złotych, stu pięćdziesięciu czy pięciuset…

– Pięćset to dużo – wtrąciła Czesia.

– Płaciłam i osiemset, jeśli były tego warte. Sprzedawca powiedział: „osiemset", i tyle płaciłam.

– Żartujesz!

– Nie o to chodzi.

– Więc o co?

– O ten cholerny grosz!

– O grosz? – Czesia nie posiadała się ze zdumienia, wtedy Marlena zaczęła wyjaśniać:

– Sześćdziesiąt dziewięć dziewięćdziesiąt dziewięć, sto czterdzieści dziewięć dziewięćdziesiąt dziewięć, dwieście czterdzieści... A tam do diabła! Tylko jak bierzesz to cholerstwo i idziesz do kasy, to się okazuje, że zawsze brakuje tego grosza reszty i płacisz siedemdziesiąt, sto pięćdziesiąt albo... „Może być bez grosika?" – pyta taki jeden i drugi bałwan z uśmiechem jak stąd do Rzeszowa i trzeba awantury...

Czesia była wyraźnie zdegustowana.

– Do głowy by mi nie przyszło robić awantury o jeden grosz.

– Mnie też nie! – wrzasnęła Marlena, kręcąc wściekle korbką maszynki. – Dziesięć, dwadzieścia, sto razy. „Ależ oczywiście – odpowiadałam – może być, co tam jeden grosz". Ale za sto pierwszym powiedziałam: „Nie! Nie może być, jasna cholera. Niech wam dadzą do kasy te cholerne grosze albo nie robią ludzi w balona!". Rozumiesz, o czym mówię? Rozumiesz?!

Czesia sceptycznie wzruszyła ramionami.

– Bo siedzisz na tym zadupiu i nic nie wiesz o świecie – odparła Marlena. – Więcej nie kręcę!

Odsunęła się od maszynki, wytarła ręce w fartuch Czesi i dopiła kawę, która stała na blacie. Czesia zajrzała do wielkiej michy z ukręconym makiem i kiwnęła głową, że już może być. Odkręcając maszynkę od blatu, zerknęła na czerwoną ze złości Marlenę.

– Dlatego tu przyjechałaś?

– Nie! Przyjechałam tu, żeby piec pasztety dla całych Bieszczad – prychnęła tamta.

Czesia już się nauczyła nie reagować na jej wybuchy.

– Wypij jeszcze jedną kawę – doradziła ze stoickim spokojem – i przestań przeżywać jakieś pierdoły. O świecie wiem tyle, ile mi potrzeba, żeby żyć.

– Ciekawe!

– À propos pasztetów… – wtrącił Filip, rozsiadając się w ulubionym miejscu. – Tudzież wszystkich innych wyszukanych potraw… Droga przy kapliczce już zawiana, a ciągle wieje i sypie. Nie chciałbym się wtrącać, ale mam poważne wątpliwości, czy ktoś tu dotrze w święta.

– Żebyś się nie zdziwił – Czesia na to. – Trzy pługi we wsi. Ja tam się o gości w święta nie martwię. Z mecenasem przyjdzie najmniej osiem osób. Wilczewscy to jeszcze dwie…

– Bracia Wilczewscy? – zdziwiła się Marlena. – To te dzikusy w ogóle złażą z Górki?

– Trzy razy w roku. Święta, jedne, drugie i sylwester. No i co niedziela do kościoła. A i tak zawsze dodatkowo ktoś się trafi. Z pensjonatu Dziewięćsił lubią tu zajrzeć koło wieczora na prawdziwą wyżerkę. Właściciel co rusz mnie namawia, żebym poszła do niego gotować. Nie ma farta do dobrych kucharzy. A potrzebne mi to, żeby mi miał kto dyrygować to czy tamto. Tu nikt mną nie rządzi.

– Żeby tak jeszcze w drugą stronę – mruknął Filip, wygodnie układając głowę na poduszce.

Zamknął oczy i zaklął w duchu, bo coś już zaczęło nim szarpać. Atmosferę przedświątecznej krzątaniny znał tylko z czyichś opowiadań, może z literatury. Może dotknął raz czy dwa czegoś podobnego wzrokiem, gdy wpadł w dzieciństwie do jakiegoś kolegi. Matka była lekarzem, ojciec budowlańcem, wiecznie na kontraktach. Dziadkowie mieszkali daleko. W domu nigdy nie było świąt. Rodzice żyli z daleka od siebie. Żyją tak do tej pory. Gdy w nadziei na jakieś pocieszenie tuż przed rozwodem wyznał matce: „Mamo, nie mogę sobie poradzić ze świadomością, że przez osiemnaście lat byłem z obcą kobietą", odpowiedziała, że osiemnaście lat to dość, by ludzie stali się sobie obcy. Sam na każde święta wyjeżdżał z żoną w góry (nawet w najbardziej pesymistycznym wariancie jednak nie było to takie miejsce) i żadnemu z nich do głowy nie przyszło, by coś świętować i zasiadać przy stole uginającym się od potraw, które najpierw przez kilka dni trzeba było przygotowywać. Nie rozumiał tego wszystkiego. Nie pojmował żadnych zależności, że to ma być do tego, a to do tamtego, jak na przykład whisky do pasztetu.

– Whisky do pasztetu to jakaś jest?! – Usłyszał z kuchni głos Cześki. – Trzeba trochę dodać.

Już mu głowa opadała, już nawet raz albo dwa razy chrapnął. Wstał, wyjął z barku butelkę i postawił ją na stole. Cześka przyjrzała się podejrzliwie etykiecie i uznała, że musi spróbować, bo nie każda się nadaje. Wygrzebała z szafki dwie szklaneczki i zaczęły z Marleną próbować. I paplać jedna przez drugą nie wiadomo o czym. Zaraz też zjawiła się Tuśka, nawet nie słyszał, kiedy weszła.

– On miał na imię Rudolf, a ona Luiza… – zaczęła, skubiąc okrawki z pierników.

– Kto?! – wydarły się na nią Marlena z Czesią.

– No ci dwoje ze stacji, co wam mówiłam… Ładnie, prawda?

– Ładnie – przytaknęła Marlena – ale nie truj.

Filip przysypiał oszołomiony zapachami, odgłosami paplaniny z kuchni, ciepłem bijącym od żywego ognia z kominka, a także widokiem grubych płatów śniegu za oknem…

🦗 🦗

– Co z tą Doris?

– Cierpliwości. W tym właśnie rzecz, że zjawiła się w konkretnym momencie. W dość szczególnym momencie.

– To znaczy w jakim?

– Właśnie w takim. Marlena z Czesią gadały jak najęte i były coraz weselsze. Tuśka kręciła się to tu, to tam, niezadowolona, że znowu nie pozwoliły jej opowiedzieć o czymś, co wydarzyło się tutaj dwadzieścia lat temu. Ja drzemałem. Może bym i zasnął, ale coraz częstsze i głośniejsze wybuchy śmiechu z kuchni nie pozwalały mi na to. Kobiety bawiły się w najlepsze, a we mnie zaczęło się coś gotować.

– Z ich powodu?

– Nie, przyjacielu. Ogólnie, z powodu wszystkiego.

Nieznanej dotąd atmosfery, uczuć, żalu za czymś... Dotąd przyjmowałem wszystko bez mrugnięcia okiem, bez zdziwienia, choć nieraz powinienem się zdziwić. Oszołomiony atmosferą tamtego dnia nagle zacząłem zdawać sobie sprawę, że do tej pory byłem tylko obserwatorem tego wszystkiego, widzem niemającym nic wspólnego z większością wydarzeń. Byłem, bo byłem, ale równie dobrze na moim miejscu mógłby się znaleźć ktoś inny. Wykonywałem tylko pewne czynności, w nic się nie angażując.

– Bardzo wygodne położenie.

– Niezwykle wygodne. Wiesz, do czego można je porównać?

– Do czego?

– Do śpiączki farmakologicznej, w którą wprowadza się pacjenta po ciężkich urazach, aby organizm bez udziału świadomości poradził sobie z bólem.

– Zaczynałeś się budzić.

– Ale chyba zbyt gwałtownie. Coś mnie dopadło. Z czymś nie mogłem sobie poradzić. Przez chwilę nawet myślałem, czyby nie wyjść na zewnątrz i nie ruszyć, gdzie oczy poniosą. Zmęczył mnie ten przydługi letarg.

– Co cię powstrzymało?

– Paskudna pogoda. Paradoksalnie Doris, niedorzecznie absurdalne zjawisko w takim miejscu i o takiej porze, pozwoliła mi wyjść z tego stanu bez wielkiego szoku...

– Wywołując jakieś szczególne wrażenie?

– I pojawiając się w odpowiednim momencie.

– Teraz się pojawi?

– Właśnie.

– Najwyższa pora.

– Podejrzewając, po wesołych odgłosach z kuchni, że tej whisky może nie wystarczyć do celu, do jakiego miała być przeznaczona, wstałem i poszedłem do barku...

Stawiając nową butelkę na kuchennym stole, Filip zerknął na Marlenę. Trzymała szklankę z alkoholem przy twarzy, co przypomniało mu żonę. Jego żona robiła to w identyczny sposób. Piła tylko dobre alkohole, w szklance z grubym dnem, subtelnymi łyczkami, po każdym zatrzymując na chwilę szklankę przy prawym policzku. Uwielbiał na to patrzeć, bo miała wtedy coś nadzwyczajnego w oczach. Nigdy nie potrafił tego nazwać, ale niezmiennie go to fascynowało. „Zrób tak jeszcze raz" – prosił nieraz, a wtedy przechylała głowę i pytała z uśmiechem: „Jak?". „Jakkolwiek" – odpowiadał, zdając sobie sprawę, że nieustannie zachwyca się każdym jej ruchem – od pierwszej chwili, gdy ją zobaczył i każdy jej ruch zatrzymał pod powiekami, by go odtwarzać, kiedy tylko przyjdzie mu ochota: w chmurach, na lotniskach, w hotelach na końcu świata. To, jak się pochylała, odwracała, szła albo odgarniała włosy, było jedyne w swoim rodzaju. Za wszystko to razem i każdy moment z osobna oddałby życie, gdyby było trzeba. Dziesięć żyć!

Wlał pół szklanki whisky z nowej butelki i wypił jednym tchem, mało się nie dławiąc, a potem wyrzucił gwałtownie dłonie z rozpostartymi palcami przed siebie, aż Marlena z Cześką odskoczyły przerażone, i zawył:

– Osiemnaście, kurwa, lat!

Trzy kaczki, pięknie oskubane, czekały na ciąg dalszy, a mięso w wielkiej misce na swoją porcję whisky, nie mówiąc o tych w marynacie, które trzeba było w porę wyjąć i upiec. To wszystko, a przynajmniej jakaś część, miało wielką szansę się zmarnować, bo Marlena z Cześką, już dostatecznie podcięte, sięgały po butelkę, by ją rozlać do szklanek swoich i Filipa i solidarnie przeżywać z nim jakieś bolesne wspomnienie lub raczej cały ciąg bolesnych wspomnień. Przecież osiemnaście lat to szmat czasu, niejedno się mogło zdarzyć. Nagle usłyszeli przed Magnolią warkot samochodu.

– A kogo tam niesie? – Czesia przetarła dłonią zaparowane okno, ale i tak nic nie było widać. – W taką pogodę!?

– Dwa dni przed świętami – dodała Marlena.

Przytłumiony dźwięk klaksonu poderwał je obie od stołu. Wyszły na ganek, nie domykając drzwi, a po chwili Filip usłyszał jęk Cześki:

– O Maryjo!

I jęk Marleny:

– O Chryste Panie!

Zaciekawiony, wyszedł za nimi, popatrzył i oparł się o ścianę.

Dwa dni przed świętami, o ponurym, śnieżnym, grudniowym zmierzchu, w oddalonym od głównych dróg zakątku Bieszczad można się było spodziewać kogoś, kto zabłądził, w ostateczności zaś jednego z dalszych kuzynów Czesi z wiadomością, że babka Klara umiera i chce wyjawić wielką tajemnicę. Tymczasem z auta wyszło coś różowego, bardzo niepozornego w formie, lecz zaskakującego wyglądem w takim miejscu i o tej porze: młoda kobieta o blond włosach z różowym pasmem opadającym na połowę twarzy. Wszystko na niej było różowe: kurtka, kozaczki, minispódniczka, grube getry. Mocny róż, średni róż, słaby róż. Pełna gama różowości zatańczyła im przed oczami, odbierając mowę.

– Dzień dobry! – zawołała. – Lub może raczej: Dobry wieczór! Od tygodnia usiłowałam zrobić rezerwację, ale nie mogłam się dodzwonić...

– Rezerwację? – Czesia pierwsza odzyskała głos. Jakaś głupia?

– Na mejle też nikt nie odpowiadał.

– To my mamy jakiegoś mejla? – zdziwił się Filip.

– Stronę internetową. Kiedyś mieliśmy – usłyszał w odpowiedzi zduszony głos Czesi. – Za Madeja. Może jeszcze i jest, ja się nie znam.

– Ale myślę sobie... – Różowe zjawisko otworzyło bagażnik i wyrzuciło na śnieg pierwszą torbę. – Spróbuję... na wariata. To w końcu... – rozejrzało się dookoła, wyrzucając drugą – nie Zakopane.

– Nie, to nie Zakopane – przytaknęła Marlena, szturchając Filipa w bok. – Co było w tej whisky?

– Whisky – odpowiedział, ruszając z pomocą kobiecie pochylonej nad bagażnikiem. Wyglądało na to, że sporo ma tego bagażu.

Przy trzeciej torbie się zawahała.

– Mam nadzieję, że są jakieś wolne pokoje?

– Całe mnóstwo – mruknęła pod nosem Czesia.

– Słucham?!

– Oczywiście. Czekają na panią!

Kobieta jakby się zreflektowała, odgarnęła z twarzy różowe pasmo i oświadczyła z promiennym uśmiechem:

– Mam na imię Dorota. Dorota Leszcz. Ale wszyscy mówią na mnie Doris.

– Doris – powtórzyła Marlena melodyjnym głosem, mało nie płacząc. – Wprost wymarzone imię dla…

– Przestań! – Czesia walnęła ją w bok i szerokim gestem zaprosiła Doris do środka. – Filip to wszystko wniesie…

– Po to tu jestem.

– Niech pani wejdzie.

– Doris – zaprotestowała gwałtownie. – Po prostu Doris.

– No to wejdź… Doris.

Po przekroczeniu progu Doris położyła dłonie na twarzy w niemym zachwycie. Dopiero po chwili wykrztusiła:

– Boże, jak pięknie! Właśnie czegoś podobnego się spodziewałam. Jak ciepło! Jakie cudne zapachy!

Filip wniósł pięć toreb i rzucił je swobodnie w korytarzu plus kilka drewnianych skrzyneczek, z którymi miał zamiar zrobić to samo, ale go uprzedziła:

– Ostrożnie! To farby.

– Do włosów? – spytała Marlena.

– Dobre! – Doris parsknęła perlistym śmiechem. – Do włosów! Naprawdę dobre! Nie, moja droga. Do malowania.

– Czego?

– Do malowania, po prostu.

Zdjęła kurtkę, odsłaniając resztę różowej garderoby, i jeszcze raz objęła całe wnętrze pełnym zachwytu wzrokiem. Czesia posadziła ją przy kominku, proponując herbatę i coś do zjedzenia. Herbata tak, ale nic poza tym. I sen. Prawdziwy, mocny sen.

– Dość tego – mówiła, rozsiadając się przy kominku i leniwie rozpinając różowy sweterek. – Dość takiego życia, powiedziałam sobie. Nic, tylko balangi, kluby, nocne knajpy. Cała chmara kilkudniowych znajomych. Zero normalnego życia... Boże, jak tu pięknie! Jeden facet, drugi facet, dziesiąty... Żaden nie na tak długo, by po miesiącu pamiętać jego imię. Sto tysięcy znajomych, wśród których ciężko byłoby wskazać jednego lub dwu przyjaciół. Żałosna powierzchowność. Dość – stwierdziłam pewnego dnia – do czego mnie to doprowadzi. Do niczego. Mam trzydzieści lat i za chwilę będę mieć pięćdziesiąt...

– To prawda – wtrąciła Czesia, obdarzając Doris prawdziwie życzliwym spojrzeniem.

– „Dość" – powiedziałam tamtego ranka, wertując stos przewodników, żeby znaleźć coś najdalej od wszystkiego. W nocy przyśniła mi się mamusia. Nie pamiętam nic z tego snu, tylko że mi się śniła. Przypomniała mi w tym śnie, że jak byłam dzieckiem, bardzo lubiłam malować. Każdy człowiek ma w sobie jakiś dar, wielkim grzechem byłoby ten swój dar zmarnować... Ile lat minęło od tamtych czasów, kiedy rozkładałam blok przy kuchennym oknie i malowałam, nie pamiętam. Wiem natomiast, że przynajmniej od dziesięciu nie robię nic, tylko się bawię... – Posmutniała i pochyliła się nad herbatą, a gdy na nowo uniosła głowę, twarz miała promienną, szczęśliwą. – Niełatwo było znaleźć to miejsce. W końcu gdzieś w internecie chyba wygrzebałam...

– I tak od razu? – spytała Czesia.

– A na co miałam czekać?

Nie pożegnała się nawet z nikim, kontynuowała, podczas gdy Filip zastanawiał się, czy w dawnym pokoju żony Madeja, jedynym, który się nadawał dla Doris, Czesia powlokła na święta świeżą pościel. Odkąd tu był, nikt w tym pokoju nie spał – więc pościel, choć czysta, mogła lekko zalatywać stęchlizną. Zapytał po cichu Czesię; w odpowiedzi posłała mu takie spojrzenie, że pożałował. Wziął więc torby, ile się dało, i zaczął je powoli wnosić na górę. Słyszał za sobą ciepły, choć nieco za bardzo rozemocjonowany głos Doris:

– Balangi, jedna za drugą, imprezy do białego rana. Że też się w końcu ocknęłam, jeszcze rok, dwa i nie wiem, co by zostało z mojego życia. Dziękuję ci, mamusiu, że mi się przypomniałaś. Nawet nieraz próbowałam się opamiętać, jak już tego wszystkiego było za dużo, ale mieszkanko w centrum Krakowa... Każdemu po drodze. I tyle knajp naokoło... Nawet nie chcę już o tym więcej mówić. Jestem bardzo zmęczona...

Gdy zszedł na dół po resztę waliz i toreb, Doris spała z głową wspartą o ścianę kominka. Czesia z Marleną stały obok nieruchomo, z otwartymi ustami – domyślił się, że Doris zasnęła przed chwilą, dosłownie w połowie zdania. Pokazał ręką jednej wyjście, drugiej kuchnię, a sam delikatnie obudził Doris, mówiąc, że pokój na górze już gotowy. I łóżko.

– Tak, tak – wymruczała i poszła za nim.

Zdawało mu się, że energii, jaka tryskała z niej od momentu, gdy wysiadła z auta, aż do chwili, w której oparła głowę o kominek, zostało tylko tyle, żeby wejść po tych schodach. Już w długim korytarzu, wiodącym do pokoju, Filip podtrzymywał ją dwa lub trzy razy, a gdy otworzył drzwi, ruszyła prosto do łóżka i po prostu na nie upadła.

Kiedy wrócił na dół, Czesia już na dobre urzędowała w kuchni. Zamaszyście, energicznie chowała jedno, wyciągała drugie, mamrocząc pod nosem, że w samą porę zjawiła się ta Doris, bo tak to nie wie (zerknęła na butelkę whisky), co by tu się działo. Środek nocy (dopiero zmierzchało, była najwyżej piąta), a tu jeszcze tyle roboty.

– Tylko że nie wiem... – zawahała się nagle pośrodku kuchni, trzymając gar z marynatą, wyjęty ze spiżarki.

– Czego nie wiesz?

– No, ta Doris… Taka imprezowiczka…

– A z kim niby ma tu imprezować? Z Jaszczukiem?

– No nie wiem… Przyjechać ni stąd, ni zowąd w takie miejsce w środku ciężkiej zimy z całym swoim życiem.

– Z jakim całym życiem, Cześka?!

– Trzydzieści lat, pięć toreb i te no…

– Pudełka z farbami.

– Wiem, co mówię – zawyrokowała, dodając po chwili namysłu: – Choć z drugiej strony dobrze, że tak w porę się zjawiła.

W samą porę, zgodził się z nią w myślach, zerkając na butelkę. Czesia wlała trochę aromatycznego alkoholu do skręconego mięsa na pasztet i zaczęła je wyrabiać.

– Znowu z drugiej strony – mówiła, mieszając i ugniatając – to się trochę boję, żeby nam tych świąt nie zepsuła.

Nie zepsuła, bo przez kilka dni nawet nie zeszła z góry. Filip nie mógł się pozbyć wrażenia, że swoim niespodziewanym przybyciem pozwoliła mu przeżyć jedyne w życiu święta.

Dopiero po nich zaczął pić, stając się już nie tylko obojętnym obserwatorem, lecz także uczestnikiem rzeczywistości, zdarzeń…

Przestał, gdy kończyła się wiosna.

🐌 🐌

Przez jakiś czas obaj stali w milczeniu przy krawędzi peronu, z rękoma w kieszeniach, gapiąc się daleko za tory. W końcu Filip powiedział:

– Patrz, jakieś dziecko z latawcem.

– Gdzie?

– Tam, po prawej stronie wzgórza. Widzisz?

– Nie widzę.

– Na wysokości tamtych drzew.

– Widzę. Nie, to jakiś ptak.

– Dziecko z latawcem, mówię ci.

– Skąd! W ogóle nie ma wiatru.

– Może tam jest.

– Może... Myślę jednak, że to ptak.

– Dwa ptaki.

– Jeden. Wyraźnie jeden.

– Tamtej wiosny dwa ptaki wpadły do mojego śmierdzącego wódą pokoju w pogoni za jakimś owadem. Zrobiły rundę pod sufitem i wyleciały przez otwarte okno, stawiając mnie na nogi. Ale tylko na chwilę. Potem upadłem na łóżko i nie zamierzałem już się z niego podnieść.

Młody człowiek zrobił kilka kroków wzdłuż peronu, odwrócił się i przez chwilę patrzył na Filipa w milczeniu.

– W życiu człowieka zdarzają się takie momenty, o których wystarczy tylko powiedzieć, że były...

Filip zaprotestował, gestykulując gwałtownie:

– Nie, nie! Żadnej taryfy ulgowej. Jak wszystko, to wszystko. Dwa ptaki... Nie, to już było... Trzy pary delikatnych kobiecych rąk poderwały mnie ze śmierdzącego wódą i papierosami barłogu, zawlokły do łazienki i rzuciły do wanny pełnej wody. Usłyszałem głos Cześki: „Albo się utopi, albo ocknie, wola boska". Uderzyłem głową...

– Zaraz, zaraz – przerwał młody człowiek. – A całe święta?

– Co się odwlecze, to nie uciecze. Przybycie Doris tylko na kilka dni odsunęło ode mnie butelkę. W końcu i tak dopadło mnie to, co mnie miało dopaść, o czym tu mówić. O choince obwieszonej cholernymi piernikami?

– Dlaczego nie?

🐌 🐌

Czesia Gawlińska, rozkojarzona jak nie Czesia, postawiła przed Filipem pudełko pierników, szpikulec, pęk złotych nitek i zarządziła, żeby je ponawlekał, bo jej synowie zjechali na święta. Wypadałoby ich powitać i przypomnieć sobie, jak wyglądają. Pojedzą, powypytują, jak sobie mamusia radzi, co słychać, zakręcą się i wyjadą, nim zdąży im się dokładnie przyjrzeć. Jeszcze drugiego dnia świąt, to murowane. Może gdyby były córki...

– Wolałabyś, żeby to były córki? – Wpadł jej w słowo.

– Nie to, żebym wolała. Tak się mówi, nie? Chociaż, jak była na to pora, można się było jeszcze postarać... – Machnęła z rezygnacją ręką i dodała: – Dopiero co leżeli w łóżeczkach, uczyli się chodzić... Czasu nie zatrzymasz.

– Doris jeszcze nie wstała? – zagadnął, niezgrabnie przeciągając nitki przez przypadkowo wykłute dziurki w piernikach.

– Śpi jak zabita. W różowej piżamce. Musiała chyba wstać w nocy i jakoś się ogarnąć po podróży. Jedna torba rozbabrana, a reszta stoi, jak stała. Nic nierozpakowane.

– To może wyjedzie, jak się wyśpi.

– Nic nie wiem. Spytałam tylko, czy zejdzie na śniadanie, to się przekręciła na drugi bok i tyle. Jak przyjdzie Marlena, niech sama sobie zrobi kawę. Ja lecę.

Marlena była bardzo niezadowolona, że musi sama sobie zrobić kawę. Rozejrzała się, ponarzekała, ale że nie znalazła nikogo, kto mógłby jej przytakiwać lub zaprzeczać, z nudów zaczęła wieszać pierniki na choince.

– A gdzie Barbie? – spytała w pewnej chwili.

– Śpi – odparł.

– Naprawdę? – zdumiała się. – To chyba rzeczywiście nic a nic nie przesadziła z tymi balangami.

Pod wieczór Filip sam zajrzał do pokoju Doris. Nie chciała jeść ani pić, tylko spać.

– Pozwól mi się wyspać – poprosiła, nie otwierając oczu.

– Śpij – powiedział i wyszedł.

W nocy, gdy szedł do swego pokoju, przemknęła mu na korytarzu, wychodząc z łazienki. Pozbawiona tych swoich szmatek we wszystkich odcieniach różu, butów na wysokich obcasach, z przyklapniętymi włosami i bez makijażu wyglądała jak dziecko. Niesamowita, wiotka chudzina. Znikła momentalnie za drzwiami pokoju, zanim Filip zdążył o cokolwiek zapytać. Zostawił pod tymi drzwiami butelkę wody mineralnej i postanowił, dopóki sama się nie zdecyduje, nie budzić jej ani o nic nie pytać.

A potem co? Wigilia, której się trochę obawiał, na szczęście minęła bez bólu. Wpadła Czesia połamać się opłatkiem i złożyć życzenia, a potem szybko pognała na kolację z synami. Wpadła Marlena, uścisnęła go, zjadła kawałek karpia, w pośpiechu łyknęła dwie łyżki barszczu czerwonego z uszkami, bo córka czeka na skajpie, pa, wesołych świąt i tak dalej. Na chwilę zajrzała Olga, uśmiechnięta, życzliwa, wesołych świąt i pobiegła z powrotem do sparaliżowanego męża.

Filip pozamykał drzwi, pogasił światła i zadowolony poczłapał na górę. Przez chwilę coś mu świtało w głowie, żeby wrócić i zabrać ze sobą napoczętą butelkę whisky, ale zrezygnował ostatecznie, mamrocząc do siebie pod nosem:

– Chyba raczej nie… No nie, w końcu to Wigilia.

Cyrk zaczął się następnego dnia koło południa, kiedy Czesia, z łezką w oku, bo jej synkowie tuż po śniadaniu wyjechali do swych narzeczonych, zaczęła zsuwać stoły pośrodku sali i rozkładać na nich białe obrusy.

– Dopiero co byli dziećmi – biadoliła – a zaraz sami będą mieć dzieci, tylko patrzeć. Doris nie ma zamiaru wstać w te święta? Idź, zobacz, czy w ogóle żyje!

– Śpi! – warknął. – Po co tyle tych stołów?

– Żebyś się nie zdziwił.

Trochę się zdziwił, gdy w pewnym momencie dostrzegł za tymi stołami mecenasa Lorkę z żoną i szóstką znajomych, to już osiem osób, braci Wilczewskich i dziwnie oszołomioną Marlenę. Czesia z siostrzenicą podały wszystko do stołu i też usiadły. On też w końcu usiadł.

Mecenas Lorka z męską częścią swych znajomych rozmawiał tylko o polowaniach, w przerwach wychwalając pod niebiosa niewyszukane, ale najlepsze na świecie potrawy Czesi Gawlińskiej.

– Takiego schabu w galarecie, pani Cześko, to już się nigdzie nie zje.

Czesia skromnie spuszczała wzrok, ukradkiem ocierając łzę z oka.

Bracia Wilczewscy, Olaf i Borys, chłopy po metr dziewięćdziesiąt, długowłosi, w czarnych spodniach i białych koszulach, osaczyli Marlenę z dwóch stron, podając jej to chrzan, to półmisek z mięsem, albo po prostu lejąc wódkę.

– Wyglądają jak młodopolscy poeci – wykrztusiła do Czesi, gdy obaj wstali od stołu i wyszli na papierosa, choć Filip na początku zapowiedział, że tu się pali, gdzie kto chce. Ale oni nie, przy damach nie można.

Tamta wytrzeszczyła oczy.

– A jak wyglądali młodopolscy poeci?

– Jak Wilczewscy. Długie włosy, białe koszule i ten żar w oczach. O matko, aż mnie coś pali.

– To od wódki – orzekła Czesia. – Nie pij tyle, bo jeszcze coś palniesz.

Marlena bardzo się pilnowała, ale i tak palnęła, mówiąc wprost, gdy wrócili do stołu.

– Nie miałam pojęcia, że tak wyglądacie.

Jeden pocałował ją w jedną rękę, drugi w drugą i spytali, czego się spodziewała – brakującego ogniwa? Aż dech jej zaparło. Popłynęła już całkiem, gdy się dowiedziała („Dlaczego nikt mi do tej pory nie powiedział?"), że są informatykami. Piszą programy czy też gry komputerowe, a w chałupie mają taki sprzęt, że niejeden by się zdziwił. Może dlatego prawie wcale z niej nie wychodzą.

– I z tego się utrzymujecie? – dopytywała Marlena. Dopytywałaby o cokolwiek, byle tylko ani na moment nie stracić z nimi nie tylko wzrokowego, ale i werbalnego kontaktu.

– O tyle, o ile – odparł jeden z braci, podając jej eleganckim gestem półmisek z sarniną w warzywach. – Przede wszystkim projektujemy okładki do książek science fiction, w lwiej części na zachodni rynek. Kompotu czy wody?

– Kompotu i wody – wypaliła Marlena, podstawiając pustą szklankę.

Zakochała się w obydwu – wyglądali tak samo – koło Nowego Roku. Dokładnie rzecz ujmując, pod koniec zabawy sylwestrowej, podczas której tańczyła raz z jednym, raz z drugim. Z obydwoma do upadłego.

– Ale chyba nie zamierzasz, jakby co, spać z obydwoma? – dopytywała się Czesia, robiąc jej podwójnie mocną kawę, w nadziei, że tamta dojdzie do siebie po tym sylwestrze, oprzytomnieje i przestanie gadać głupoty.

Marlena poważnie się zastanowiła.

– A nie wiem. Nie myślałam o tym. – Wzruszyła ramionami. – W sumie, jakby co, dlaczego nie?

– To grzech – wypaliła Czesia ku swemu zdumieniu. Nie uważała się za osobę zacofaną ani nawet za bardzo pobożną, więc jakby dla wytłumaczenia dodała: – Podwójny grzech. – Zaraz potem jednak machnęła ręką.

– Z drugiej strony, tyle z jednym, co i z dwoma. Co ty na to, Doris?

Doris zeszła na dół tuż po świętach. Wypoczęta, promienna, ze starannym makijażem i we wszystkich odcieniach niebieskiego. Po różowym pasemku włosów, spadającym na połowę twarzy, nie było śladu.

– Witamy Śpiącą Królewnę! – odezwała się głośno Marlena, wysuwając oczy zza gazety, i powiedziała ciszej do Czesi: – Teraz wiesz, co ma w tych torbach i walizach.

Doris rozejrzała się, podeszła do okna i przyciskając dłonie do twarzy, zawołała z zachwytem:

– Boże, jaki świat jest piękny!

Marlena postukała się w głowę.

– W jednej z nich musi mieć pieniądze… – zaczęła Czesia, gdy tamta zarzuciła na siebie niebieską kurteczkę i wyszła przed dom pozachwycać się światem, zapowiadając, że jak wróci, to coś zje. – Położyłam jej na stoliku nocnym kartkę z informacją, ile tu kosztuje doba z pełnym wyżywieniem, żeby sobie ewentualnie jakoś określiła czas pobytu. Widać nie zrobiło to na niej wrażenia.

Marlena złożyła gazetę, nie znajdując w niej nic, na co można by ponarzekać, i zaczęła żałować, że pakując się przed wyjazdem z Warszawy, dokonała tak wielkiej selekcji w swojej garderobie. Przecież ta mała czarna prawie nie zajmowała miejsca, można było z powodzeniem wrzucić ją do walizki.

– Masz tyle ładnych ciuchów – skwitowała Czesia.
– Ubierz się w coś stosownie do wieku. To nie bal, tylko

zwykła sylwestrowa kolacja. Chociaż zwykle na tym się nie kończy.

Doris wróciła ze spaceru z zaróżowionymi policzkami i zaczęła jeść. Filip nie widział, żeby ktoś tyle naraz zjadł. Czesia chyba też nie, bo w pewnym momencie wyniosła do spiżarki miskę z resztkami dla psów Tuśki, bo Doris tam kilka razy, jakby od niechcenia, zajrzała. Kiedy się najadła, wyprostowała ręce nad głową i zamruczała z zadowolenia jak kotka.

– Teraz pójdę malować – oświadczyła.

– Co?! – zapytali wszyscy razem.

– Pejzaże.

Nawet Czesia, choć lubiła udawać Greka, wiedziała, że pejzaże maluje się z natury.

– Mam je wszystkie w głowie – odparła Doris i nie mówiąc nic więcej, poszła na górę.

Malowała przez kilka dni, schodząc tylko, żeby coś przekąsić i czegoś się napić. W sylwestra dała się namówić jedynie na kulig. „Skończyłam z balangami" – oświadczyła.

Jaszczuk, jak ją zobaczył (tym razem całą w bieli), gdy podjechał traktorem, żeby podpiąć do niego sanie, omal z tego traktora nie spadł.

– O w mordę, pani Gawlińska – wymamrotał – co za kobitka! Taka... taka... taka...

– No jaka, panie Jaszczuk? – zniecierpliwiła się Czesia.

– Delikatna, o! Nie, to za mało! Taka jakaś zjawiskowa – wymamrotał i zaraz walnął się otwartą dłonią w czoło.

– O kurwa, co ja głupi gadam! Naogląda się człowiek

tych melodramatów, co siostra znosi bez przerwy z kiosku i gapi się na nie całe noce, wiadomo, stara panna, a potem się plecie.

Filip wprost z kuligu odprowadził Doris na górę, w nadziei, że sam też tak po cichu zniknie u siebie, ale nie było szans. Mecenas Lorka przyprowadził jakąś kuzynkę, świeżo po rozstaniu z czwartym w tym roku kochankiem, biedactwo, i ktoś musiał z nią tańczyć.

Filip dotąd tańczył tylko z żoną.

Nie pił. Nie miał ochoty. Potem tego pożałował, gdy o północy wzniesiono toast i trzeba było każdemu złożyć jakieś życzenia. Mamrotał coś niewyraźnie ze ściśniętym gardłem – dotąd każdy Nowy Rok witał z żoną. Zaraz potem, gdy zabawa zaczęła się na dobre, zmył się na górę, kątem oka dostrzegając wyraźny zawód w oczach kuzynki mecenasa.

Wchodząc do pokoju, dostrzegł światło u Doris. Zapukał i wszedł, by złożyć jej życzenia. Stała przy oknie, przed rozciągniętym na sztalugach płótnem. Malowała.

– Tak, tak, wszystkiego dobrego w Nowym Roku, Filipie – odpowiedziała zdawkowo na jego życzenia, a wtedy zamknął drzwi i poszedł do siebie.

Cały Nowy Rok przeleżał, gapiąc się w okno. Dopiero następnego dnia koło południa zwlókł się i zszedł na dół, po tym jak Czesia załomotała w jego drzwi i zawołała, że do czego to podobne, wszyscy śpią i mają wszystko w nosie, tak najlepiej.

Zdziwił się, widząc Marlenę przy pierwszej kawie (chyba że to była już druga). Nie miała ze sobą gazety ani notatnika. Z wypiekami na twarzy piła kawę i patrzyła w okno, rozmarzona.

Doris, podśpiewując, zaglądała do garów na kuchni, póki Czesia nie trzepnęła jej po rękach.

– Słyszeliście – zaczęła Czesia, rozglądając się i upewniając, czy wszyscy słuchają – że mecenas Lorka mało nie zastrzelił Jaszczuka?

– Ja... ja słyszałam dwa strzały! – zgłosiła się Marlena, wyciągając palec w górę jak uczennica z podstawówki. – Przez moment nawet pomyślałam, czy to moi piękni nie strzelają czasem do zajęcy. O Jezu, jak oni tańczą!

– A żebyś siebie widziała! – tamta wpadła jej w słowo. – Zaraz twoi piękni! To mecenas strzelał. Wypadł z chaty ze strzelbą – kontynuowała, mieszając w garach i próbując ich zawartości – w sekundę po tym, jak przejechał Jaszczuk, trąbiąc przeraźliwie, i strzelił za nim dwa razy. Furgonetka Jaszczuka wpadła w zaspę i ani rusz. Raz, drugi, trzeci, nie idzie! No to Jaszczuk wypadł z samochodu i zaczął uciekać, ale o coś się potknął i przewrócił. Nim się podniósł, Lorka już stał nad nim ze strzelbą wycelowaną w jego głowę. „Jaszczuk, ty mendo – wydarł mu się nad uchem – teraz cię zastrzelę! Tylko najpierw jakąś colę mi sprzedaj, bo wszystko, co było, to te pijaki wychlały. O matko, jak mnie suszy!". Jaszczuk zerwał się na nogi i „Proszę bardzo – mówi – panie mecenasie, mam colę, dwulitrową, po osiem złotych". „Po ile?!" – wrzasnął Lorka, celując mu w oko. No to się Jaszczuk przestraszył i gada: „Po cztery dziewięćdziesiąt dziewięć, panie mecenasie...".

– Co?! – Marlena zakrztusiła się łykiem kawy. – I nie zastrzelił go?!

– Bo wszystkie naboje podobno na polowaniu noworocznym wystrzelał – usłyszeli głos Tuśki, otrzepującej w przedsionku śnieg z butów. – Ciotka Sabina była u nas w święta i znowu opowiadała o Rudolfie i Luizie, nie wyobrażacie sobie, jaka to piękna historia. On tu przyjeżdżał do babki na wakacje, kiedy ona jeszcze była mała, i raz ją zobaczył, jak przebiegła przed rozpędzonym koniem…

– Bierz te resztki dla kundli, bo zaraz się zaczną ruszać, i nie truj. Obchodzi kogoś jakiś Rudolf i Luiza…

– Dlaczego, niech opowie… – Doris wyłoniła się z głębi kuchni, gdzie coś podjadała, i powitała Tuśkę szerokim uśmiechem.

Dziewczynka, nie posiadając się ze szczęścia, zaczęła opowiadać. Filip schował się w swoim kącie – przed Tuśką, Czesią, Doris i Marleną. Właściwie to przed całym światem. Kiedy to nie pomogło, podniósł się i ruszył na górę.

Idąc tam i słysząc za sobą szczebiot Tuśki, przerywany od czasu do czasu komentarzem Marleny lub śmiechem Doris czy też pomrukiem Czesi, myślał, jakim to skończonym dupkiem był jeszcze kilka miesięcy temu. Jakim był egocentrycznym pacanem, gdy tak szedł w otoczeniu roześmianych stewardes płytą lotniska i uważał, że cały świat do niego należy. Jakim idiotą, kiedy po każdym powrocie przyciskał do siebie żonę i mówił do niej: „Zrób tak jeszcze raz", gdy speszona tak żarliwym powitaniem, odsuwała z twarzy kosmyk włosów.

W połowie schodów prowadzących na górę zdał sobie sprawę z tego, że właśnie przestał ją kochać.

Wrócił na dół, wyjął z barku siódemkę wódki i nie odpowiadając na pytające spojrzenie Czesi, poszedł z butelką na górę.

Biegła za nim opowieść Tuśki o tym, co się tutaj wydarzyło dwadzieścia lat temu; Rudolfa nie było przez wiele lat i dopiero po skończeniu studiów przyjechał z narzeczoną, by ją przedstawić kochanej babci. Wyskoczył z pociągu, rozejrzał się i zobaczył Luizę, jak chodzi tam i z powrotem, przesuwając obojętnym wzrokiem po podróżnych, i wciąż na niego czeka... To może od początku...

CZĘŚĆ II

We wczesnym dzieciństwie Luiza sześć razy uniknęła śmierci. Rosła, śmiała się i żyła wbrew wielu diagnozom lekarskim czy też sugestii młodego strażaka, że można kopać grób, gdy wyciągnął ją spod lodu na sadzawce, pod którym przebywała pół godziny. Przeżyła lodową kąpiel, ciężkie zapalenie opon mózgowych, zaczadzenie w pożarze, którego nie przeżyli jej dziadkowie, ukąszenie żmii i dwa uderzenia: pioruna oraz w gruby świerk podczas wariackiej jazdy na rowerze ze wzgórza. Czterej dorośli już bracia nie sprawili rodzicom tylu kłopotów i nie przysporzyli tylu trosk, co jedna mała Luiza. Przytrafiła im się, kiedy oboje byli dobrze po czterdziestce i nie spodziewali się już w swoim życiu żadnych zmian po wszystkich trudach związanych z wychowaniem czterech synów. Ucieszyli się jednak, że to dziewczynka, taki dar od Boga na spokojną starość; owa dziewczynka wszakże sprawiła, że starość przyszła o wiele wcześniej, niż powinna – oboje posiwieli i skurczyli się w sobie od ciągłych obaw o życie dziecka. Luiza na darmo wołała do nich, przebiegając przed rozpędzonym koniem, który wyrwał się z dyszla chłopu na polu: „Patrzcie, śmierć mnie omija!". „Śmierć nie omija nikogo" – tłumaczyli jej ojciec i matka, siwiejąc i kurcząc się w sobie coraz bardziej za każdym razem, gdy w ostatniej chwili córka jej się wymykała. I coraz bardziej ją kochali. Zresztą małą Luizę kochali wszyscy. Tak pięknego i nieprzewidywalnego stworzenia nigdy w tej okolicy nie widziano.

Pokochał ją też Rudolf, gdy pewnego lata przybył z odległego miasta na wakacje do babki. I tak samo drżał o nią jak wszyscy inni, gdy przebiegała przed rozpędzonym koniem lub samochodem.

Raz usłyszał te przechwałki ksiądz, zmierzający z ostatnim namaszczeniem do kogoś we wsi. Zatrzymał się i pochylił nad dziewczynką, mówiąc, że takie słowa świadczą o wielkiej pysze, a pycha to ciężki grzech.

– Co to jest grzech? – spytała, zadzierając głowę, a wtedy jej odpowiedział, że to coś, za co wcześniej czy później trzeba odpokutować.

– Patrz, Rudolfie! – wołała do chłopca, który przyjechał tu na wakacje i nie odstępował jej na krok, a potem śmiało wchodziła w wezbrane wody rzeki po ulewnych deszczach. – Patrz, jak grzeszę!

Rudolf biegł za nią i wyciągał Luizę ze zmąconej wody. Potem leżeli na brzegu i on, ściskając w dłoni jej mokre włosy, prosił: „Nie rób tego więcej", a ona zapewniała: „Nie zrobię tego więcej, Rudolfie".

Właściwie to nie miał na imię Rudolf. Luiza tak go nazwała – imieniem ulubionego kota, który całe lato chodził za nią od świtu do nocy, a zimą wyruszył gdzieś swoją drogą i zginął, chłopak zaś ani razu nie zaprotestował. Mało tego, tak mu się to spodobało, że przestał reagować na właściwe imię, stał się Rudolfem na wszystkie te lata i dla wszystkich. Luiza lubiła wymawiać jego imię, a on lubił słuchać, jak to robiła, udawał więc czasem, że nie słyszy, a wtedy powtarzała je dwa, trzy albo i dziesięć razy. Lubił, gdy przychodziła skoro świt pod dom jego babki i depcząc malwy lub aksamitki w ogródku, wspinała się do okna, wołając:

– Ty miejski śpiochu, patrz, co robią szczury!

– Co?! – krzyczał wyrwany ze snu, wychylając się z okna.

– Chowają się przed światłem po obślizgłych norach. Wstawaj, jeśli nie jesteś szczurem!

Wstawał. Zjadł coś lub nie i pędził za nią, gdzie oczy poniosły. Pędząc tak, wpadali oboje do swoich domów, zjedli coś, coś wypili i biegli dalej poznawać zakątki, których jeszcze nie odkryli, i dotykać drzew, których nie dotykali. Zawsze się bał, że za nią nie nadąży, zabraknie mu tchu i straci ją z oczu. Wiele razy ją tracił. Stał pośrodku nieznanego lasu lub rozległej połoniny i wołał: „Luiza! Luiza!". W pewnym momencie, gdy już nie wierzył, że ją odnajdzie, pojawiała się za nim i kładła mu ręce na oczach. Odrywał je ze złością, odwracał się gwałtownie i krzyczał, by nigdy więcej tak nie robiła, a wtedy mówiła pokornie: „Dobrze, Rudolfie, nigdy więcej tak nie zrobię". Chwilę później biegła przed siebie, na nic nie patrząc, a on biegł za nią. Wieczorem, nieludzko zmęczony zasypiał natychmiast i spał mocnym snem do samego rana, kiedy to Luiza przebiegała po ogródku pełnym kwiatów i wspinała się na okno, by zastukać w szybę.

Pewnego lata najpierw ujrzał w otwartym oknie jej głowę, a nie jak dotąd małe piąstki, uderzające w szybę. Zerwał się, wychylił i zobaczył, że dziewczynka nie musi się już na nic wspinać, by zajrzeć do pokoju. Zdumiony popatrzył na jej twarz, w której wyraźnie mu czegoś brakowało, a Luiza powiedziała z uśmiechem:

– Urosłeś od tamtego lata, Rudolfie.

W jednej chwili zrozumiał, czego mu zabrakło w jej twarzy: miękkości dziecinnych rysów. Zawstydził się, nie wiadomo dlaczego, a wtedy roześmiała się, jak zwykle, gdy go witała każdego lata i jak wiele razy później, ale już nie nazwała go miejskim szczurem.

– Straciłeś mowę? – spytała, gdy tak na nią patrzył, usiłując dostrzec w jej twarzy jak najwięcej tego, do czego przywykł. Powtórzyła: – Naprawdę urosłeś.

Nie stracił mowy, tylko nie wiedział, co powiedzieć. W końcu wykrztusił to, co mówił zwykle:

– Kocham cię, Luizo. I zawsze będę cię kochał.

– I głos ci się zmienił – zauważyła, spuszczając wzrok nie wiadomo dlaczego.

– Mam piętnaście lat – wyjaśnił.

Ona miała trzynaście, ale bardzo jej się to nie podobało. Ciągle chciała być dzieciakiem, któremu wiele wolno i wszystko mu pasuje. Matka, zdejmując pewnego ranka poplamione krwią prześcieradło z jej łóżka, powiedziała, że powinna wreszcie spoważnieć i nie zachowywać się jak dziecko, bo dzieckiem już nie jest. W każdym razie nie takim, któremu wszystko wolno.

Tamto lato było pożegnaniem z dzieciństwem. Nastąpił kres beztroskiego świata, w którym jest tylko to, co dobre, a wszystko, co złe, dzieje się gdzie indziej. Pewnego wieczoru Rudolf niechcący podsłuchał rozmowę babki z wujkiem i jedno zdanie utkwiło mu szczególnie w pamięci, odbierając na wiele nocy beztroski sen. „Jeśli mają się rozejść, niech się rozchodzą teraz, im szybciej, tym lepiej". Wiedział, że mówili o jego rodzicach. Matka od dawna chciała wyjechać do Niemiec, gdzie miała bliską rodzinę i, jak powtarzała nieskończoną ilość razy, widoki na normalne życie. Ojciec natomiast nieskończoną ilość razy powtarzał, że o chlebie i wodzie może dożyć starości w tym kraju, bo to jego kraj.

Tamtego lata Rudolf po raz pierwszy pocałował Luizę. Potem objął rękoma jej twarz i zapytał:

– Gdzie się podziała moja dziewczynka?

Za każdym razem, gdy ją całował, trzymał w dłoniach jej twarz, by odnaleźć w niej ostatnie ślady mijającej beztroski.

Po raz pierwszy też odprowadziła go na stację, gdy odjeżdżał. Czekali na pociąg i w milczeniu patrzyli w dal, siedząc na ławce oddalonej od budynku stacji. W pewnym momencie Rudolf dostrzegł znajomy błysk w oczach Luizy na widok majaczącej w dali lokomotywy. Jeszcze nie było słychać pociągu. Luiza wstała, podeszła do krawędzi peronu i już wiedział, co zamierza zrobić. Nim zdążył ją powstrzymać, przebiegła na drugą stronę torów, odwróciła się i zatrzymała go wzrokiem, gdy chciał biec za nią. Minęło parę sekund, gdy pociąg zbliżył się na odległość wystarczającą, by zdążyła przed nim przebiec. Zrobiła to w ostatniej chwili. Wpadła w jego ramiona i po raz pierwszy wyznała mu miłość, szepcząc:

– Zawsze będę żyć dla ciebie, Rudolfie. Zawsze.

        🐌 🐌

– Było jak teraz: całe fragmenty dnia uciekały z mojego życia i nigdy nie miałem pewności, jaka to pora: ranek czy wieczór. A nieraz nawet nie wiedziałem, jaki jest dzień tygodnia. Tylko wtedy w ogóle mi na tym nie zależało.

– Na czym?

– Na świadomości.

– A teraz?

Pytanie Maćka na długą chwilę zawisło w przestrzeni. Filip położył ręce na oparciu ławki i popatrzył na niego, po raz setny dziwiąc się jego siwiejącym włosom. Kontrast między nimi a młodą twarzą niezmiennie wprawiał go w zdumienie.

– Teraz... – zaczął po chwili – nie zależy mi na niczym. Odkąd ich nie ma, błąkam się jak lunatyk po dziwnym świecie pełnym urywanych obrazów. Jakbym oglądał film ze sobą w roli głównej, lecz nie miał żadnego wpływu na jego projekcję. Zresztą, co to za główna rola. Zostałem sam. One pojawiają się tylko w retrospekcjach…

– Im dłużej o nich mówisz, tym więcej w twoim głosie… ciepła.

– Bzdura! – Filip zerwał się z ławki. Przemaszerował po peronie tam i z powrotem, a gdy znowu usiadł, powtórzył: – Bzdura. To coś innego… Coś innego…

– Co?

– Nie wiem. Przyzwyczaiłem się do nich. Wiesz, co znaczy przyzwyczajenie, młody człowieku? Ciągle miałem je w zasięgu wzroku lub słuchu. Jeśli nie wszystkie naraz, to przynajmniej jedną lub dwie… Bezustannie czułem ich irytującą obecność, nawet wtedy, kiedy urżnąłem się tak, że nie byłem w stanie zejść z góry o własnych siłach. Albo na tę górę wejść. Były, były, były! Cały czas. Spierały się o coś albo gadały o pierdołach. Śmiały się, płakały… Milion razy miałem ochotę je wszystkie powystrzelać jak Lorka Jaszczuka… Zabawne…

– Że teraz ci tego brak.

🐌 🐌

Zabawne, że od chwili, gdy postawił nogę na podwórku przed Magnolią, do momentu, w którym zawrócił z połowy schodów po flaszkę, miał gdzieś, co robią, co mówią i ile ich jest. Irytowały go i nic poza tym. Obojętne mu także było, co się stanie w krótszym czy dłuższym czasie z Magnolią. Olewał to. Wszystko było na tymczasem. Na krótko.

Potem coś się zmieniło. Nie, nie przestały go irytować. To, można powiedzieć, jedyne uczucie, które w stosunku do nich towarzyszyło mu od początku do końca. Stało się wszakże coś innego. Poczuł się uczestnikiem zdarzeń, mniej czy bardziej istotnych, będąc mniej czy bardziej pijanym, w każdej chwili i na każdym kroku. Niczym konkretnym w zasadzie się to nie objawiało. Niczym prócz silnego przekonania, że tak właśnie jest.

Może jest tak, że człowiek musi mieć kogoś, kogo kocha. Lub coś. Może to konieczne, by czuć, że się w ogóle żyje, należy do jakiegoś świata. Kiedy jego miłość do żony w jednej chwili zgasła, poczuł się jak tonący statek, bez szans na jakikolwiek ratunek. Tamtego świata już nie było. Został tylko ten.

Chciał utonąć jak najszybciej. Spocząć na dnie i zapomnieć o wszystkim. One mu na to nie pozwoliły.

– Ja w ogóle tego nie rozumiem – usłyszał pewnego ranka cholernie irytujący głos Czesi Gawlińskiej. – Od pierwszej chwili nie spodziewałam się po tym człowieku cudów. Coś mimo wszystko jednak robił, coś go obchodziło, a teraz, patrz, Marlena, co go obchodzi.

– Co? – Marlena podniosła nieprzytomne oczy znad gazety. Coś w niej bazgrała długopisem.

– Nic go nie obchodzi. Pije non stop od drugiego stycznia. Jedna butelka się skończy, przychodzi po następną. A wiesz, którego dziś jest?

90

– Nie wiem – palnęła tamta, nie zastanawiając się ani chwili.

Czesia zajrzała jej przez ramię. Marlena rysowała serduszka na marginesach. Różnej wielkości.

– Normalna jesteś?

– Chyba tak.

– Chyba nie. Stuknij się, baba w twoim wieku powinna mieć już trochę rozumu. Serduszka rysuje!

– Co z tego?

– Pokoloruj je. Na czerwono. Kupić ci kredki? Może Doris pożyczy ci farby. Doris! Złaź z góry, śniadanie od świtu gotowe! Cholerna artystka. Maluje po nocach, potem śpi do południa, a ja muszę myśleć o wszystkim. Jaśnie pan, proszę bardzo, schodzi z góry, ciekawa jestem po co…

Filip położył na blacie kuchennym garść zmiętych banknotów, mówiąc:

– I żeby mi wódki nie zabrakło.

– Właśnie po to! – zatriumfowała Czesia. – O chlebie nie pomyśli, a mnie na stację nie po drodze. Od Jaszczuka bym wzięła, ale odkąd mu palma odbiła na punkcie Doris, przejeżdża koło Magnolii tak cicho, że go nie słychać. Chyba że zajrzy, ale nie zagląda, bo wie, że Doris śpi do południa. Sami wariaci naokoło. Ja jedna tu jeszcze o czymś myślę.

Na widok Marleny, odciskającej uszminkowane usta na pierwszej stronie gazety, postukała się w głowę.

– Nie mówiłam?

– Przecież się wygłupiam – odparła atak Marlena.

– Wiesz, kto się może wygłupiać?

– Wiem. Szesnastoletnia panienka…

– A nie baba w podeszłym wieku.

– Daruj sobie ten podeszły wiek, bo już zaczyna mnie to wkurzać. – Marlena odcisnęła jeszcze jeden kształt uszminkowanych ust, pomachała gazetą i dodała mściwie: – Strasznie lurowate wychodzą ci ostatnio te kawy. Czy to na pewno lavazza?

– Na pewno.

– To może z ekspresem coś nie tak. Chyba w końcu odżałuję i kupię własny, wtedy w domu w spokoju wypiję sobie jedną kawę, drugą…

– Tylko spróbuj! – przerwała jej gwałtownie Czesia, a widząc Doris na schodach, wróciła do poprzedniego tonu: – Artystka łaskawie schodzi na śniadanko, kto by pomyślał, dopiero dwunasta…

Doris łaskawie zeszła z góry i zabrała się do śniadania. Najpierw jeszcze powitała wszystkich serią uśmiechów, które Marlena określiła jako banalne. (Wszystko w niej jest banalne, nawet kiedy się śmieje). Miała pod oczami wyraźne sine kręgi, które wytłumaczyła przepracowaniem, co Czesia skomentowała natychmiast sceptycznym uśmieszkiem, bo co to, według niej, za praca, takie malowanie po nocach. Może nie kończyła wielkich szkół, ale nie trzeba mieć doktoratu, żeby pewne rzeczy wiedzieć. Jak na przykład to, że przy malowaniu obrazów najważniejszą sprawą jest światło. Co wyjdzie z tego malowania po nocach, Bóg raczy wiedzieć, ale niech sobie Doris maluje, skoro taką ma fantazję. I torbę pieniędzy, żeby te fantazje beztrosko sobie realizować. Sami wariaci naokoło i nie ma się na kim oprzeć ani kogo poradzić jakby co. Odkąd jaśnie panu spodobało się zostać alkoholikiem, wszystko na jej głowie i jeszcze ma dbać, żeby wódki nie zabrakło. Proszę bardzo, rachunki za wódeczkę kładzie osobno w górnej szufladzie. Można sobie sprawdzić, ile to się od początku przepiło. Na jej oko więcej niż zarobek. Dobrze, że Doris bez mrugnięcia okiem płaci za śniadanka w południe i obiadki koło wieczora i że w ogóle ma taki apetyt, bo tak to ona, Czesia, nie wie, skąd by było i na co. No i Zenek Jaszczuk też się zaczął stołować, żeby sobie popatrzeć na Doris, jakby miał na co patrzeć. Na palcach jednej ręki może wyliczyć, ilu w tym tygodniu było gości, a ilu w tamtym…

Filip wyjął z barku ostatnią butelkę i wyszedł z nią na podwórze.

Pogoda była paskudna. Ni to późna zima, ni wczesna wiosna. Mgliście, wilgotno. Do dupy z taką pogodą! Pociągnął dwa łyki prosto z butelki i ruszył przed siebie, tonąc w błocie. Nie zależało mu, bo buty i tak miał brudne po wczorajszym. Czesia powiedziała, że może robić wszystko, ale butów jaśnie panu czyścić nie będzie. Na myśl o rzędzie wypucowanych pantofli, stojących jeszcze pół roku temu w garderobie jego wypucowanego apartamentu, pociągnął kolejne dwa łyki. Jestem brudasem, pomyślał, i mam to gdzieś.

Szedł, dopóki chłód nie przeniknął go na wskroś, nie skończyła mu się wódka i nie zaczynał trzeźwieć. Potem wracał tą samą lub inną drogą, za każdym razem myśląc, że przecież nie musi wracać, bo nie ma po co. Stał jakąś chwilę i zastanawiał się, dokąd mógłby pójść, dopóki nie zrozumiał, że Magnolia jest jego jedynym światem. Czy mu się to podoba, czy nie. Tak go to za każdym razem dołowało, że musiał natychmiast się napić. Jeśli coś jeszcze miał, pił, jeśli nie, wracał prędko do Magnolii, odsuwał Czesię, która jakoś tak odruchowo za każdym razem stawała przed barkiem, wyciągał kolejną butelkę i zaszywał się z nią w swoim ulubionym kącie, w tym samym, z którego poprzedni właściciel patrzył na swoje szczęście. Szczęście kiedyś się kończy. Wszystko kiedyś się kończy. Zostaje nie wiadomo co – ni to smutek, ni to rozpacz, nawet nie obojętność.

Doris, promienna, nieskończenie szczęśliwa, niebieska, różowa czy też morelowa, niezmiennie pytała go o samopoczucie, o to, gdzie był i co widział.

– Tak tu pięknie. Tak nieskalanie pięknie.

– Jak cholera – odpowiadał na początku, potem już mu się nie chciało.

Czasem, gdy przejrzał na oczy, dziwił się, że ona jeszcze tu siedzi. Była tylko gościem, kimś, kto mógł w każdej chwili spakować się i wyjechać. Dlaczego dotąd jeszcze tego nie zrobiła? Była wolna, niczym nieograniczona. Miejsc, w których można złapać oddech od zbyt intensywnego życia, jest tysiące. W głowie mu się nie mieściło, że można tu przebywać dłużej niż kilka dni z własnej nieprzymuszonej woli. Gdyby jeszcze chciało mu się szukać sposobu na inne życie, od razu dałby stąd nogę. Najpierw mu się nie chciało. Potem nie było już żadnych szans, by coś odmienić. Nie miał trzydziestu lat jak Doris. I przede wszystkim nie był tak szczęśliwym człowiekiem. Szczęście napawało go obrzydzeniem. Za każdym razem, gdy na nią spojrzał, miał ochotę się napić. Marlena uważała, że to nie szczęście, tylko głupota. Wtedy chciało mu się wypić podwójnie. I robił to.

– Co ty w sumie do niej masz? – spytała ją kiedyś Czesia, która sama miała do Doris wiele, potrafiła jednak docenić to, że dzień w dzień było dla kogo gotować.

– W sumie to nic – odparła Marlena. – Ale krew mnie zalewa, jak patrzę na tę buźkę Barbie i ten idealny makijaż. Ta kreska! Za cholerę nie udało mi się w życiu zrobić pod okiem tak idealnej kreski. Masz pojęcie?

– Nie mam. – Czesia wzruszyła ramionami. – Bo się nie maluję.

– A czasem by ci się przydało.

Tamta zbyła tę uwagę milczeniem. Po raz drugi wzruszyła ramionami i powiedziała, że jej głupota Doris w niczym nie przeszkadza. Wszystko zje, wszystko chwali…

– No właśnie. – Marlena wpadła jej w słowo. – Wszystko jej smakuje, wszystko jej się podoba… Nieważne, deszcz, zawierucha, słońce – zawsze jest pięknie. Zawsze chodzi zadowolona. Jest głupia.

Czesia straciła cierpliwość.

– Olga też jest zawsze uśmiechnięta, zadowolona, życzliwa. Znaczy, też jest głupia? Już przestań, bo chwilami nie chce mi się słuchać, jak tak wszystko pakujesz do jednego worka, boś ty najmądrzejsza na świecie.

– Och, ta twoja Olga! Chodzący ideał. Życzliwa, dobra, zadbana… A jaka pracowita!

– A żebyś wiedziała. Ja się narobię, ale Olga…

– Każe jej ktoś? Jest młoda, ładna, w każdej chwili może zostawić tego starego dziada i zacząć swoje życie.

– I co, według ciebie, miałaby z nim zrobić? Oddać do domu opieki?

– Chociażby.

Czesia, zamaszyście wałkując ciasto na makaron, prychnęła z pogardą:

– To u was, w wielkim świecie, oddaje się niepotrzebnych ludzi na wieczną przechowalnię.

– U nas?! A u was, na zapyziałej prowincji, tu i wszędzie gdzie indziej, to niby taka sielanka?

– Nie! – Czesia trzepnęła ciastem o blat. – Ale nie jest to na porządku dziennym. U nas też dzieją się złe rzeczy. Ludzie też oddają chorych krewnych do domów opieki.

– No? Więc w czym rzecz? – Marlena zamrugała powiekami i demonstracyjnie rozłożyła ręce.

– W tym, że robią to w ostateczności. Nie dla wygody.

– W wielkim świecie, jak to nazwałaś, ludzie pracują…

– A tu niby leżą do góry brzuchem! Skończmy ten temat, Marlena. Dodam jeszcze tylko…

– Bo ty zawsze musisz jeszcze coś dodać.

– ...że są sytuacje, kiedy naprawdę nie ma wyjścia. Ale przeważnie jest jakieś rozwiązanie.

Marlena przewróciła oczami i złapała się za głowę.

– Matko święta, powiesz mi w końcu, o co ci chodzi?

– O to, że człowiek powinien się zastanowić, zanim zrobi coś, czego nie da się cofnąć. A ludzie się nie zastanawiają. Nie tak, Filipie?

Czesia podeszła do niego z zapalniczką i odpaliła mu papierosa, którego trzymał w ustach od paru minut.

– Co ty na to?

– Przymknijcie się już, bo mi łeb pęka.

– Może za mało dziś wypiłeś, to śmiało. Przecież tego jednego tu nie brakuje. Wszystko na mojej głowie, godzina goni godzinę. Jakby Marlena nie przyszła, nie byłoby do kogo gęby otworzyć. Idź na górę, jak ci się nie chce nas słuchać.

– To moja nora – odezwał się z papierosem w ustach. – I będę siedział tam, gdzie mi się podoba.

– Twoja nora. Dobrze, że jeszcze zdajesz sobie z tego sprawę. Do tej nory na niedzielę zapowiedział się mecenas Lorka z dwudziestką gości. Przyjeżdżają na lisa.

– Co z tego? – mruknął.

– Trzeba na chwilę wytrzeźwieć i pojechać po chleb na stację. Lorka innego chleba nie ruszy.

– Na obiad przyjeżdżają?! Nagotuj im kartofli.

– Przed obiadem będą zakąski. Dwadzieścia osób! Pięć gotowanych dań, z osiem przystawek, desery i morze bimbru. Pamiętasz, ile wyniósł rachunek za ostatnią taką imprezę? Nie pamiętasz. To ci tylko powiem, że przez miesiąc mogłeś za to pić i mieć wszystko w nosie. A mnie na stację nie po drodze.

– Ja pojadę! – Usłyszeli z góry słodki głosik Doris.

– Bardzo chętnie. Przepiękna ta stacja! Jak się uporam z pejzażami, to chyba zacznę ją malować.

– Jak to, tak z autopsji? – zakpiła Marlena, podnosząc się. Na nią już pora.

Doris schodziła na obiad z godną podziwu punktualnością: za siedem piąta. Czy była na górze, czy na zewnątrz, czy też pałętała się po kuchni, za siedem piąta Czesia stawiała na stole talerz do pierwszego dania, pewna, że nic nie wystygnie.

W parę minut później zjawiał się Zenek Jaszczuk, w białej koszuli i garniturze. Jego siostra, stara panna, sprzedająca w kiosku przy szosie, szykowała mu codziennie białą koszulę, nie mogąc się nacieszyć, że wreszcie się kimś zainteresował i przestał jeździć na kurwy.

– Ona by se lepiej kogo znalazła – skomentował Jaszczuk, gdy kiedyś Czesi coś o tej siostrze się wymknęło. – Siedzi cały dzień w budzie jak dla większego psa, czyta na okrągło głupoty z babskich gazet albo odrywa od nich filmy i do północy ogląda w domu. I ryczy. A ja razem z nią, bo co mam robić.

Zenek metodą prób i błędów ustalił dokładną porę obiadu Doris. Nim się tu pojawiła, po gębie by dał każdemu, kto by mu powiedział, że będzie wkładał na co dzień garnitury i przychodził na obiady do Magnolii.

Trzeba przyznać, że ogolony i ubrany jak się należy już nie wyglądał jak ostatni cham. Objechał do południa okolicę tą swoją zapyziałą furgonetką, trąbiąc po chamsku, a potem się szykował. Jego siostra, Halinka, nie miała nic przeciwko temu, że Zenek jada poza domem i jeszcze za to płaci. „To mniej na kurwy wyda, prosta sprawa" – stwierdziła, odrywając oczy od jakiejś łzawej historyjki, gdy Czesi coś się na ten temat wymknęło, jak kupowała papierosy dla Filipa.

Zenek w jednej chwili połykał swój obiad, a potem z uwielbieniem patrzył na Doris, jak je po małym kęsku, ta jego myszka, taka delikatna... Nie! Zjawiskowa.

– Uwielbiam ją – mówił za każdym razem, odnosząc talerze do kuchni, choć Czesia tyle razy mówiła, żeby tego nie robił.

– Na co pan liczy, panie Jaszczuk? – spytała Marlena, gdy raz dłużej zamarudziła przy kawie. – Że Doris pójdzie z panem do łóżka?

Zenek spojrzał jej głęboko w oczy i, dłubiąc zapałką w zębach, oświadczył:

– Ja bym pani Doris nawet taką myślą nie obraził, a co dopiero, żebym miał coś tam tego... Jak mam potrzebę, to jadę na dziwki i tyle. Tylko się nic Halince nie wygadajcie, bo po co ma wiedzieć. Ona taka wrażliwa.

Zdaje się, że Filip podjął jakąś próbę wytrzeźwienia przed niedzielnym obiadem mecenasa Lorki. Chyba tylko ze względu na Czesię, która niby to ukradkiem, ale tak, żeby widział, łzę z oka ocierała, mamrocząc pod nosem, że co to będzie za wstyd, co za wstyd tak przed całym towarzystwem. I co Lorce odpowiedzieć, kiedy zapyta, gdzie gospodarz? A gospodarz zawsze tu był, mecenas nawet nie potrzebował pytać. Był i zachowywał się tak, jak przystało. No ale chyba nie tym razem, bo jeśli ma się w takim stanie gościom pokazać, to niech się lepiej nie pokazuje. Taki wstyd! Gdy się odciął, że całe to cholerne towarzystwo na czele z Lorką utonie w morzu bimbru i na czworakach będzie wchodzić do podstawionych na tę czy na tamtą taksówek, to warknęła:

– Tak, ale dopiero po obiedzie!

Zdaje się, choć nie był do końca pewien, że cały piątek nie pił. I sobotę. Na trzeźwo nie mógł jednak znieść porannej kawy Marleny ani śniadania Doris koło południa. Zwłaszcza jej zachwytów nad urodą świata, a to było pewne jak amen w pacierzu, bo w nocy zima się ocknęła, przyprószyła wszystko śniegiem i skuła mrozem. Słońce świeciło mu prosto w oczy, gdy wyszedł z domu i zaczął iść przed siebie, zawrócił więc i ruszył w inną stronę.

Gdzieś w dali zamajaczyła mu sylwetka Olgi, zmierzającej do Magnolii. Ciągnęła za sobą sanki, a na nich dwa kosze pełne nabiału i wyhodowanych latem warzyw. Odgrzebując w pamięci ciepły uśmiech, którym go witała lub żegnała, Filip pomyślał, że jakoś tę niedzielę przeżyje. Tylko że ta niedziela to była prawdziwa katastrofa...

– Katastrofa? – Maciek przechylił głowę w stronę Filipa i długo czekał, aż tamten zbierze na nowo myśli i wróci do tematu. – W jakim sensie? – chciał wiedzieć.

– W każdym – odparł Filip i znowu zaciął się na długą chwilę.

Pochylił głowę do kolan i milczał. Maciek wstał, poszedł w jedną stronę, zawrócił, pomaszerował w drugą. Minął się z cieciem, który gwizdaniem przywoływał psa biegającego za torami.

– Cholerny kundel – powiedział, gdy Maciek go mijał. – Całe dnie lata nie wiadomo za czym.

Maciek przytaknął ze zrozumieniem, gwizdnął dwa razy na psa, po czym roześmiał się i wrócił do ławki. Filip, wciąż z głową opuszczoną na kolana, też się śmiał.

– Chciałbym, żeby całe moje życie składało się tylko z takich katastrof... – zaczął, gdy jego młody rozmówca usiadł obok.

– Więc w rezultacie nie było tak źle?

– Nie było. To Cześka nawarzyła piwa, które potem kazała mi wypić. Zawsze tak się dzieje, gdy na siłę usiłujesz coś powstrzymać.

– Co konkretnie?

– Katastrofę, która wisiała w powietrzu od wielu miesięcy... Dla każdego oczywiście mogło to oznaczać co innego. Dla Czesi Gawlińskiej to była ta niedziela. Ja... ja w sumie miałem to gdzieś.

Filip, ogolony i trzeźwy, zszedł na dół równo z przybyciem Marleny. Czesia miała już prawie wszystko gotowe, tylko na kuchni perkotał rosół, resztę można było wykładać z garów i stawiać na stole. Podśpiewując, nie omieszkała tego kilka razy podkreślić. Filip w desperacji poprosił o kawę.

– Kawę? – zdziwiła się Czesia.

– Lub jakiego innego porządnego kopa – odparł.

– No to zostańmy przy kawie. Taki piękny dzień, wszystko gotowe, wystarczy tylko postawić na stole – powtarzała, przerywając to trajkotanie nutkami jakiejś melodii, straszliwie fałszywymi zresztą.

Kawa rzeczywiście dała mu spodziewanego kopa, toteż dość optymistycznie widział dalszy przebieg wypadków i swoją rolę gospodarza w tym wszystkim. Śmieszyło go to wprawdzie, ale dla świętego spokoju (Czesi, nie jego) gotów był się poświęcić, choć w pewnym momencie musiał rzucić jakąś niechętną uwagę pod adresem całych tych ceregieli z goszczeniem Lorki, bo odparła:

– Lorka za każdym razem zostawia tu kupę forsy. I poleca nas wielu znajomym. A ci znowu swoim. Mam tłumaczyć, co to dla nas oznacza? Chyba nie muszę. Szkoda tylko, że tym razem z pasztetem nie wyszło. Mecenas będzie zawiedziony.

Filip parsknął śmiechem. Marlena, odrywając się na chwilę od lektury starych gazet, również. Czesia jakby tylko na to czekała.

– No, ale odkąd Marlena lata do Wilczewskich i kręci im tyłkiem przed nosem, to już o niczym innym nie myślą. A na pewno nie o kłusownictwie.

Marlena, wyjątkowo tego ranka spokojna i na nic nienarzekająca, też jakby tylko na coś podobnego czekała. Złożyła gazetę, walnęła nią o stolik i jednym haustem dopiła kawę.

– Pogięło cię? Wcale do nich nie latam.

Czesia podpaliła Filipowi papierosa, którego trzymał w zębach, stojąc między kuchnią a salą.

– Lata do nich. I śpi z obydwoma – szepnęła do Filipa, dodając zaraz głośno: – To ciekawe, bo skąd wiedziałaś, że Olaf ma złamany kciuk u prawej ręki.

– Borys mi powiedział.

– Jak do nich poleciałaś.

– Nie! Przez komórkę.

– Borys nie używa komórki.

– No to może Olaf…

– Widzisz, już się plączesz. To twardzi faceci…

– Bo łapią we wnyki biedne zające?

– Nie, bo nie rozmawiają o pierdołach przez telefon.

A zapowiadał się taki piękny dzień. Dla wszystkich. Marlena wstała, z hukiem dosunęła krzesło do stolika, wrzuciła łyżeczkę od cukru do filiżanki, równiutko złożyła gazetę i oświadczyła:

– Dobrze! Latam do nich… Matko, co za prowincjonalne określenie: latam! Chodzę do nich. Dzień w dzień. I śpię z obydwoma. Zadowolona jesteś? Moja noga więcej tu nie postanie. Mam czterdzieści lat…

– Ciekawe!

– I nie muszę prowadzić dyskusji na poziomie nasto-
latek.

– Ale nieraz tak się zachowujesz.

– A ty nieraz zachowujesz się jak niedorozwinięta, ale
nie prawię ci z tego powodu morałów. A wiesz dlaczego?

– Dlaczego? – spytała niespodziewanie pokornym
tonem Czesia.

– Bo każdemu wolno od czasu do czasu odsapnąć.
Od wszystkiego. Pleść głupoty i głupio się zachowywać.
Rzecz w tym, by wiedzieć kiedy i przy kim. Ja wiem. Ale
ty chyba tego nie rozumiesz.

Marlena wyszła. Filip puścił kilka kółek z dymu pa-
pierosowego w sufit i ze dwa razy chrząknął. Czesia
spojrzała na niego ze złością.

– Masz coś do powiedzenia? – spytała zaczepnie.

– Nic a nic.

– Może jednak?

– Może tylko to…

– Dobrze, wiem – przerwała Czesia – przesadziłam.
A to przez to, że wszystko na mojej głowie. Przeproszę
ją i tyle.

– To wystarczy? – spytał.

– Przecież nie będę klękać na kolana. Prześpi się z tym,
wymyśli coś, czym może mi dogryźć, i jutro z rana przy-
leci na kawę. Będę się przejmować! Bo nie mam innych
problemów. Jestem zmęczona.

– Czym?

– Wszystkim. Z Madejem tak nie było. Ja miałam swoją działkę, on swoją, a wszystko miało ręce i nogi. Teraz wszystko się chybocze i tylko czekać, aż pierdyknie…

Sygnał esemesu sprawił, że urwała. Odczytała wiadomość i chwyciła się za głowę.

– O Maryjo! Babka Klara chce coś wyjawić przed śmiercią!

Mówiąc to, zrzuciła z bioder fartuch, chwyciła z wieszaka kluczyki od dżipa i wybiegła, zanim Filip zdążył zapytać, co ona właściwie wyprawia. Wybiegł za nią i wrzasnął:

– Cześka, co ty, cholera, wyprawiasz?!

– Do babki jadę! – odkrzyknęła, zatrzaskując drzwi i ruszając w tej samej chwili.

– A ten cholerny obiad?! – wrzasnął w powietrze.

Do obiadu było jeszcze daleko. Filip uspokoił się, gdy to do niego dotarło. Z godziny na godzinę jednak, gdy czas mijał, a Cześka nie wracała, zaczął żałować, że nie upił się z samego rana i nie odpłynął w słodką nieświadomość. Teraz było już za późno.

Najpierw spróbował się zorientować, co z czym podać. Nie dało się. Nie miał o tym zielonego pojęcia. To może przynajmniej na czym. Godzinę szukał porcelanowych salaterek i półmisków, których Cześka przy takich okazjach używała. W miejscach, gdzie powinny lub mogły być, nie było ich jednak. W końcu stuknął się w czoło i kierując się jej logiką, o której miał już jako takie pojęcie, znalazł zastawę w komodzie na bieliznę pościelową. Powykładał wszystko z garów jak leciało, to na to, a to na tamto, bo na subtelności zabrakło już czasu, i poustawiał jedzenie na nakrytym, na całe szczęście, stole. Przyniósł jeszcze bimber („na gęsto"), specjalnie na tę okazję zamówiony, najlepszy w okolicy, a może nawet i poza nią, który Jaszczuk przywoził od brata ciotecznego z sąsiedniej wsi. Braci ciotecznych w sąsiedniej wsi Zenek miał kilku, więc jakby co, to i tak nikt nie wiedział, od którego, i nie potrzebował wiedzieć. Ledwie Filip skończył z bimbrem, podjechali goście. Wyjrzał przez okno i nogi się pod nim ugięły. Nie miał pojęcia, że dwadzieścia osób to taki tłum. Wrzasnął w górę:

– Doris! Chodź mi tu zaraz i pomóż!

– Przy czym? – usłyszał jej głos.

– Przy obiedzie!

– A dla ilu osób?

– Dwudziestu!

– To ja nie schodzę.

Zapomniał, że Doris przyjechała tu, żeby odpocząć od tłumu, inaczej by jej nie powiedział. Może by zeszła i pomogła. Gdy towarzystwo zaczęło wchodzić do środka, podjął jeszcze jedną desperacką próbę dodzwonienia się do Czesi, ale nie odebrała. Chrzanić to, pomyślał, niech się dzieje, co chce.

Według niego źle nie było. Goście rzucili się na jedzenie i bimber. Jednego i drugiego nie zabrakło i nikomu nie przeszkadzało, że golonkę w piwie postawił prosto w garze na stole, bo już nie było na co wyłożyć, a kiełbasę przyniósł na desce do krojenia. Jak mógł, tak się starał, i co było przygotowane, to podał. Wprawdzie mecenas na samym wejściu szepnął mu do ucha, żeby tym razem mniej alkoholu, kulturalnie, bo ma specjalnego gościa, pomyślał jednak, że żartuje. Sam Lorka wcale nie pił, tylko zagadywał do tego swojego gościa i nadskakiwał mu. A może pan szanowny spróbuje tego, a może tamtego. Dopiero gdy, w niecałą godzinę od rozpoczęcia imprezy, zorientował się, że żadnego kontaktu z tym swoim wyjątkowym gościem nie może nawiązać, spróbował tego bimbru, przymknął na chwilę oczy, po czym chwycił za ramię wychodzącego z kolejną flaszką z zaplecza Filipa i wykrztusił:

– Panie Spalski, co to, kurwa, jest?

– No chyba ten… bimber. – Filip wzruszył ramionami.

– Skąd?

– Jaszczuk z rana przywiózł.

– Jaszczuk?!

– Jeszcze słyszałem, jak mówił, że specjalnie dla pana mecenasa, podwójnie dobry.

– I podwójnie mocny! To ta bieszczadzka menda nie wie, że smolarzy tu od dawna nie ma i osiemdziesięcioprocentowej księżycówki nikt już nie pije? Zrobił to specjalnie! Jutro go zastrzelę.

Tymczasem zaczęli strzelać myśliwi. Do lisa, którego jeden z nich zobaczył za oknem, jak im się przyglądał. Gdy po chwili zjawiła się Czesia, westchnęła tylko:

– O Maryjo!

Nazajutrz Czesia z Marleną, obie cudownie pogodzone, zatykały szmatami dziury w szybach. Szklarz miał się pojawić dopiero po południu.

– Ja to nie wiem – zawodziła Czesia – żeby tak nic nie myśleć! Tak wszystko mieć w nosie, żeby nie powiedzieć gdzie indziej. Teraz... patrz tylko, chodzi po kuchni i szuka czystego talerza. Ciekawe, czy znajdzie?

– Co powiedziała babka Klara przed śmiercią? – przerwał jej Filip.

– Jemu się zdaje – ciągnęła w tym samym tonie Czesia – że jakby babka umarła, to ja bym tu stała i zajmowała się jego oknami! Bo to jego okna. Jak i cała reszta. To może by się zdecydował, czy tak, czy siak, bo ja potrzebuję coś wiedzieć. Długo tak jak teraz to wszystko nie pociągnie, więc żeby się pewnego dnia nie zdziwił...

Filip nie znalazł czystego talerza i w końcu zjadł resztki jakiegoś gulaszu prosto z gara. Zaśmiał się w duchu, gdy zobaczył błękitną Doris, schodzącą na śniadanko. Musiało być już koło południa. Doris to czyścioszka, z gara nie zje. Zażyczy sobie jajecznicy z jajek od Olgi, czystego talerzyka i czystego kubeczka na kakao. Czesia się wścieknie i zapyta, a dokąd to wszystko ma być na jej głowie, może by tak jaśnie pan poczuł się wreszcie do tego czy tamtego, a przynajmniej wreszcie czymś się zainteresował.

Nie miał zamiaru. Zarzucił na plecy kurtkę, wsunął do kieszeni butelkę czystej i wyszedł z Magnolii, po raz ostatni świadomie. Cholerne słońce oślepiło go jasnym blaskiem, odbitym od połyskującego mrozem śniegu. Nasunął kaptur na głowę, na oczy i ruszył, gdzie oczy poniosą.

Od strony wsi szła Tuśka.

– Gdzie pan idzie?! – zawołała, gdy się odwrócił i pomaszerował w drugą stronę. – Nie chce pan posłuchać, co się dalej działo z Luizą i Rudolfem?

Nie chciał.

🐌 🐌

– Nie jestem w stanie zrozumieć ludzi – zaczął Maciek po długiej chwili milczenia – którzy z takim uporem i godną pożałowania konsekwencją idą na dno i mają tylko jeden cel: żeby tego dna jak najszybciej dosięgnąć.

– Bardzo trafnie to ująłeś, przyjacielu. W gruncie rzeczy o nic innego mi nie chodziło. Spróbowałem się odnaleźć w obcym świecie i nic z tego nie wyszło. Popatrzyłem na Cześkę, utykającą okna, popatrzyłem na stolik Marleny pełen starych gazet, posłuchałem, jak gadają o bzdetach, i wiedziałem, że nie dam rady.

– Ta nieudana impreza dla myśliwych miała na to jakiś wpływ?

Filip parsknął śmiechem.

– Żadnego. A wiesz dlaczego? Bo już na wstępie mi na tym nie zależało. Kolejny fałszywy alarm ze strony babki Klary zmusił mnie do jakiejś akcji. Do aktywnego zaistnienia w jakiejś rzeczywistości. Końcowy efekt byłby taki sam, gdyby wszystko poszło fantastycznie i mecenas Lorka załatwił ten swój życiowy interes z owym specjalnym gościem. Czegoś spróbowałem i coś nie wyszło.

– Z takim założeniem nie miało prawa wyjść.

– Czego więc nie rozumiesz?

– Tak naprawdę niczego – odparł Maciek, spoglądając Filipowi w oczy, i po chwili powtórzył: – Niczego. Każdy człowiek...

– Nie byłem jak każdy człowiek. Byłem Filipem Spalskim. Facetem, który z podniebnego świata spadł w absurdalną rzeczywistość. – Zamyślił się na chwilę, patrząc za tory, i dodał: – Bez spadochronu.

Maciek gwizdnął przeciągle.

– Co za lot!

– Co za upadek!

– Jednak dobry anioł w ostatniej chwili dopiął ci skrzydła.

Pogodny ton w głosie Maćka zaskoczył Filipa. Zapytał z irytacją:

– Jakie, cholera, skrzydła?

– A jak, cholera, myślisz?

Filip zaśmiał się głośno i w jednej chwili spoważniał.

– Byłem zmęczony – zaczął powoli. – Zmęczony swoim stanem, brakiem chęci do czegokolwiek. Nie potrzebowałem skrzydeł. Marzyłem o spokoju, wiecznej ciszy... Tak, trzeba było na samym początku wszystkie je stamtąd powyganiać, nie dopuścić, by wtargnęły w moją żałosną rzeczywistość. Cześkę, Marlenę, Doris, a nawet Olgę.

No i Tuśkę z tą jej niekończącą się opowieścią o dwojgu dzieciakach, o których nikt już nie pamiętał...

🙦 🙤

Gdy tylko zaczynały się wakacje, Luiza biegła codziennie na stację i czekała. Dwadzieścia kilka lat temu przez tę stację przejeżdżało wiele pociągów, nawet jeśli nie wszystkie się na niej zatrzymywały. Z jednego z nich w końcu wysiadał Rudolf. Rozglądał się, podobnie jak maszyniści pociągów, którym od czasu do czasu, umilając sobie oczekiwanie na Rudolfa, przebiegała przed lokomotywami. Szczególnie zawzięci wzywali wtedy milicję, w nadziei, że ktoś wreszcie zrobi jakiś porządek z niesforną smarkulą. Za każdym razem przyjeżdżał posterunkowy Miśkiewicz. Odwoził ją służbowym polonezem do wsi, nie wyciągając nigdy żadnych konsekwencji. Pochodził z tych okolic i wiedział to, co wiedzieli wszyscy: Luizę śmierć omija. Jak ktoś protestował, to jeszcze tonem wytłumaczenia dodawał: „Ona już taka jest od dziecka".

Rudolf wysiadał więc z pociągu i rozglądał się wokoło. Ale nie za wujkiem, który, jeśli nie miał za dużo roboty w polu, to przyjeżdżał po niego wozem, tylko za Luizą. Od tamtego lata, kiedy wyznała mu miłość, zawsze na niego czekała. Wychylała się nagle zza budynku dworca albo zza rosnącego nieopodal drzewa, wołając:

– Rudolf! Rudolf do mnie przyjechał!

Padali sobie w ramiona i całowali się długo, wywołując zgorszenie na całej stacji, a potem szli do wsi, ciągnąc jego torbę po ziemi. Gdy mijali oddział znajdującego się kilka kilometrów stąd więzienia, ona pytała:

– Co robiłeś przez cały ten rok, Rudolfie?

– Nic – odpowiadał. – A ty?

– Ja też nic nie robiłam.

Dopiero potem się dowiadywali, że jednak robili to i owo, dziwiąc się ogromnie, że jedno bez drugiego w ogóle mogło coś robić. Ona skończyła podstawówkę, a on zdał już do trzeciej klasy liceum. Ona martwiła się chorobą ojca i jak to będzie, gdy po wakacjach pójdzie do szkoły z internatem w Sanoku, a on żalił jej się, że rodzice coraz bardziej oddalają się od siebie i coraz więcej mówią o osobnym życiu. Potem pocieszali się wzajemnie. „To nic, Rudolfie, wszystko się ułoży". „To nic, Luizo, ojciec na pewno wyzdrowieje". Przytakiwali sobie wzajemnie, pocieszając się w nieskończoność, jakby chcieli znaleźć usprawiedliwienie dla tych dwóch miesięcy beztroski i radości, którą czuli, budząc się każdego dnia, na myśl, że do samego wieczora będą razem. Nawet wtedy, gdy jedno z nich miało jakieś zajęcie: on pomagał wujkowi w polu lub babci w przestawianiu mebli, a ona gotowała obiad, bo matka była zajęta wyrabianiem serów, które potem sprzedawała turystom przy drodze. Wyrośli już z dzieciństwa i pozbyli się dziecięcego egoizmu, wciąż jednak znajdowali sposób na to, by od świtu do zmierzchu być razem.

Nie biegali już tak beztrosko po okolicy jak dawniej, bo byli w wieku, kiedy należało już dać coś od siebie, jednak to tylko potęgowało wzajemną pewność, że w każdych okolicznościach mogą być razem. Czas, który gna do przodu i wszystko zmienia, zbliżał ich do siebie, zamiast oddalać, bo mieli za sobą coraz więcej wspólnych chwil, a w każdej z nich było coraz więcej czułości i oddania – dorośleli.

Popołudniami przesiadywali teraz u stóp wzgórza, na którym wznosiła się stara cerkiew. Oparci o siebie plecami, lustrowali wzrokiem okolicę z przytulonymi do mniejszych lub większych pagórków chatami, próbując odgadywać, co w tej czy innej chałupie teraz się dzieje: co robią mieszkańcy, co mówią i jak się zachowują. Gdy nawymyślali już dziesiątki nieistniejących zdarzeń albo nawet całych historii, rozglądali się znowu dookoła w poszukiwaniu takiego miejsca, gdzie dorosła Luiza i dorosły Rudolf zaczną tworzyć własne zdarzenia, z których potem stworzy się piękna, najpiękniejsza na świecie historia. Przekomarzali się w nieskończoność, bo jeśli Luiza wskazywała ręką tam, to Rudolf na przekór mówił, że tu. W końcu owe „tu" i „tam" spotykały się w jednym punkcie. I tak było zawsze.

Pewnego popołudnia Luiza przybiegła na łąkę, gdzie Rudolf z wujkiem przetrząsali ścięte o świcie pokosy, i z dzikim wrzaskiem rzuciła mu się na szyję, wołając:

– Rudolfie, Józefina wróciła!

– A któż to ta Józefina? – spytał wujka, gdy nic więcej

nie tłumacząc, chwyciła leżące na ziemi grabie i zaczęła z wielką wprawą i zawziętością pomagać w pracy. Po to, by jak najprędzej z Rudolfem wymienioną Józefinę odwiedzić.

– A to, jak by powiedział twój ojciec, całkiem inna bajka – odparł wujek, zerkając życzliwie na Luizę. Podobało mu się, że taki trzpiot, a wszystko potrafi i robota jej się w rękach pali jak mało komu.

Gdy mijali się z Luizą, bo zaczęła odwracać siano z drugiej strony, dodał jeszcze, że to młodsza siostra jej matki, której dziewczyna na oczy dotąd nie widziała. Nasłuchała się za to pewnie ukradkiem do woli, bo wiele się o tej Józefinie mówiło. Ona też, jak Luiza, przytrafiła się rodzicom, gdy reszta rodzeństwa zaczęła już zakładać swoje rodziny, i dałby Bóg, żeby na tym tylko wszelkie podobieństwa między nimi się skończyły. Przyjechała z Krakowa czy z Warszawy (diabli wiedzą), gdzie studiowała jakieś artystyczne kierunki („Ty sobie, chłopcze, wyobraź!"), żeby podać siostrzenicę do chrztu, i na drugi dzień wyjechała. Ale nie sama, tylko z księdzem, który chrztu małej udzielał. Przez parę tygodni parafia nie miała księdza, bo nikt się nie odważył powiadomić, kogo trzeba, o tym, co się stało, więc ludzie modlili się, tam gdzie byli: w polu albo przy obejściu, prosto do nieba. W końcu jakiś ksiądz się pojawił i na początek nawymyślał wszystkim tłumnie zgromadzonym wiernym, że taki grzech tak długo przed światem ukrywali. A najwięcej Bogu ducha winnej matce Luizy! Nikt się specjalnie nie przejął, nie mówiąc o tym, żeby mieć coś za złe biednej kobiecie. Tutejsi ludzie zawsze przyjmowali wybryki natury z pokorą i zrozumieniem. Rozrywek też za specjalnie nie mieli, a to, co się stało, to zawsze jakaś rozrywka.

– A po co teraz ta Józefina wróciła, to ja już ci, chłopcze, nie powiem. Chałupę ma po ojcach, o tam, to co se nie miała wrócić – zakończył wujek Rudolfa, ściszając głos, bo właśnie mijali się z Luizą, a potem jeszcze dodał: – Jak będzie chciała, to sama powie, a jak nie będzie, to próżno nawet pytać.

Nie było dnia, żeby Luiza z Rudolfem nie odwiedzili Józefiny, która po burzliwej młodości osiadła w starej chacie po rodzicach, z miejsca stając się obiektem spekulacji i domysłów. Nie znalazła powodów, by z czegokolwiek się tłumaczyć czy czemukolwiek zaprzeczać, zdziwiła się jednak bardzo, gdy ktoś ją zapytał, mniej czy bardziej wprost, co też się stało z młodym księdzem, z którym dzień po chrzcinach siostrzenicy wyjechała. Kategorycznie zaprzeczyła, dodając zaraz, że kiedy tamtego dnia szła na pekaes, minęła się z duchownym przy drodze prowadzącej na górkę Wilczewskich. Pozdrowili się po chrześcijańsku i pomachali do siebie na pożegnanie. Aha, przypomniała sobie jeszcze Józefina, zawołała nawet za księdzem, żeby uważał na tym rowerze, bo straszna ślizgawica, o wypadek nietrudno, zwłaszcza przy mijaniu się z jakim samochodem. Sama z pięć razy się potknęła, zanim doszła do przystanku, i chyba ze dwa razy się wywróciła.

Dopiero wtedy, po piętnastu latach, ktoś sobie przypomniał, że tamtego dnia oczekiwał duchownego z komunią dla wybierającego się na operację ojca, ktoś inny przyznał się natomiast, że jakoś tak w tym czasie jego syn, nygus jakich mało, przywlókł skądś porozbijany rower ze scentrowanym kołem. Wpieprzył więc chłopakowi pasem i poprawił sznurem od żelazka, by raz na zawsze wybić łobuzowi ze łba złodziejskie zakusy, ale do dziś pamięta, jak smarkacz się wtedy darł: „Ojciec! A na chuja bym taki rower kradł!". Jeszcze raz mu wpieprzył za użycie brzydkiego wyrazu i kazał odnieść rower tam, skąd go przywlókł.

Posterunkowy Miśkiewicz wszczął wówczas procedurę śledczą i przesłuchał całą wieś na okoliczność, kto i gdzie ostatni raz nieszczęsnego księdza widział. Chłopak zaś, Zdzisiek Obrzeźniak, któremu wtedy dwa razy się oberwało, teraz trzydziestoparoletni mężczyzna, zaprowadził milicjanta do miejsca, gdzie znalazł, a potem odstawił rower. Było to zapadlisko przy drodze, zarośnięte drzewami i krzakami jeżyn. Po godzinie karczowania jednych i drugich wyciągnięto wreszcie rower w opłakanym już bardzo stanie, ale jeszcze rozpoznawalny, bo kościelny, ten sam do tej pory, z miejsca go rozpoznał, mówiąc: „To ten. Poznaję po lusterku". Cała wieś stała nad zapadliskiem i jeden drugiego pytał, gdzie ksiądz. Skoro jechał na tym rowerze, to też gdzieś tu powinien leżeć, parę metrów w tę czy w tamtą stronę. Wszyscy spoglądali na Zdziśka, aż ten się zdenerwował i warknął: „A odchrzańta się ode mnie. Wtedy też go nie było. Bo chybabym zauważył". To ciekawe; ktoś się zainteresował, jak w takich chaszczach Zdzisiek ten rower zauważył, na co tamten odparował, że lusterko puściło zajączka i niech się jeszcze raz odchrzanią. Za dziecka wpierdol dwa razy już za to dostał, więc teraz nie będzie się jeszcze z tego roweru tłumaczył.

Nieco później, podczas oficjalnego i zakrojonego na szerszą skalę śledztwa, metr po metrze przeszukano zapadlisko i rozkopano je do dwóch metrów, ale nie znaleziono żadnego śladu, że coś tam prócz roweru przez piętnaście lat leżało. Zamknięto więc sprawę oficjalnie, nieoficjalnie zganiając wszystko na wilki.

Józefina nie miała żadnych pretensji o niesłuszne, trwające tyle lat podejrzenia. Była artystką (choć nikt nie wiedział w jakiej dziedzinie) i nie przejmowała się nigdy, co ludzie o niej mówią. Tyle tylko, że bez przeszkód mogła teraz odwiedzać starszą siostrę, bo od dnia, w którym wróciła, do momentu, gdy cała sprawa jako tako się wyjaśniła, ojciec Luizy każdego dnia mówił do żony: „Żeby mi tylko ta bezwstydnica tu nie przyszła". Potem jednak sam wysłał córkę, żeby sprowadziła ciotkę i, z wielkim wysiłkiem wstawszy z łóżka, podał jej rękę i przeprosił. Wkrótce pożałował, bo Józefina w odwiedziny stroiła się w długie suknie i koronkowe kapelusze. Obwieszała się jeszcze jakimiś bransoletkami, łańcuchami i tak szła przez całą wieś, bez żadnego wstydu.

Luizie stroje i ozdoby, które ciotka sama robiła, bardzo się podobały. Podobnie jak opowieści o wspaniałym, artystycznym życiu, jakie tamta prowadziła w Krakowie. Biegała więc do Józefiny codziennie, ciągnąc za sobą Rudolfa, rozkładała na stole i ławach kapelusze matki chrzestnej i zachwycała się, jak misternie i z jaką fantazją zostały wykonane. Oprócz sukien i kapeluszy ciotka przywiozła ze sobą wiele osobliwych rzeczy, ozdób, błyskotek. Każda z nich była pamiątką po jakimś ważnym wydarzeniu lub po wielkiej miłości, a było ich tyle, że Luiza chwytała się za głowę i wołała do Rudolfa: „Patrz, Rudolf, ile moja matka chrzestna przeżyła miłości!", na co Rudolf odpowiadał, że prawdziwa miłość może być tylko jedna. Mimo to lubił tę dziwną kobietę o pięknych, fiołkowych oczach i z wielką uwagą słuchał jej opowieści.

Józefina szczególnym uczuciem darzyła tę parę dzieciaków, tak sobie oddanych, jakby przeżyli wspólnie sto szczęśliwych lat. W starej chacie, zagraconej dziwacznymi lustrami, komódkami i tysiącem nikomu niepotrzebnych już przedmiotów, siadali we trójkę przy okrągłym stoliku z jakiegoś egzotycznego drzewa, a Józefina cichym, melodyjnym głosem snuła opowieści o lecie w Paryżu z jednym ukochanym, a zimie w Davos z innym. Luiza najbardziej lubiła słuchać o pewnej wiośnie, którą ciotka spędziła z młodym aktorem w Barcelonie. Z policzkiem opartym o ramię Rudolfa i błyszczącymi oczami słuchała opowieści ciotki o rozświetlonych uliczkach, kawiarnianych ogródkach i zapierających dech w piersi kamieniczkach, świecie, którego nie miała nigdy poznać, bo z takim samym przekonaniem jak: „Zawsze będę na ciebie czekać, Rudolfie", mówiła, że nigdy stąd nie wyjedzie. Nigdy.

🐌 🐌

– Strach pomyśleć, jakie możliwości kryją się w ludzkim mózgu. I ile niemocy.

Młody człowiek czekał na ciąg dalszy rozpoczętej przez Filipa myśli, ale tamten popadł w głęboką zadumę. Równie dobrze można było to nazwać tępotą.

– Niemocy? – spytał w końcu, nie doczekawszy się kontynuacji.

– Mam na myśli pewne przeciwwagi, kontrasty, sprzeczności… – podjął temat Filip. – Nie wiem nawet, jak to nazwać…

– Powiedz wprost. Po co te zawiłości?

– Wprost? Proszę bardzo. Popatrz na ten świat, przyjacielu, zobacz, co wymyślił człowiek, odkąd opuścił jaskinie. Potem popatrz jeszcze raz i zobacz, do jakich okropności zdolna jest istota, która to wszystko stworzyła. Tak wielkich, że może lepiej byłoby tych jaskiń nigdy nie opuszczać.

– Czy trzeba aż tak wielkich porównań – zaczął obojętnym tonem jego rozmówca – by powiedzieć, że dziesięć tysięcy metrów nad ziemią, z setką ludzi na pokładzie byłeś orłem, a wdrapując się na schody z opróżnioną w połowie, kolejną już tego dnia flaszką – stałeś się robakiem?

Filip popatrzył na Maćka, jeszcze raz zdumiony tkwiącymi w nim sprzecznościami. Wszystko w tym młodym człowieku było nie tak: siwiejące włosy, biała koszula i ciemny garnitur, zmęczone spojrzenie, słowa... Może nie wszystko, ale z pewnością coś tu do czegoś nie pasowało. Jedno już wiedział: że go nie oszuka. Oświadczył więc zupełnie wprost:

– Szczerze mówiąc, nawet nie zawsze udawało mi się samemu po tych schodach wdrapać. Ani po nich wejść. Chyba także raz czy dwa nie znalazłem drogi do Magnolii... Ale nie to w tym wszystkim było najgorsze.

– Było jeszcze coś gorszego? – W tonie Maćka zabrzmiała prowokacja.

– Taki dziwny stan...

– Urwany film?

– Skąd! Urwany film to urwany film – po prostu nic nie pamiętasz. A w tym... Nawet nie wiesz, że nic nie wiesz. Jesteś w miarę przytomny, powiedzmy, z rana, po ośmiu godzinach pijanego snu, coś niecoś kojarzysz, najwyżej łeb cię boli albo rwie w środku. W każdym razie zdajesz sobie sprawę z miejsca, czasu, z obecności własnego ciała w jednym i drugim. I nagle przychodzi to coś. Coś cię ściska, hamuje, pozbawia... nie wiem czego. Chyba nie świadomości, bo jest jakaś świadomość tego, że nie możesz się wydostać z pewnej przeogromnej pustki. I chyba tylko taka. Poza tym nie istnieje nic. Nie wiesz, jak masz na imię, kim jesteś i czy w ogóle jesteś. Jak mam ci to wyjaśnić...

– Porównaj to do czegoś.

– Do czegoś wielkiego?

– Do czegoś małego.

Filip pomyślał chwilę.

– Czasem rodzą się tacy ludzie… Pozbawione rąk i nóg korpusy. Nie słyszą, nie widzą i może nawet nie czują. Żyją, ale nigdy niczego się nie dowiedzą. Nie będą nawet myśleć, bo myśleć można o czymś, a one nie miały szansy niczego się dowiedzieć…

– Skończ, do diabła! – warknął Maciek. – To makabryczne.

– Coś jednak czują. Strach i nieustające pragnienie, żeby się z tego wszystkiego wydostać. Wyrwać. Najlepiej umrzeć – zakończył Filip.

Wstali obaj jednocześnie i znowu, jak już nie raz, udali się w przeciwległe krańce peronu. Gdy po jakimś czasie wrócili, Maciek zapytał:

– Chciałeś umrzeć?

– Otóż właśnie nie. W tych momentach było tylko jedno pragnienie: żeby wrócić do siebie.

– A poza nimi?

– Coś kojarzyłem, coś tam pamiętałem. W dalszym ciągu niewiele mnie to obchodziło. Wiedziałem jednak, gdzie jestem, i to chyba coś znaczyło…

– W jakim sensie?

– W takim, że mogłem zalać się w trupa na wiele dni… Przytomniałem jako tako pewnego przedpołudnia i nie miałem wątpliwości, że jestem w cholernej Magnolii, a nie w stalowej puszce, z której nie może się wydostać ani moje ciało, ani umysł. Wtedy odczuwałem coś na kształt ulgi. I coraz mniej irytowała mnie powtarzalność pewnych czynności, zdarzeń...

※ ※

Nieraz słyszał dżipa Cześki, jak podjeżdżała pod Magnolię, a wtedy wiedział, że jest świt. Nie musiał nawet zerkać w okno. Doglądała pieca, coś wnosiła, wynosiła, rozkładała się w kuchni, trzaskając garami, potem był znajomy dźwięk włączonego ekspresu, zapach kawy, przyjście Marleny, wyjście Marleny, wołanie: „Doris! Cholera jasna, zamierzasz pobić własny rekord w spaniu?!", zwariować można.

Od czasu do czasu ktoś się tu zaplątał, zjadł obiad, pochwalił, że dobry, i Cześka do końca dnia była zadowolona.

W niektóre soboty (a może w każdą) siadały z cieniutkimi drinkami w sali i gadały o bzdetach, jakby jeszcze im było mało przez cały tydzień. Na godzinkę lub dwie wpadała Olga, uśmiechnięta, życzliwa całemu światu, zawsze zadbana, z jasną twarzą i promiennym spojrzeniem, jak gdyby nic nie miała na głowie i całe dnie nic nie robiła. Czesia jednak zawsze przyglądała jej się podejrzliwie, pytała, czy dobrze się czuje albo co to za sine smugi pod oczami, a po wyjściu tamtej mówiła:

– Mnie nie oszuka. Kobieta, która waży czterdzieści osiem kilo, długo nie pociągnie przy chorym chłopie

i całej gospodarce. Pięć krów, które trzeba dwa razy wy-doić, naścielić suchego, a jeszcze całe podwórko drobiu...
– Machała ręką. – To zimą, a latem dochodzi pole, trze-ba siana nasuszyć... Nie, długo nie pociągnie. Kiedyś wreszcie coś w niej pęknie.

– Prosta sprawa – wpadała jej w słowo Marlena. – Go-spodarkę sprzedać, starego oddać do domu opieki i zacząć żyć.

– Ty byś tak zrobiła? – padało pytanie.

– Nie wiem.

– To się zamknij.

Olga, czasem wprost zapytana o to czy tamto, tłuma-czyła z uporem:

– Trzy krowy, dwa cielaki. Teraz, zimą, to tylko raz doję. Do wszystkiego mam maszyny, podpinam tylko tę czy tamtą do traktora, mało co sama muszę robić.

– A stary? – indagowała Marlena.

– Adam – poprawiała ją Olga – jest lekki. Wiele się przy nim nie narobię.

– To ciekawe – atakowała Czesia – czemu dziś o mało nie zemdlałaś?

– Kiedy?

– Jak zsiadałaś z roweru.

– Potknęłam się.

– O co?

– Nie wiem. O coś.

Doris opierała głowę na dłoniach i patrzyła na nią z podziwem.

– Wszystko w tobie jest piękne. I takie prawdziwe – odpowiadała, gdy Olga w końcu pytała z uśmiechem, o co chodzi, po czym mrugała oczami, jakby się ocknęła, trzepotała rzęsami, dodając: – Cholercia, jak sobie przypomnę, że już zupełnie nie mam się w co ubrać…

Marlena wytrzeszczyła oczy.

– Nie masz się w co ubrać? Litości!

– No nie mam!

– Przywiozłaś pięć toreb ciuchów – przypomniała Czesia.

– Cztery.

– A co masz w piątej?

– Pieniądze – odrzekła Doris.

– No to możesz poszaleć.

– Nie są moje.

Marlena przyjrzała się jej krytycznym wzrokiem.

– Fakt – przyznała. – Nie wyglądasz na właścicielkę takiej forsy. Ile forsy może się zmieścić w torbie?

Olga wzruszyła ramionami, Czesia pokręciła głową.

– Nie zawracam sobie głowy czymś, co mnie nie dotyczy. Doris, jak nie ma nic na głowie, to może sobie pomarzyć. Niech marzy, bo wydatki przecież są.

– A jakie tam wydatki! – Tamta machnęła ręką.

– Doba kosztuje ją tu sto złotych… – mówiła dalej Czesia, zerkając na Marlenę. – Już nie udawaj, że ty tak szalejesz i wydajesz nie wiadomo na co. Na zakupy w furgonetce Zenka?

– Od końca grudnia… To będzie jakieś sześć tysiaków

124

– przeliczyła szybko Marlena. – Sześć tysiaków mieści się w garści, nie w torbie. Nie przeginaj, Doris.

– No i te… – wtrąciła Czesia. – Przesyłki kurierskie ze sklepu internetowego „Wszystko dla artystów", śmiechu warte. Każda po parę stów. Odbierałam, to wiem, bo na Magnolię adresowane. Czemu nie zamawiasz na siebie? – zaatakowała ją nagle.

– A co ci to szkodzi? – spytała niewinnie Doris.

– To mi szkodzi, że jak ci się skończą pieniądze, to kto zapłaci? Magnolia? Czyli kto? Bo chyba raczej nie ja. I nie wydaje mi się, żeby miał to zrobić ten alkoholik.

– Słyszałem – dobiegło je z kuchni. Chyba Filip akurat zszedł po kolejną flaszkę, bo po co innego.

Gdy Doris wyszła, żeby odprowadzić Olgę, Czesia zaczęła zbierać ze stołu puste szklanki i mamrotać pod nosem:

– Artystka ze spalonego teatru! Przyjechać na koniec świata z torbą forsy i przez dwa miesiące nic nie robić, tylko malować?!

– Mówiłam ci – dodała swoje Marlena. – Jest głupia.

– Kto jest głupi? – zainteresował się Filip, usiłując namacać stopą pierwszy stopień schodów, na którym ciągle się potykał.

– Doris. Nie ma się, biedactwo, w co ubrać.

– Jaka Doris? – spytał, skoncentrowany wyłącznie na prawidłowym postawieniu nogi na pierwszym stopniu. Dalej już jakoś się szło.

Czesia uderzyła otwartymi dłońmi w kolana.

– No masz! A ten już nie kojarzy. Jaka Doris! Doris nie pamiętasz?! Przyjechała przed świętami, a ty sam wtaskałeś cały jej majdan na górę.

– A! Doris! – Stanął wreszcie obiema nogami na pierwszym stopniu, chwycił się barierki. Nic mu już nie groziło.

– To ona jeszcze tu jest?

– Jest! – warknęła Czesia. – I raczej się nie zanosi, żeby coś się miało pod tym względem zmienić. Przynajmniej na razie nic nie słychać. No, ale z torbą pieniędzy może sobie pozwolić na nieograniczony pobyt.

Filip nie wiedział, o co chodzi, odwrócił się więc i popatrzył na nie pytającym wzrokiem.

– Ktoś tu ma torbę pieniędzy? – spytał.

– Doris – odparły Czesia z Marleną jednocześnie, po czym parsknęły śmiechem.

Z większą powagą, zdaje się, przyjęły problem Doris z ciuchami i to, że biedactwo nie ma się w co ubrać. Wykorzystała już wszystkie możliwości, najpierw strojąc się w odcieniach jednego koloru, a potem kombinacje, zestawiając jeden z drugim, na przykład różowy z czerwonym (nie było źle), ale nie wszystkie kolory dały się ze sobą bez zgrzytu połączyć, więc Doris pewnego dnia zeszła na dół w dżinsach i podkoszulce.

Jaszczuk, jak ją zobaczył, powiedział:

– Pani Doris, taka normalna, to jeszcze delikatniejsza.

– Jak już taka normalna – podchwyciła Czesia – to może by zaczęła jadać normalnie, o takich porach jak zwykli ludzie.

– O! – przeraził się Jaszczuk. – Ale to mi pani, pani Czesiu, da znać, jakby coś się zmieniło.

Czesia kiwnęła głową z udawaną powagą.

– Dam, panie Jaszczuk. Powiem Halince, jak będę brać papierosy dla alkoholika.

Alkoholik już coraz rzadziej zaszywał się w swoim ulubionym kącie w sali jadalnej, tylko po prostu leżał w barłogu na górze. Jeszcze od czasu do czasu, raz na kilka dni, zszedł na dół, by coś zjeść, a potem gramolił się na górę, zabierając ze sobą coś do wypicia.

Nie zadawał sobie trudu, by zamykać drzwi do swojej nory, ciągle więc słyszał je wszystkie i już mu się nawet nie chciało krzyknąć, by się pozamykały. Bo może nie chciał.

Pewnego razu Marlenie zebrało się na wspominanie przygód zawodowych z czasów, kiedy była policjantką. Niewyjaśnione zbrodnie, tajemnicze zaginięcia przykuły uwagę Czesi, Doris i Olgi na cały wieczór. Tuśkę, zawiedzioną, że nie może kontynuować swej opowieści o Rudolfie i Luizie, wygnały wcześniej z resztkami dla psów. Olga dziwiła się ogromnie, że człowiek może zabić człowieka i nigdy nie ponieść za to żadnych konsekwencji.

– Ale jak? W jaki sposób? – dopytywała. – W domu, w rodzinie... To, że człowiek zabija obcego człowieka, i taka rzecz uchodzi mu na sucho, bo nie zostawia śladów, to można zrozumieć. Ale wśród bliskich? Trucizna? Sprowokowany zawał? Jak to się dzieje?

– Najłatwiej – wyjaśniła Marlena – zabić człowieka w łazience. Suszarka, uderzenie głową o kant zabudowanej wanny lub brodzika, utonięcie...

– Utonięcie? Jak można utonąć we własnej łazience? – zdziwiła się Czesia.

– Normalnie. Zwykłe zasłabnięcie w gorącej kąpieli. Wystarczy gwałtownie pociągnąć do siebie za stopy kogoś leżącego w wannie. Głowa i tułów natychmiast idą pod wodę, organizm doznaje szoku, ciało nie jest w stanie się bronić. Ale... – Marlena popatrzyła na zasłuchane kobiety – to metody ze starych kronik kryminalnych. Przy dzisiejszych technikach wszystko jest do wykrycia i udowodnienia. Najczęściej zbrodnia uchodzi sprawcom na sucho przez zwykłą niedbałość i ignorancję organów ścigania. Czasem – dodała po chwili – przez przypadek. Ja miałam dość ignorancji i przypadków, nie tylko w sprawach o zabójstwo. – Roześmiała się nagle. – Zabijmy Filipa, nikt się o niego nie upomni, a wtedy się przekonacie, jak łatwo sprawić, żeby ktoś po prostu przestał istnieć.

– On chyba już nie istnieje – powiedziała Czesia. – Po co go mamy zabijać.

Chciał krzyknąć: „Słyszałem!", ale głos uwiązł mu w gardle, w głowie rozszalała się pustka. Stalowa puszka na chwilę uwięziła go w sobie, a potem nie był już pewien, czy tak naprawdę cokolwiek słyszał. A jeśli słyszał, to kiedy? Przed sekundą, wczoraj czy całe tygodnie temu. Czas, który goni i zmienia wszystko, przestał istnieć. Przerażony Filip próbował się odnaleźć w przestrzeni.

Spróbował wstać, przejść parę kroków, zejść po schodach lub stoczyć się z nich, wszystko jedno, cokolwiek, byle tylko doznać wrażenia ruchu, bo ruch odbywa się odtąd dotąd, w jakimś konkretnym czasie.

Nie był w stanie określić, czy mu się to udało. Czy to wtedy właśnie, czy wcześniej albo o wiele później znalazł się w przestrzeni pełnej ciepłych pejzaży. Łąka z samotnym drzewem pośrodku, fragment rzeki z brzegiem zarośniętym szuwarami, które zapraszały, żeby je rozgarnąć i wejść w nie, piaszczysta droga między polami... To wszystko w aurze lata. Nie miał pojęcia, skąd wzięło się to lato. I wolał nie pytać.

🐞 🐞

– Naprawdę nikt by się o ciebie nie upomniał? – spytał z lekkim rozbawieniem Maciek.

– Śmieszy cię to? – burknął ze złością Filip. – Rzeczywiście, arcyzabawna sytuacja. Matce powiedziałem, że wybieram się do Australii, kiedy zaraz po rozwodzie zadzwoniła z dość lakonicznym i obojętnym pytaniem, co dalej zamierzam. Przyjaciele... Przyjaciół chyba nawet nigdy nie miałem, skoro po mojej pierwszej życiowej porażce tak szybko gdzieś się rozpierzchli.

– Podobno przyjaciół poznaje się w biedzie.

– Podobno. Więc tak naprawdę nikt nie wiedział, gdzie jestem.

– Może poza urzędem skarbowym – podsunął Maciek.

– Z urzędem skarbowym Czesia z pewnością by sobie poradziła. Boki zrywać.

Maciek gwałtownie zamachał ręką.

– Nie o to mi chodziło. Rozśmieszył mnie sam pomysł Marleny, żeby cię zabić.

– No rzeczywiście, z tego można się pośmiać. Żałosne.

– Groteskowe.

– Wszystko tam było groteskowe. Ja, one, mecenas Lorka… Śmiałem się do rozpuku od świtu do nocy. One chyba miały trochę mniej powodów do śmiechu. Przynajmniej Czesia…

– To było jej miejsce pracy. Dziwiłeś jej się?

– Prawdę mówiąc…

– Miałeś to gdzieś.

– Głęboko.

– Ona z pewnością doskonale zdawała sobie z tego sprawę.

– Była chyba jedyną osobą w tym miejscu, która twardo stąpała po ziemi. Latało mi to, dopóki nie zamknęła mojej wódki w więzieniu.

– Co takiego?!

– Po drugiej stronie podwórka. Ciągle tam stał murowany barak z wąskimi korytarzykami i celami na około dwudziestu chłopa. Cele schludne, prycze zasłane, wątpliwa atrakcja turystyczna. W pewnym momencie, choć za żadne skarby świata nie jestem w stanie określić, kiedy to było, Czesia wyniosła tam cały alkohol znajdujący się w Magnolii i zamknęła w jednej z cel. Moimi protestami się w ogóle nie przejęła.

– Będę się przejmować – mówiła, taszcząc skrzynkę z alkoholem przez podwórko – co tam bredzi pod nosem. Albo tak, albo siak. Jak mu się nie podoba, niech mnie zwolni.

– Zwalniam cię! – zawołał Filip, wychodząc przed Magnolię. Przytrzymał się futryny, żeby ustać na nogach.

Nim się obejrzał, Czesia wróciła z pękiem kluczy w dłoni. Zamachała nimi przed nosem Filipa.

– Jakieś pieniądze są potrzebne, jeśli mamy dotrwać do sezonu. Potem może, da Bóg, jakoś poleci.

– Poszukam – odparł skwapliwie, odruchowo grzebiąc po kieszeniach.

– Już szukałeś – ona na to.

– Kiedy?

– A co za różnica?

Było przedpołudnie. Nie wyobrażał sobie, że przetrwa na trzeźwo do wieczora. Spróbował więc inaczej.

– Daj mi te cholerne klucze albo sama idź prędko i przynieś butelkę. Napiję się, umysł mi się rozjaśni, wtedy coś znajdę.

– Co ci się rozjaśni? – zawołała, kładąc ręce na biodrach. – Chyba aż taka głupia nie jestem. Wszystko trzeba pozapłacać, kupić co nie bądź, ja z niczego cudów nie wyczaruję, jak się kto trafi.

Widział swoje długie palce na szyi Czesi Gawlińskiej i słyszał jej charkot. Tak, chciał ją udusić. Gdyby tylko miał trochę siły. Ale nie miał.

– Jak ci dam pieniądze, ty mi dasz spokój? – spytał przez zaciśnięte zęby.

– Dam – obiecała. – Ale najpierw musisz pojechać do banku.

– Mam pieniądze w banku? – spytał z głupawą miną.

– Podobno.

Nie chciał się kłócić, zwłaszcza że sam sobie o nich przypomniał. Pieniądze w tamtej chwili znaczyły dla niego tylko jedno. Dla Czesi coś zgoła innego, bo gdy oświadczył, że zaraz po nie pojedzie, kazała mu się stuknąć.

– Chyba za tydzień – dodała po chwili. – Jednak aż tyle czasu nie mamy. Do jutra przydałoby się jako tako dojść do siebie.

– Bo co? – postawił się.

– Zawiozę cię, przywiozę i po sprawie.

Próbował jeszcze coś wywalczyć:

– A sam nie mogę? Dziś?

Pokręciła tylko głową. Potem zobaczył za ogrodzeniem Tuśkę, prowadzącą rower, na którym miała wypchaną książkami reklamówkę. Gdy tylko ich zobaczyła, uderzyła się otwartą dłonią w czoło i zaczęła swoje:

– Ale ja jestem głupia! Już dawno miałam zajrzeć do tych państwa z polany pod lasem, co się sprowadzili z Warszawy pod koniec przeszłego lata. Co przechodziłam, to mnie kusiło, żeby do nich zajść, przedstawić się i zapytać, czy nie przywieźli jakich książek. Raz już byłam przy dróżce na polanę...

– Ale?! – ponagliła Czesia.

– Mamusia mi nie kazała. Mówi, że jak ktoś przyjeżdża z Warszawy w takie miejsce, to znaczy, że nie szuka towarzystwa. Ciotka Sabina znowu…

– Polazłaś tam w końcu czy nie? – Czesia ledwo panowała nad sobą.

– Polazłam. I o! – Potrząsnęła reklamówką z książkami. – Bardzo miła ta pani, bo ten stary to już nie bardzo. I córkę ma, Adelę. Razem z naszą Różyczką do klasy będzie chodzić. Całą bibliotekę przywieźli. Szkoda, że nie przyszłam wcześniej, powiedziała ta pani, bo bardzo dużo książek, takich jak dla mnie, oddała do biblioteki w Komańczy. To dziś chyba nie będę dalej opowiadać, tyle mam czytania.

– Wielka szkoda – zadrwiła Czesia i, patrząc Filipowi w oczy, powiedziała: – Kluczyki do samochodu schowane, to nawet nie szukaj.

– Ale resztki dla psów, jak są, to mogę wziąć! – zawołała Tuśka i weszła za Czesią do kuchni, opierając rower o Filipa.

W roli stojaka nie czuł się zbyt komfortowo. W ogóle daleko mu było do jakiegokolwiek komfortu. Gdyby miał dość siły, wsiadłby na ten rower i pojechał do najbliższego sklepu po wódkę. Najbliższy sklep był jednak o wiele za daleko. Tyle siły nie miał. Skulił się więc w swoim ulubionym miejscu na kanapie i nakrył głowę kocem, żeby żadnej z nich nie widzieć. Słyszał je i to mu wystarczyło.

Słyszał Tuśkę, jak zaprotestowała gwałtownie, gdy Doris chciała się z nią podzielić swoim śniadankiem.

Doris zrobiła to odruchowo, gdy tamta stała nad nią, opowiadając o swojej wizycie na polanie.

Słyszał, jak Doris zamartwiała się o Olgę, że tak rzadko teraz tu zagląda. A jak zajrzy, to na chwilę, zostawi, co ma zostawić, i już jej nie ma.

– Olga nie wie, w co ręce włożyć. Już pewnie zaczęła orać pola na stoku, bo tam najwcześniej obsycha po zimie – wytłumaczyła jej Czesia. – Tylko z tego, co wyhoduje, żyją. Renta starego to jakieś śmieszne pieniądze. A mogła mieć wszystko.

Słyszał, jak Marlena szeleści starymi gazetami i przeklina operatorów telefonii komórkowych.

– Wczoraj odrzuciłam połączenie, dziś z samego rana dzwonią z nową superkorzystną ofertą. A jak nie oni, to z cholernego banku. To samo, kredyt od ręki na bajecznych warunkach. Będę chciała wziąć kredyt, to pójdę i go sobie wezmę, a skoro sama nie chcę, to proszę mi tyłka nie zawracać.

– Niesamowite! – zdziwiła się Doris. – Tak im powiedziałaś?

– A co?! Ile razy można dziękować? Na końcu świata, cholera jasna, cię znajdą. Nie po to tu przyjechałam.

– A po co tu przyjechałaś? – wpadła jej w słowo Czesia.

– Po to, żeby nie odpowiadać na głupie pytania. Olga dziś była?

– Nie była. Bo co?

– Bo minęłam się wczoraj wieczorem z karetką przy Górce Wilczewskich. Jechała w jej stronę.

– I nic nie mówisz? – zapytała Czesia z wyrzutem, zdejmując fartuch.

– Mówię.

– Miejcie oko na Filipa – zarządziła. – Zajrzę do Olgi. Diabli wiedzą, czy nie do niej ta karetka.

Potem usłyszał, jak opowiadała:

– No, na szczęście to nie do niej, choć wygląda jak z krzyża zdjęta. Pierwszy raz widziałam Olgę w takim stanie. Gorzelak dostał takiego ataku kaszlu, że o mało się nie udusił. Coś z płucami mu się porobiło. Tyle czasu leży, to nie dziwota. Ale o szpitalu, jak go chcieli zabrać, nie chciał słyszeć.

– Egoista – wtrąciła Marlena. – Odpoczęłaby trochę.

Czesia rzuciła okiem na Filipa w kącie i odetchnęła z ulgą. Wypakowała z torby stertę leków dla Gorzelaka, po które w drodze powrotnej pojechała do Komańczy. Chciała je zawieźć, ale Olga się uparła, że sama wpadnie po nie wieczorem.

– A niech tam. Tyle jej, co się tu wyrwie.

Olga wpadła po lekarstwa wieczorem. Wyglądała jak z dwóch krzyży zdjęta. Nikt jej jeszcze nie widział w takim stanie. Nawet nie próbowała się uśmiechać ani udawać, że to robi. W pewnej chwili usiadła przy jednym ze stolików, ukryła twarz w dłoniach i głosem pełnym rozpaczy wykrztusiła:

– Jak mam to zrobić? W jaki sposób?

Naturalną koleją rzeczy było zapytać: „Co?!", więc Czesia z Marleną zapytały. Doris, w poplamionej farbą podkoszulce, oparła się o blat oddzielający część kuchenną od jadalnej i patrzyła na Olgę szeroko otwartymi oczami, po raz pierwszy nie trzepocząc rzęsami.

– Co jak masz zrobić? – spytała Czesia.

– Co? – powtórzyła za nią Marlena.

– Nie wiem... Nie mam pojęcia, jak...

– Ale o co chodzi, Olga? – Czesia stanęła nad nią, dopytując się ze zniecierpliwieniem: – No o co?

– Jak zabić męża! – wypaliła Doris.

Czesia z Marleną zmroziły ją wzrokiem.

– Już taka głupia jesteś, że ręce opadają – powiedziała Marlena.

– Wstydziłabyś się – skarciła ją Czesia.

Olga podniosła na nie swe przejrzyste oczy i powiedziała bardzo cicho:

– Doris wcale nie jest głupia.

Usłyszały. Nie dowierzając jednak, stanęły nad nią i rozpaczliwie szukając słów, pytały wzrokiem, co to wszystko ma znaczyć, dopóki nie dodała:

– Nie wiem, jak to zrobić.

Wtedy opadły na krzesła obok niej i chwyciły jej dłonie, oparte na stole.

– Co ty wygadujesz, Olga? – odezwała się w końcu Marlena. – Co ty wygadujesz? To nie jest wyjście... To żaden sposób na uwolnienie się od kłopotu. Mówiłam nieraz, oddaj go gdzieś i zacznij żyć.

Wtedy Olga wyrwała dłonie z ich uścisku, odgarnęła wymykający się spod spinki kosmyk włosów, wstała gwałtownie i oświadczyła pewnym głosem:

– Nigdy go nie oddam.

Zgarnęła z blatu torebkę z lekarstwami i chciała wyjść, ale ją zatrzymały.

🐞 🐞

Milczeli bardzo długo. W końcu Maciek powiedział:

– To chyba mógł być bardzo dobry moment na otrzeźwienie. Całkowite, duchowe i fizyczne. Bez powrotów.

– Ale nie był. Pewne sprawy, fakty powiązały się ze sobą i ułożyły w całość dopiero potem, czasem dopiero po wielu miesiącach nabrały właściwego kształtu. Wtedy miałem w głowie jeden wielki szum. Można to też nazwać pustką. Nie wiem, co mogło mnie otrzeźwić.

– Na krótką metę. Fizycznie – podpowiedział Maciek.

– Zgadza się – odparł Filip. – Czesia dopięła swego i przetrzymała mnie do następnego dnia. Zaaferowana sprawą Olgi, wykazała naprawdę dużo silnej woli, by tego dokonać. Ja jej przecież w niczym nie pomogłem. Zawiozła mnie do Sanoka, bo tam był najbliższy oddział mojego banku, i eskortowała przez cały czas.

– Mimo wszystko musiała bardzo w ciebie wierzyć.

– Dlaczego? – zdziwił się Filip.

– Jak długo mogła cię eskortować. Powinna już chyba wiedzieć, że jeśli się nie ockniesz, wcześniej czy później i tak to wszystko weźmie w łeb.

– Nie, ona wierzyła w Magnolię. „Od kwietnia do października to wszystko jest w stanie na siebie zarobić", tłumaczyła mi, za każdym razem dodając, że wtedy nie będę już do niczego potrzebny.

– Ale Magnolia to także ty…

Filip ze zniecierpliwieniem zamachał rękoma.

– Nie wiem, co tam i na jak długo sobie kombinowała. W każdym razie wziąłem te pieniądze, żeby mieć święty spokój, a potem znowu odpłynąłem na swoje wody. Nie słyszałem, nie widziałem i jeśli nawet coś czułem, to nie zdawałem sobie z tego sprawy.

– Nie przyszło ci do głowy, żeby wtedy prysnąć?

– Kiedy?

– Spod banku na przykład. Albo z jakiegokolwiek innego miejsca.

– Moja obojętność wykraczała poza granice Magnolii, poza granice wszystkiego. Obok, ze swą nieugiętą wiarą w nieprzekraczalność pewnych granic, była Cześka.

– Nie wierzę, że nie weszła nigdzie poza bankiem.

– Weszła. Na chwilę, do jakiegoś sklepu. Potem jeszcze do innego.

– Miałeś więc trochę czasu.

– Siedziałem w samochodzie zaparkowanym na chodniku przed sklepem i patrzyłem na przechodniów czy przejeżdżające obok samochody z taką samą obojętnością jak na Jaszczuka, mknącego furgonetką po wybojach. Cześka doskonale zdawała sobie z tego sprawę, wiedziała, że tylko jedno mam w głowie. W drodze powrotnej powiedziała: „Teraz trzeba by zrobić jeszcze jakiś porządek z Olgą", ale chyba raczej do siebie, nie do mnie.

– Zrobiły?

– Odpłynąłem na swoje wody. Musiał być jakiś dalszy ciąg, przecież by nie odpuściły. Musiały we wszystko się wtrącić i wszystko wiedzieć. Ona i Marlena. Doris już trochę mniej. Zaraz po tym, jak ochłonęły, zaczęły pewnie doradzać Oldze, w jaki sposób ma się pozbyć starego. Póki ich nie oświeciła, w czym tak naprawdę rzecz, tak jak mnie parę miesięcy potem. Bo dla mnie, jak już mówiłem, pewne sprawy wykrystalizowały się później, gdy byłem zdolny w pełnym kształcie je ocenić. Muszę więc wyjątkowo wybiec naprzód, by ten konkretny temat zamknąć we właściwym czasie.

– Jak daleko naprzód?

– Tylko kilka miesięcy. W pewien letni wieczór poszedłem do domu Olgi piechotą, bo…

– Bo?

– Bo stęskniłem się za jej twarzą…

– Za twarzą Olgi?

– Nigdy nie miałem jej dość.

– O! Do czegoś jednak zmierzamy.

– Cały czas.

❧ ❧

Adam Gorzelak, wymęczony chorobą, ale bardzo przystojny i na pewno nie stary, wbił w niego swoje zmęczone oczy i, niby bardzo obojętnie, powiedział:

– Gdyby ktoś pokochał Olgę na tyle, by ją stąd zabrać…

– Musiałby być spełniony jeszcze jeden warunek – odparł po chwili nieco zmieszany Filip.

– Jaki?

– Ona też musiałaby kogoś tak pokochać.

– Jest jeszcze młoda. Nie powinna tak się męczyć.

– Co z twoimi płucami? – spytał Filip wymijająco. Gorzelak nie bardzo wiedział, w czym rzecz, więc mu przypomniał: – Jakiś czas temu... Był jakiś problem.

– Aaa... wtedy! Niestety, to nie był rak. Banalne zapalenie płuc.

– Dlaczego niestety?

– Ona nie powinna tak się męczyć – powtórzył mąż Olgi, lecz teraz z większym naciskiem.

A gdy Filip wychodził, tamten dodał:

– Piętnaście lat temu obiecałem, że do końca życia będę się nią opiekował.

Twoja sprawa, stary, chciał powiedzieć Filip, ale gdy się odwrócił i spojrzał mu w oczy, zawstydził się swoich myśli, arogancji i w ogóle całego swojego życia.

Olga siedziała na schodach przed domem z koszem fasolki na kolanach. Obrywając końce, odezwała się doń, nie podnosząc głowy:

– Przepraszam. Chciał cię zobaczyć, jak usłyszał, że jesteś.

– Nie szkodzi – odrzekł. – To ja przepraszam, że zaszedłem bez pytania...

– Do nas nie trzeba się zapowiadać z wizytą – przerwała. – Tylko że nikt nie przychodzi... Kiedy Adam był zdrowy, nie odczuwałam tego.

Zauważył, że imię męża wymówiła w sposób szczególny. Nie potrafił określić, jakie uczucia temu towarzyszyły: miłość czy nienawiść, więc w którymś momencie zapytał w końcu, dlaczego chciała go zabić.

– Bo mnie o to prosił – odparła. – Przez pół roku nie słyszałam nic innego. Usiłował mnie przekonać, że to dla jego dobra.

– Nie dla twojego?

– W końcu w to uwierzyłam.

Kiedy piętnaście lat temu przyszedł po nią do domu rodziców, myślała tylko o tym, żeby jak najszybciej ten zakłamany dom opuścić. Od momentu, w którym się przekonała, że jej chłopak to gnojek, a rodzice są zakłamanymi dorobkiewiczami, nie wiedziała, na jakim świecie żyje. Oszołomiona wypadkami ostatnich dni stała przy oknie, nieprzytomna z bólu i bezsilności, nie mogąc uwierzyć, co ten świat chce z nią zrobić. Gdy Gorzelak stanął w drzwiach, pomyślała, że jeszcze on przyszedł jej dołożyć. Za co? Za jedynego syna, którego przez nią stracił. On jednak powiedział:

– Chodź, Olgo. Zaopiekuję się tobą i twoim dzieckiem.

Poszła za nim, tak jak stała, zostawiając wszystko, co miała i co mogła mieć. Ojciec zawołał za Gorzelakiem:

– Ukradłeś mi narzeczoną, a teraz kradniesz córkę?!

Adam odwrócił się do niego.

– Straciłeś narzeczoną, teraz tracisz dziecko. Nie przez złodzieja, tylko z powodu własnej arogancji – odparł.

Ojciec straszył policją, a gdy nie zrobiło to na Gorzelaku wrażenia, zagroził bandytami. Jednych i drugich mógł mieć za pieniądze, w końcu jednak wstyd wziął górę nad arogancją – sprzedał wszystko i oboje wyjechali.

W domu Adama Gorzelaka brakowało komfortu, do którego przywykła Olga. Nie było nawet łazienki. Gorzelak nie był biedny – miał sporą gospodarkę i niewielką stadninę koni, które kochał ponad wszystko – wolał jednak kupić kolejną maszynę niż pralkę automatyczną czy nowy telewizor. W tym domu od kilkunastu lat nie było kobiety. Nikt sobie nie zawracał głowy firankami w oknach, obrusami na stołach ani łazienką, skoro równie dobrze można było się umyć w miednicy albo w korycie przy studni. Od rana do nocy trwała robota i w zasadzie tylko to się liczyło. Gorzelak jednak nie harował ponad siły, żeby mieć więcej i więcej, on to po prostu lubił. Zajęty od świtu do nocy, sprawiał wrażenie człowieka, który nic ponad pracę nie dostrzega i nic więcej dla niego się nie liczy. Dostrzegł jednak, z jakim zakłopotaniem Olga chowa się z miednicą po kątach albo czeka, aż on pójdzie spać, i dopiero wtedy się myje. Dostrzegł, z jaką dezaprobatą ściąga ze sznurków jego ubrania robocze, które dotąd przepierał byle jak, tylko z większego brudu. Kiedy chciała poprawiać, to jej zabronił, tak jak i wszelkich innych zajęć wymagających wysiłku, powtarzając niezmiennie, że nie przyszła tu, żeby pracować, zwłaszcza w tym stanie. W nieustającej harówce od świtu do nocy dostrzegł wiele rzeczy, na które może nawet sama

Olga nie zwróciła uwagi. Wezwał fachowców, którzy zrobili łazienkę i doprowadzili wodę do domu. Kupił pralkę automatyczną i teraz już bez wyrzutów sumienia pozwolił Oldze prać. Tak się cieszyła z tej pralki, że przez tydzień chodziła po domu, szukając, co by tu jeszcze uprać, a on, widząc, jak się cieszy, specjalnie zrzucał raz noszoną koszulę albo drelichowe spodnie, w których dotąd spokojnie chodził w pole przez cały miesiąc.

Ukradkiem, gdy nie widział, wytarła całe mieszkanie z kilkunastoletniego kurzu, centymetr po centymetrze, i kazała Adamowi odsuwać szafki, że niby coś jej tam wpadło, a kiedy już to zrobił, to jakby od niechcenia przeleciała ścianę ścierką i wytarła podłogę. Dopiero gdy wszystko pachniało czystością, a w szafach wisiały wyłącznie czyste ubrania, Olga usiadła na schodach przed domem i z nudów zaczęła obserwować, co robi Adam. Robił wszystko. W polu, w ogródku, w stodołach i oborze, a także w kurniku. Nie było chwili, której nie dałoby się wykorzystać na pracę, i on wszystkie swoje chwile w ten sposób wykorzystywał. Jak już naprawdę chciał odpocząć, to grodził kolejny kawał łąki dla koni, żeby miały więcej swobody i nie dreptały w jednym miejscu, wyżerając wszystko do gołej ziemi. Najbardziej zdumiewała ją radość, z jaką to wszystko robił. Uśmiech nie schodził z twarzy Gorzelaka ani wtedy, gdy zwoził do stodoły wielkie bele siana, ani wtedy, gdy wyrzucał gnój z obory. Kiedy spytała czasem, czy nie jest zmęczony,

Adam się dziwił: „A czym? Maszyny prawie wszystko robią za mnie". Prawie – zawsze miała ochotę dopowiedzieć.

W pewnym momencie zdała sobie sprawę, że zupełnie nie ma co na siebie włożyć. Nie, nie chodziło o strojenie się, tylko o zwykłe ubrania. Na samym początku Gorzelak zawiózł ją do miasta i kazał kupić wszystko, czego potrzebowała. Kupiła tylko to, co niezbędne. Nie miała wtedy głowy ani śmiałości na więcej. Od Józefiny, która pewnego dnia przyszła po kacze jaja, Olga się dowiedziała, że rodzice wynajęli ekipę do przeprowadzki, a sami wyjechali, by urządzić się w nowym miejscu. Kiedy Gorzelak był w polu, wsiadła na rower i pojechała.

Wynajęci ludzie dopiero zaczynali pracę, ale w domu nie pozostał już żaden ślad jej obecności. Jej pokój został oczyszczony do gołych ścian jeszcze przed przybyciem pracowników firmy. Na ganku leżały dokumenty Olgi: dowód i stara legitymacja szkolna, dziewiętnaście lat życia zredukowane do dwóch papierków.

W drodze powrotnej nic nie widziała przez łzy. W dali zamajaczył jej Gorzelak, jak gna na oślep wozem. Gdy ją zdejmował z roweru, dyszał sto razy ciężej niż koń, którego okładał batem, poganiając. Po raz pierwszy w życiu. Zaczął krzyczeć, lecz zobaczywszy, co się z nią dzieje, zamilkł i dopiero w domu się odezwał, ale Olga nie była w stanie nic zrozumieć. Tak się rozżaliła, że łzy leciały jej z oczu jak woda z przechylonego wiadra. On chodził po kuchni od drzwi do okien i wzdychał głośno. W końcu poprosił, żeby przestała. Wszystko jej kupi. Wszystko, powtórzył i zamilkł, bo zrozumiał, że nie chodziło o rzeczy, dwie szafy ubrań, jakich nie miała żadna dziewczyna w okolicy, piękne mebelki ani kraciaste zasłonki w oknach. Chodziło o puste ściany, które wyglądały tak, jakby nikt tam nigdy nie mieszkał.

Olga płakała do samego wieczora, a potem całą noc. Zasnęła nad ranem. Wtedy też ucichły kroki Gorzelaka w kuchni. Obudziła się po godzinie w kałuży krwi. Wziął ją na ręce i tuląc, chodził z nią jak matka z chorym dzieckiem, dopóki nie przyjechało pogotowie.

W karetce cały czas trzymał ją za rękę i zapewniał, że wszystko będzie dobrze. Ale nie było. Jej syn, a jego wnuk urodził się o świcie. Martwy.

Potem Olga już nie płakała. Przez jakiś czas siedziała całymi dniami na schodach i patrzyła na Adama, jak krzątał się w gospodarstwie, harował od świtu do nocy, nie wiadomo dla kogo, bo tak jak ona nie miał nikogo. W pewnym momencie dostrzegła, że robił to wszystko bez dawnego uśmiechu, z napiętą do granic możliwości twarzą, w której nie było nic prócz cierpienia. Jej cierpienia.

Wtedy wstała z tych schodów, poszła do kuchni i ugotowała obiad, a potem jedli go w całkowitym milczeniu. Patrzyła jednak cały czas bardzo uważnie na Adama, a gdy kilkakrotnie pytał wzrokiem, o co chodzi, uśmiechała się tylko, wciąż nic nie mówiąc. To, co powinna wiedzieć, już wiedziała. Po którymś z jej kolejnych uśmiechów powiedział:

– To dobrze, że dochodzisz do siebie, Olgo. To dobrze.

– Jego twarz odrobinę się rozjaśniła i już nie wzdychał tak za każdym razem, gdy wchodził do domu lub z niego wychodził.

Pewnego ranka dostrzegła samochody podjeżdżające na podwórze, na które zegnano prawie wszystkie konie. Pomyślała, że Gorzelak już nie daje rady, i o nic nie pytała. Wieczorem położył przed nią plik banknotów i powiedział:

– Masz, Olgo. Nie jest to może zawrotna kwota, ale chyba na początek wystarczy, żeby się gdzieś skromnie urządzić. Wyjedź gdzieś... Do Rzeszowa, Krakowa albo i samej Warszawy...

– Dlaczego mam wyjeżdżać? – przerwała mu.

– Jesteś bardzo młoda i dość rozsądna, żeby zacząć gdzieś dobre życie.

– Dobre życie? – pytała, nie bardzo wiedząc, o co mu chodzi.

– Teraz, jak zostałaś sama... Kiedy twoje dziecko... Rozumiesz, co chcę powiedzieć...

– Rozumiem!

– Nie potrzebujesz już mojej opieki.

– Potrzebuję – odpowiedziała stanowczym tonem. – Teraz bardziej niż kiedykolwiek.

Ale do niego to nie docierało.

– Nie chcę, żebyś dalej marnowała sobie życie.

Olga miała dość. Odsunęła pieniądze i powiedziała bez ogródek:

– Mogłam je sobie zmarnować, jadąc gdzieś z twoim głupim synem. Albo podporządkowując się rodzicom.

Schowaj te pieniądze na czarną godzinę, bo ja nigdzie nie pojadę.

Na ich ślub przyszła cała okolica. Każdy chciał zobaczyć, jak wygląda ta dziwna para, i każdy musiał przyznać, że wyglądali pięknie. Nie było wesela, tylko małe przyjęcie, po którym Adam wreszcie objął żonę i obiecał, że do końca życia, czy będzie tego potrzebowała czy nie, chce się nią opiekować. Potem siedzieli do samej nocy na schodach przed domem i patrzyli na biegającą po łące Dalię ze źrebakiem, jedyną klacz, której nie sprzedał. Wtedy Olga oświadczyła, że nie wymaga już specjalnej troski i od jutra zamierza mu we wszystkim pomagać i wszystkiego się uczyć. Pogładził ją po włosach i powiedział:

– Widzisz, Olgo… Widzisz, co cię tu czeka? A mogłaś mieć wszystko.

Przytuliła policzek do jego dłoni i odrzekła:

– Mam wszystko.

🌸 🌸

– Chyba nigdy nikomu niczego nie zazdrościłem – powiedział Filip. – Może w podstawówce koledze ładniejszego plecaka, lepszego stopnia z wuefu albo w liceum innemu kumplowi ładniejszej dziewczyny…

– A czego zazdrościłeś temu pięćdziesięciopięcioletniemu sparaliżowanemu mężczyźnie? – spytał Maciek prowokacyjnie.

– Wszystkiego.

– Nawet tego, że jest sparaliżowany?

– Nawet tego, kiedy zdałem sobie sprawę, jak silne mogą być więzy między ludźmi.

– I jak wielka miłość. Zazdrościłeś mu przede wszystkim Olgi, w której zacząłeś się podkochiwać platonicznie.

– Bardzo platonicznie.

– Gorzelak o tym wiedział?

– Wystarczyło chyba, że raz zauważył, jak na nią patrzę.

– Skoro go nie zabiła, do czego usiłował ją namówić, czego oczekiwał? Że z kimś odejdzie?

– Co innego kogoś zabić, a co innego porzucić.

– W tym przypadku nie wiem, co gorsze.

– Jak wielką musiał mieć siłę perswazji, żeby w ogóle zaczęła o tym myśleć.

– O czym?

– O zabiciu go. Jesteś w stanie to pojąć, Filipie?

– Teraz tak.

– Bo wtedy jej rozpaczliwe pytanie: „Jak mam go zabić?", nie zrobiło na tobie większego wrażenia.

– Może do tamtego momentu jeszcze wrócimy – odparł Filip. – Teraz spróbuj sobie wyobrazić, przyjacielu, zdrowego mężczyznę w średnim wieku, który przez całe życie cieszył się pracą. Praca, poza Olgą, była jego największą miłością. Pewnego dnia połowa jego ciała odmówiła posłuszeństwa. Nie mógł już nic robić. Wszystko zaczęła robić Olga.

Przez trzynaście lat wszystkiego się można nauczyć. Wystarczy odrobina dobrej woli. Tej Oldze nigdy nie brakowało. Nie brakowało jej niczego. Miała dom i mężczyznę, którego kochała. Wszystko w jej życiu zyskało sens, nawet to całe zło, jakie się wcześniej zdarzyło. Bez niego Adam nigdy nie przyszedłby do domu rodziców i nie zabrał jej do swojego świata. Jego świat był dobry, prosty i o coś w nim chodziło.

Nigdy mu nie powiedziała, jak bardzo jest szczęśliwa, ale gdy wraz z nim siadała wieczorem na schodach przed domem i zamykała oczy, kładąc głowę na jego kolanach, musiał to widzieć. Nie wiadomo tylko, czy szukał potwierdzenia, czy też nie dowierzał, skoro pytał: „Nie żałujesz, Olgo, że jesteś tu ze mną?", a ona odpowiadała, że zimne dreszcze przechodzą jej przez plecy na samą myśl, że mogłaby tu nie być.

Pewnego dnia wszedł do domu, po całym dniu ciężkiej pracy, a gdy z uśmiechem odwróciła się od kuchni, powiedział:

– No i zdążyłem, Olgo. Całe siano w stodole, teraz może sobie padać.

Już przy ostatnich słowach dostrzegła jakiś obcy grymas na jego twarzy. Potem rozpostarł ręce i mocno oparł je o futrynę drzwi, w jakiejś desperackiej nadziei, że póki stoi, będzie stał. Podbiegła, chwyciła go wpół i razem osunęli się na podłogę.

Nigdy w życiu tak nie krzyczała. Nawet wtedy, gdy traciła dziecko.

Gdyby mu ucięło nogę, pokuśtykałby na drugiej w pole. Jedną ręką mógłby robić wszystko to, co robił dotąd, może tylko trochę wolniej. Lewostronny paraliż całego ciała – to było coś gorszego od śmierci. Przez pół roku Adam miał nadzieję, że ta po prostu pewnego dnia ostatecznie przyjdzie, a potem zaczął prosić Olgę, żeby go zabiła.

– Dlaczego?! – zawyła za pierwszym razem.

– Bo bardzo cierpię – odpowiedział.

Potem już nie pytała, tylko odwracała głowę. Przywykła, że to, co może, musi teraz zrobić sama. Zostawiła dwa kawałki pola na stokach, na których praca była zbyt ciężka, sprzedała parę krów i zrezygnowała z owiec, za to doorała pola na warzywa i, nabierając pewności, że ze wszystkim sobie poradzi, starała się go o tym przekonać, ciesząc się tym, co jest, i modląc każdego dnia, żeby nie było gorzej.

Pół roku dawała sobie radę, wszelkimi siłami odrzucając prośby, wręcz błagania męża, żeby skończyła jego cierpienie („Tylko tak – dodawał za każdym razem – żeby to wyglądało jak naturalny zgon, Olgo, żebyś mogła normalnie żyć"). Nie mogła słuchać, jak człowiek, którego kochała nad życie, prosi ją o śmierć. Nie mogła uwierzyć, że coś takiego się dzieje. Pewnego dnia coś w niej pękło.

Przeraziło ją to zapalenie płuc, karetka pogotowia i zafrasowana mina lekarza, badającego jej męża. Gdy Adam odmówił pójścia do szpitala, wiedziała, że chce jak najszybciej odejść. Pojechała wieczorem do Magnolii, usiadła przy stole i zapytała obce osoby, ale jedyne, które mogła i w ogóle chciała o to zapytać, jak ma to zrobić.

Gdy minął szok i zrozumiały, że Olga nie żartuje, zaczęły ją wszelkimi siłami od podobnego pomysłu odwodzić, potem zaś podsuwały różne pomysły na zbrodnię doskonałą. W końcu jednak Marlena machnęła ręką, twierdząc, że pierwszy lepszy patolog wszystkiego się dopatrzy, nawet ukłucia po cieniutkiej igle, gdyby spróbowała coś wstrzyknąć mężowi. Choćby i czyste powietrze. Na koniec powiedziała:

– Najlepiej nic nie kombinuj, tylko podetnij mu żyły. W lewej ręce ma się rozumieć. Potem włóż do prawej brzytwę... Macie chyba w domu brzytwę?

Olga, patrząc nieprzytomnie Marlenie w oczy, kiwnęła głową. Nie wiadomo, czy na tak, czy na nie.

– Ciotka Sabina – usłyszały głos Tuśki za oknem – na pewno ma. Mogę podskoczyć i przywieźć.

– Spadaj! – krzyknęła Marlena na małą i mówiła dalej: – Jak się wykrwawi, wezwij pogotowie. Rozczochraj włosy, ubrudź się ziemią, że niby w polu byłaś, jak to się stało. Goliłaś go, powiesz policji, bo na pewno przyjedzie z pogotowiem, przez zapomnienie zostawiłaś brzytwę koło łóżka, poszłaś w pole. My zeznamy, że cały czas mówił o samobójstwie...

– Ja nie zeznam – odezwała się Doris.

– Dlaczego? – spytała Czesia, zaglądając jej w twarz.

– Bo nie słyszałam.

– No i co z tego?

– Nie powiem, że słyszałam coś, czego nie słyszałam.

– W słusznej sprawie.

Doris złapała się za głowę.

– Nie mogę uwierzyć, że to mówicie!

– No to lepiej wsadź Olgę do więzienia! – naskoczyła na nią Marlena. – Nie wiem, czy to, że sam prosił, żeby go zabiła, sąd uzna za okoliczność łagodzącą. Naprawdę nie wiem. Dwadzieścia pięć lat jak nic! Normalna sprawa. W tym cholernym świecie bandzior za napady, morderstwa i gwałty może liczyć na mniej niż biedna zdesperowana kobieta...

– Przestańcie – poprosiła cicho, łagodnie Olga. – Przestańcie, proszę.

Umilkły i popatrzyły na nią niepewnie. A Olga przygładziła miękkimi ruchami włosy, głęboko nabrała powietrza w płuca, potem je szybko wypuściła i... odetchnęła z ulgą. Jeszcze tylko potrząsnęła głową i powiedziała z uśmiechem:

– O! Jak dobrze, że do was przyszłam.

– No... raczej. – Marlena wzruszyła ramionami.

– Wszystko w jednej chwili stanęło mi przed oczyma – ciągnęła. – Wszystko dokładnie sobie wyobraziłam.

– To, jak twój stary umiera? – spróbowała zgadnąć tamta. – No wiesz, żadna śmierć nie jest lekka, a ta przez wykrwawienie...

– Nie – przerwała jej Olga. – Wyobraziłam sobie, że go nie ma.

– I?

– Nie może go nie być – odparła. – Nie potrafię sobie wyobrazić, że pewnego dnia budzę się, a jego nie ma.

– Chcesz, żeby był? – spytała Czesia.

Olga skinęła głową. Marlena była prawie obrażona.

– To po co nam głowę zawracasz?

– Właśnie – poparła ją Czesia. – Wygadujemy głupoty, a okazuje się, że co? Że ty żyć bez niego nie możesz?

– Bo nie mogę.

Doris aż usiadła. Złożyła ręce jak do modlitwy i westchnęła:

– Olga, jaka ty jesteś piękna!

Czesia z Marleną przewróciły oczami, a potem same usiadły przy stole i zaczęły wypytywać Olgę, o co tak naprawdę jej chodzi. Gdy wyjaśniła, że o to, jak przekonać Adama, żeby chciało mu się żyć, nie wiedziały, co powiedzieć. Chyba pierwszy raz w życiu. Olga popatrzyła na nie, zagryzła usta i oznajmiła:

– W takim razie nie pozostaje mi nic innego, jak go zabić.

Wstała, jeszcze raz poprawiła włosy i wyszła.

Wróciła do domu. Rzuciła rower na środku podwórka, odszukała walające się przy ganku gumiaki, wsunęła je na nogi i weszła do obory. Naścieliła krowom świeżej słomy, choć miały sucho, i naniosła im siana. Nakarmiła kury, przebrała kartofle w piwnicy, a potem wsiadła na traktor, wyjechała w pole, które orała dwa dni temu, i zaorała je jeszcze raz. Miała jeszcze ochotę zaorać dwa inne, ale zauważyła, że kończy się paliwo. Po powrocie zobaczyła samochód Marleny przed domem. Wjeżdżając pod wiatę, zawadziła o belkę i stłukła lusterko. Przy cofaniu zahaczyła o drugą i dach wiaty osunął się na przód traktora. Olga wyłączyła traktor i zostawiła go w tym miejscu, gdzie stanął. Na pytanie Marleny, co jej jest, odpowiedziała:

– A nic. Tylko zwariowałam.

– A Gorzelak?

– Adam – sprostowała.

– A Adam?

Olga, zrzucając z nóg gumiaki, ledwie zerknęła na Marlenę.

– Chodzi ci o to, czy już się wykrwawił? A nie wiem. Idź, zobacz, jak cię to interesuje.

Marlena obrzuciła ją długim spojrzeniem, po czym wygrzebała z torebki wizytówkę i wyciągnęła ją w stronę Olgi.

– Przypomniałam sobie, że mam bardzo dobrą znajomą w Konstancinie. Jest ordynatorem na oddziale rehabilitacji... To najlepsza taka placówka w kraju, słyszałam, że dokonują tam prawdziwych cudów.

Olga chwyciła grabie oparte o ścianę obory i zaczęła zagarniać słomę z wyściółki.

– Nie wiem, czy jeszcze czekam na jakiś cud.

– Warto spróbować. Jeśli tak bardzo zależy ci na mężu, myślę, że powinnaś coś zrobić...

Nim skończyła, tamta rzuciła grabie, rozłożyła ręce w jakimś rozpaczliwym geście i jęknęła:

– Przecież… ja robię wszystko.

– Wszystko, co robił twój mąż. Zrób to, co ty powinnaś zrobić.

– Nie rozumiem…

– Nie rozumiesz? – Marlena zdjęła źdźbło słomy z ramienia Olgi i spojrzała jej w twarz. – Myślę, że obezwładnił cię tym swoim czekaniem na śmierć. Tym pragnieniem, by cię od siebie uwolnić. Coś tam kojarzę, popijając kawkę i przeglądając stare gazety. Dlatego uważam, że to bardzo egoistyczne…

– Co ty mówisz, Marlena? Co ty mówisz? – przerwała jej. – Adam myśli tylko o mnie. Tylko ja się liczę.

– A czy pomyślał choć raz, że dla ciebie liczy się tylko on?

– Kocha mnie…

– Że bez niego świat stanie się dla ciebie pusty?

Olga oparła się o samochód Marleny, uniosła ręce do skroni i bezradnie spojrzała jej w twarz.

– Spytaj go – powiedziała Marlena, otwierając drzwi auta – dlaczego po tylu dowodach bezgranicznego oddania ciągle w ciebie nie wierzy.

– Chyba nie potrafię – jęknęła Olga.

– Potrafisz – uznała tamta, dodając na koniec: – Jeśli się zdecydujesz, daj znać. Zadzwonię do tej znajomej, a ona na pewno nie odmówi pomocy. Nie wiem, nie znam się, ale ten twój Adam nie jest przecież staruszkiem. Myślę, że jakieś tomografy czy inne cuda, a przede wszystkim najlepsi fachowcy określą, czy jest jakaś nadzieja, czy jej nie ma.

– Jeśli nawet... Trzeba go tam jakoś zawieźć... Tam czy gdziekolwiek indziej. Ja nie dam rady...

– Dasz – przerwała jej Marlena, odjeżdżając.

Przed wieczorem przyjechała Czesia z młodą, dobrze zbudowaną kobietą.

– To Swietłana – przedstawiła swoją towarzyszkę.

– Ukrainka. Dyplomowana masażystka.

– Co tu robi? – spytała bez specjalnego zainteresowania Olga, rozwieszając pranie na sznurkach przed domem.

– Doi krowy u Wasiaków w Rzepedzi.

– I?

– Mogłaby cię wyręczyć.

– W dojeniu krów?

– W masażach.

– Dam radę – odparła Olga. – Ręce już mi przywykły.

– Ręce oszczędzaj na starość – Czesia na to. – Wtedy też mogą ci się przydać. Co tam starość! Za dziesięć lat robota przygarbi ci kark i wykrzywi stawy. A dziesięć lat to moment.

Swietłana z zainteresowaniem rozglądała się po obejściu i z życzliwym uśmiechem zerkała na zachmurzoną Olgę.

– Ładna gospodarka, pani – odezwała się w końcu z lekkim akcentem. – Taka... czysta. Nie to co u Walendziaka.

– Dzięki – mruknęła Olga, zmuszając się do uśmiechu.

W końcu zawstydzona wzruszyła ramionami, a jej twarz rozświetliła się prawdziwym uśmiechem.

– Przepraszam – powiedziała, ściskając rękę Czesi. – Bardzo was wszystkie przepraszam. Ciebie, Marlenę, nawet panią...

– Mnie tam nie ma za co przepraszać – odparła Ukrainka. – Ja do wszystkiego przywykła.

Czesia pokiwała głową.

– No właśnie. Swietłana zna się na rzeczy i dużo nie weźmie. Pomyśl.

– Pomyślę – przyrzekła jej Olga. – Dajcie mi trochę czasu. O wszystkim pomyślę.

Chyba w końcu sama przed sobą musiała przyznać, że na dłuższą metę wszystkiemu rady nie da, jak dotąd dawała, i przestała uważać, że tylko ona jest w stanie pomóc mężowi. Zrobiła to, co powinna zrobić.

Pewnego ranka stanęła przy łóżku męża i spytała, co się stało z pieniędzmi, które przed ślubem wziął za konie. Pamięta, że było tego bardzo dużo, a nie przypomina sobie przez te piętnaście lat jakichś większych wydatków.

– Nic się nie stało – odparł. – To twoje pieniądze.

– Dlaczego moje?

– Bo ja tak mówię.

– Gdzie są?

– Twoje pieniądze? Na twoim koncie. Wpłaciłem je, kiedy powiedziałaś, że nigdzie nie jedziesz. Zawsze możesz je wybrać, jeśli zdecydujesz...

– Ile tego może być? – przerwała.

– Dużo.

– Z pięćdziesiąt tysięcy?

– Więcej.

Olga zbladła i przytrzymała się poręczy łóżka.

– Skąd aż tyle?

– Olgo, na litość boską, przez piętnaście lat tam leżały.

– Jesteśmy bogaci – wykrztusiła.

– Ty jesteś. Pamiętaj, że jesteś jeszcze bardzo młoda i kiedy umrę...

Poczerwieniała ze złości.

– Kiedy umrzesz, będę jeszcze dość młoda, żeby o siebie zadbać.

Adam patrzył na żonę, mrużąc oczy. Rzadko okazywała taką stanowczość.

– Więc co zamierzasz? – spytał.

– Najpierw kupię ci łóżko – odparła.

– Łóżko? Przecież mam. Nie jest chyba złe, skoro kosztowało trzy tysiące.

– Dam trzydzieści, jeśli będzie trzeba. To za trzy tysiące jest dobre dla starca, który lada moment ma umrzeć.

– A ja...

– Wybij sobie z głowy, żebym ci w tym pomogła.

– Mogę tak leżeć jeszcze całe lata, Olgo.

– To sobie leż.

– Mówisz tak, jakbym miał grypę, obudził się z rana z gorączką i powiedział, że nie chce mi się wstać. To sobie leż! Olgo, na litość boską, żadne łóżko nie sprawi, że będę chciał dłużej żyć w takim stanie.

– Doris szukała wczoraj w internecie. I znalazła. Patrz!

– Podała mu kartkę z wydrukiem. – Powiedziała, że będziesz sobie na nim leżał jak król.

– Na cholerę mi takie łóżko?!

– Bo ja tak mówię! – powiedziała, wyrywając mu kartkę. Złożyła ją równiutko i wsunęła do kieszeni dżinsów.

– A jutro przyjdzie Swietłana.

Bał się zapytać, na cholerę. Olga, wychodząc, rzuciła jeszcze:

– A pojutrze pojadę ze wszystkimi twoimi papierami, prześwietleniami i z całą twoją historią choroby do Konstancina.

Nie wytrzymał.

– Po co? – zapytał.

– Po to, żeby się zorientować, czy jest jakiś sens cię tam zawozić, czy też nie ma żadnego.

– Olga…

– I nie proś mnie więcej, żebym cię zabiła.

🐌 🐌

– Dopiero po jakimś czasie Olga przyznała się, że zanim spytała trzy obce jej osoby, w jaki sposób ma uśmiercić swojego męża, była bardzo chora.

– Nikt o tym nie wiedział?

– Mówiła, że nawet Adam nie zdawał sobie do końca sprawy, co się z nią dzieje.

– W jaki sposób to przed nim ukryła?

– Nie wiem. Dopóki nie zachorował, była szczęśliwa i zadowolona z życia. Potem chyba nie uwierzyła w rozmiary dramatu, jaki ich dotknął. Fizyczna niemoc, jaka spadła na nią pod koniec marca, uświadomiła jej, że w gruncie rzeczy jest słabą istotą, która potrzebuje od czasu do czasu pomocy jak każdy inny człowiek.

– Co jej konkretnie było?

– Pewnie jakaś wczesnowiosenna infekcja. Może nawet grypa. Nie w tym rzecz. Przez dwa tygodnie nie miała na nic siły i wszystko ją bolało. Teraz wyobraź sobie, przyjacielu, że w takim stanie trzeba wstać skoro świt i wykonać prace, których wystarczyłoby na cały dzień dla dwóch zdrowych, silnych mężczyzn...

🐌 🐌

– Patrzyłam na Adama – mówiła Olga, spuszczając wzrok, jakby wstydziła się tak osobistego wyznania – i zastanawiałam się, co z nami będzie, jeśli upadnę, jak on, i nie zdołam wstać. Pewnego ranka nie mogłam się podnieść z łóżka, a gdy się podniosłam, tak mi się zakręciło w głowie, że musiałam się położyć. Gdy się ocknęłam, krowy ryczały w oborze, a pies drapał w drzwi...

– Masz psa? – wpadła jej w słowo Doris. – Jakiego?

– Normalny, kundelek.

– Zawsze marzyłam o psie – powiedziała tamta. – I nigdy go nie miałam.

– Och, Doris! Akurat nas to teraz obchodzi – burknęła Marlena, a Czesia poparła ją wymowną miną. – Co dalej, Olgo?

Filip wstał z ławki i zaczął iść wolnym krokiem, oddalając się od dworcowego budynku. Maciek patrzył za nim ze zdziwieniem, a w końcu zawołał:

– Co dalej, Filipie?!

Tamten przystanął, odwrócił się, wsunął ręce w kieszenie i patrzył na ciecia, idącego za torami. Pies biegł przy nim, podskakując do wyciąganej co chwila ręki.

– Nie wiem – odparł Filip.

– Jak to, nie wiesz?

– Zwyczajnie. To chyba ostatni dzień, który udało mi się jako tako umiejscowić w czasie. Pamiętam jeszcze, o czym wtedy myślałem.

– O czym?

– Myślałem, że gdybym był takim Adamem i miał obok siebie taką Olgę, chciałoby mi się zwyczajnie żyć.

– To znaczy jak?

– Budzić się, patrzeć na nią, dotknąć jej włosów, przytulić ją albo iść z nią w pole...

– Chyba raczej patrzeć, jak sama idzie.

– To był chyba ostatni moment, kiedy chciałem wyjść poza krąg swojej samotności i przyznać się do niemocy.

– Tak jak w pewnym momencie zrobiła to ona?

– O wiele więcej. Chciałbym przy tym powiedzieć: Patrzcie, jakim jestem beznadziejnym sukinsynem, przepieprzyłem swoje życie, właściwie nic nie robiąc, tylko po prostu żyjąc. Czego się spodziewacie teraz? Że będę się uśmiechał, paradował po tej cholernej Magnolii z ogoloną twarzą i miną zadowolonego z siebie głupiego sukinsyna?

– Czemu więc tego nie powiedziałeś?

– Starczyło mi tylko siły na to, by pomyśleć, że gdybym był takim Adamem, oddałbym wszystko…

– Adam oddałby wszystko, by być tobą.

– Ale chyba nie w tamtym momencie.

🐌 🐌

Czesia Gawlińska uznała, że zrobiła już wszystko, żeby ten głupi sukinsyn całkiem nie upadł. Kupowała mu tylko dobry alkohol, żeby w miesiąc całkiem nie rozwalił sobie wątroby, i nawet na początku próbowała mu go wydzielać. Dopóki mogła, pilnowała, żeby choć raz na dzień zjadł coś gorącego. Kiedy doszedł do takiego momentu, że niewiele w nim tego jedzenia zostawało, odpuściła sobie. Schodził od czasu do czasu do lodówki (na oko było widać, że bez żadnej świadomości), coś tam wygrzebał i coś tam zjadł. Dokąd mogła, to wyciągała spod niego zasyfioną pościel, zdejmowała powłoczki i zawoziła do prania, a także trzy razy dziennie wietrzyła pokój, nawet wtedy, gdy jeszcze wiało mrozem. Chyba zwłaszcza wtedy. Dogadywała mu, pyskowała, a parę razy prosiła, żeby się opamiętał.

Nic!

Wczoraj Doris zgasiła na nim koc, który się zapalił od papierosa.

Przedwczoraj Filip spadł ze schodów i wyrżnął głową o stojącą przy nich butlę z gazem, której nie zdążyły wynieść.

Tydzień temu weszła do jego pokoju i oświadczyła:

– Więcej tu nie przyjdę.

Doris teraz tam chodzi. Wynosi puste butelki po wodzie mineralnej, które mu każdego wieczora stawia przy łóżku, żeby miał czym ugasić pragnienie, i popielniczki z petami. Puste flaszki po wódce sprząta raz w tygodniu. Nie wiadomo dlaczego. Ale kto trafi za Doris!

Naprawdę Czesia zrobiła wszystko.

– Zrobiłam wszystko – powiedziała z naciskiem do Marleny, gdy wchodziły do jego pokoju.

Doris je zawołała. Kiedy weszły, Filip leżał w barłogu (od dawna nie odważyłaby się nazwać tego łóżkiem), z głową bezwładnie zwisającą w dół.

– Nie żyje? – spytała Marlena, spoglądając to na Czesię, to na Doris.

Czesia wzruszyła ramionami.

– Może lepiej, żeby nie żył. Przynajmniej byłoby wiadomo, co robić.

Podeszła do łóżka, poderwała głowę Filipa do góry, pokazała wzrokiem Doris, żeby wzięła go za ręce, a Marlenie poleciła chwycić za nogi, sama zaś pchnęła z impetem drzwi do łazienki, po czym pomogła im go tam wtaszczyć.

– Nie będę się zastanawiać, co robić. Czy dzwonić po pogotowie, czy do zakładu pogrzebowego.

To mówiąc, wpakowała go do wanny, zatkała kurkiem odpływ i puściła kran z zimną wodą.

– Albo się utopi, albo ocknie, wola boska – powiedziała, wychodząc. – Doris, zajrzyj tu za chwilę. Jak się wanna napełni, zakręć kran i wyjdź.

Doris zatrzepotała blond loczkami.

– Wyjść?

– To stój. Rób, co chcesz. Ja idę ogarnąć pokoje pod werandą. Na długi weekend trochę ludzi się zjedzie.

– Cztery rezerwacje już potwierdzone! – zawołała Doris drżącym głosem.

– No proszę! A dziś już poniedziałek. Przyjadą, pojadą, potem następni i po lecie.

CZĘŚĆ III

Na dnie było zimno, mokro, oślizgle, jednym słowem odrażająco. A czego się spodziewał? Że dobry Bóg łagodnie przeprowadzi go z brzydkiego świata w piękny, skoro nawet nie wierzył w Boga? W nic nie wierzył. I był tchórzem, bo gdyby nie był, to dałby nogę na tamten świat bez znieczulania świadomości alkoholem. Bez uciekania się do półśrodków. Albo tak, albo siak – dewiza (jedna z wielu, trzeba dodać) Cześki Gawlińskiej może nie oszałamiała filozoficzną głębią, ale sprawdzała się w każdej sytuacji. I w każdych warunkach.

Albo się żyje, albo umiera. Pośrodku jest nieustający koszmar. Człowiek żyjący w owym koszmarze traci zdolność odczuwania, postrzegania i w pewnym momencie zaczyna się zastanawiać, czy jeszcze jest człowiekiem, czy tylko ożywioną rzeczą, bo nawet nie zwierzęciem. Każde zwierzę, nawet jeśli kieruje się instynktem, do czegoś zmierza. Filip Spalski donikąd już nie zmierzał. Leciał w dół.

Na dnie było jak na dnie. Woda wlewała się do płuc, do nosa, chciała wypłukać oczy. Woda, która jest warunkiem wszelkiego życia, rozrywała go od środka i odbierała resztki pijanej świadomości. Chciał krzyknąć: Dobry Boże, jesteś czy Cię nie ma, wyprowadź mnie z tej ciemnej doliny na bezkresne pastwiska nieskończonej miłości wszystkiego i wiary we wszystko – ale nie mógł tego zrobić, bo nie miał już głosu. Nie czuł także rąk ani nóg i nic nie słyszał.

Wtedy ktoś (może Bóg) powiedział mu, że czasem rodzą się tacy ludzie bez rąk i nóg; nie słyszą, nie widzą, a dotyk sprawia im ból, ponieważ nie nauczyli się myśleć i nie wiedzą, co to oznacza, nie mają na nic wpływu, leżą i czekają na nic. Na nic?! Jak to, na nic?! Czeka się na coś, na kogoś, na wszystko! Zmusił własne ręce, by złapały się czegoś, co było czymś, jakiegoś kawałka materii zbudowanej z niewidocznych atomów. Chwycił się szyi Doris, która, pochylając się nad nim, zawołała:

– Czesia, Marlena, on chyba nie żyje!

Żył.

– Żyje – orzekła Czesia, wyciągając go z wanny z pomocą Marleny i Doris w taki sam sposób, w jaki go tam wrzuciła, czyli bez ceregieli.

Mokra posadzka w łazience to wciąż był przedsionek piekła. Zimno, mokro, oślizgle, tyle że już bez rozrywającej płuca wody. Filip zamarzył o czymś ciepłym, miękkim, przytulnym. Doczołgał się do łóżka, na żadną z tych rzeczy nie licząc, bo dobrze wiedział, że jego barłóg od dawna nie był łóżkiem, tymczasem jednak czyjeś dobre ręce zabrały stamtąd wszelkie ślady jego kilkumiesięcznej niemocy. Nie mógł uwierzyć, padając w czystą pościel, że tak niewiele trzeba, by na nowo poczuć się człowiekiem. Zawinął się w kołdrę, na której nie było śladów ognia, i położył głowę na poduszce miękkiej jak puch. Odleciał, ale już nie w dół, tylko w czyste obłoki na niebie, przeciął je jak samolot z góry, z dołu i z każdej innej strony. Wiele dni podróżował pod i nad chmurami, lądował i znowu wzbijał się w powietrze, w nieskalaną niczym przestrzeń, skąd można było patrzeć na bezkresne łąki, ciągnące się od horyzontu po horyzont.

To było jak pożegnalny lot, z którego wraca się na ziemię bez żalu za tym, co się kończy, lecz z wiarą w to, co się zaczyna. Życia nie kończą zdarzenia, tylko definitywna i nienaprawialna awaria mięśnia sercowego. Proste.

Filip otworzył okna na oścież, nabrał powietrza w płuca i nie to, że nagle jakoś straszliwie zachciało mu się żyć, mógł już jednak myśleć o życiu bez odrazy. Może niewiele, ale niewiele to zawsze więcej niż nic.

Zza okna dochodziły jakieś odgłosy: gwar rozmów, śmiech… Ładnie się bawią, pomyślał, podczas gdy ja tu mało nie umieram. I jeszcze płacz dziecka. Skąd wzięły dziecko? Może Tuśka przez ten czas cofnęła się w rozwoju. Wszystko możliwe.

Nie czuł się na siłach, a właściwie zabrakło mu odwagi, by pójść i zobaczyć, co tam się dzieje. Wsunął się pod kołdrę, nakrył nią głowę i spał, a gdy się obudził, znowu otworzył okno na oścież, bo wiatr je zatrzasnął, i tym razem wychylił się głęboko. Zobaczył na werandzie obcych ludzi, którzy wchodzili na nią lub wychodzili ze znajdujących się wokół pokoi, i postanowił sam to sprawdzić.

Włożył czyste spodnie i świeżą koszulę, sprawdzając dokładnie, czy nie ma gdzieś plamy – z pralni potrafią oddać coś czasem w gorszym stanie, niż im się zaniosło. Nie znalazł nic, co by go zaniepokoiło, więc wreszcie zszedł na dół i zapytał Czesię, co tu się dzieje.

Ta, jak go zobaczyła, złożyła ręce jak do modlitwy i powiedziała to, co zwykle mówiła w sytuacjach kompletnego zaskoczenia:

– O Maryjo!

Potem zaczęła go całować po włosach, policzkach i ramionach. Marlena zamarła z filiżanką kawy przy ustach i nie powiedziała nic.

– Jak mnie zaczniesz całować po rękach, to cię trzepnę – uprzedził Filip Czesię, usiłując się od niej uwolnić.

Wycałowała go po rękach, ale jej nie trzepnął.

– Filip, Filipek… – piała z zachwytu czy też z zadowolenia. – Patrz, Marlena, jakiego tu mamy przystojniaka, a ty się uganiasz za tymi dzikusami z Górki. Doris!

– To Doris ciągle tu jest? – spytał, gdy mu się udało uwolnić od Czesi i wytrzeć ręce po jej całusach.

– A gdzie by miała być. Filipek…

– A ci wszyscy ludzie?

– Jacy ludzie?

– No tam, w pokojach, na werandzie, pod parasolem na łące…

– A, to goście.

– Goście? – zdziwił się.

– Goście – potwierdziła Czesia, próbując go objąć, ale się wyrwał.

– Tacy jak Doris?

– Doris nie jest już gościem.

– Tylko kim?

– Pracuje tutaj.

– Doris tu pracuje?

– Na razie na czarno. Co dzień szuka dokumentów i nie może ich znaleźć. Więc co ja mam zrobić?

– W Magnolii? – dopytywał się z niedowierzaniem.

– W twojej Magnolii, nasz słodki przystojniaku. – Cmoknęła go znienacka w plecy. – I ty jej płacisz.

– Dlaczego?!

– Dlaczego tu pracuje czy dlaczego jej płacisz?

– Przecież to jedna cholera.

– Skończyły jej się pieniądze.

Filip spojrzał na Czesię, a potem na Marlenę. Ta wzdrygnęła się i jednym łykiem dopiła kawę.

– Podobno miała ich całą torbę – drążył.

– Podobno to nie jej. Trafił kto kiedy za Doris?

Usiadł na pierwszym z brzegu krześle, rozejrzał się i zapytał, skąd tu się tyle tych ludzi wzięło, na co Czesia odparła, że normalne, sezon się zaczął, ciepło się zrobiło, na ten długi majowy weekend ludzie opuszczają swoje klatki w miastach…

– To już maj? – przerwał jej Filip.

– Maj.

– Święta już były?

– Były.

– To dobrze. Początek czy koniec?

– Początek, koniec, co za różnica, czas leci na złamanie karku, dopiero co posprzątałam po śniadaniu, tylko patrzeć, jak się zaczną schodzić na obiad. I grymasić. Jedni to, drudzy tamto, trzeci siamto...

– Przecież wcale nie grymaszą – wtrąciła Marlena.

– Co im nagotujesz, to jedzą. To nie amatorzy Krupówek czy sopockiego molo, gdzie dookoła zgiełk i komercja, tylko dziwolągi, które jadą gdzieś dla samej natury.

– Jeszcze mi tu tylko tego brakowało: zgiełku i komercji! Mało mam na głowie?

Filip zaczął się śmiać i śmiał się, dopóki Czesia w końcu nie huknęła, żeby oboje poszli sobie gdzieś wreszcie, bo ona ma co robić. Ile to można sączyć jedną małą kawę i wtrącać się w to i w tamto.

Marlena demonstracyjnie zaczęła składać swoje gazety, notes, zbierając się do wyjścia.

A on, jak już taki ładny, ciągnęła Czesia, i coś tam kontaktuje, toby się może rozejrzał we wszystkim i po chleb zaczął jeździć na stację, bo Doris nie ma czasu.

Wstając gwałtownie z krzesła, Filip strącił ramieniem wiszący na ścianie kwiatek. Dałby głowę, że wcześniej nie było tu żadnych kwiatków.

– A dlaczego Doris nie ma czasu? – zapytała Czesia tonem, jakim pani pyta o coś dziecko w pierwszej klasie.

– Bo jak nie szykuje pokoi albo nie pomaga mi w kuchni, to sadzi kwiatki. Wszędzie. – Czesia zwróciła wzrok tam gdzie Filip, który z dezaprobatą patrzył na parapety zastawione zwisającymi pelargoniami.

Nie lubił kwiatów, więc mruknął pod nosem, że wyrzuci ją z nimi z domu, a wtedy się dowiedział, że na dworze już nie ma gdzie stanąć. Doris wpadła w prawdziwy trans. Tak jak kiedyś malowała (To już nie maluje? Nie.), tak teraz wszędzie coś sadzi: kwiaty, krzewy, drzewka… Paprze się w ziemi, kopie, nigdzie nie można wejść ani wjechać. Kiedyś Czesia stawiała swojego dżipa, gdzie popadło, a teraz nie wolno. Parking wyznaczyła, o tam, na łące i mówi, że tu naokoło raj niedługo będzie. Pod pewnym względem nic się nie zmieniło: wszystko ślą jej kurierem, a Doris siedzi wieczorami w internecie i przegląda setki tysięcy stron związanych z szeroko pojętym ogrodnictwem.

– Nie lubię kwiatów – powtórzył Filip.

– To szkoda – odparła Czesia – bo za nie płacisz.

– Doris ma nierówno pod sufitem – podsumowała Marlena. – Jak każdy.

Czesia rzuciła na deskę kawał karkówki i zaczęła ją zawzięcie kroić na grube płaty.

– Doris ma bardziej. I trzeba się z tym pogodzić, bo pod innymi względami sprawdza się tu na dwieście procent. Pokoje nigdy nie były tak zadbane, a ja mam wreszcie spokój z podawaniem. I tak jest co robić w kuchni.

Rzeczywiście, Filip musiał to przyznać, zapachniało tu wszędzie ładem i porządkiem. Wróciło poczucie estetyki? Albo pedanterii. Jeśli tak, pomyślał, postara się z tym walczyć. Nie chciał znowu być tamtym dupkiem, który przez godzinę nie może się zdecydować, jaki krawat (z kilkudziesięciu do wyboru) będzie optymalnie pasował do tej jednej, konkretnej koszuli.

Doris weszła przez werandę, niosąc kosz poskładanych, czystych koców, które na widok Filipa rzuciła na podłogę.

– Filip! – Zawisła mu na szyi. – Jakiś ty piękny!

Za Doris wsunął się pies. Wielki, wyliniały, brzydki.

🐾 🐾

– Piękne zakończenie brzydkiego etapu? – W głosie Maćka zabrzmiała lekka, niezłośliwa ironia.

– Wiesz, kiedy naprawdę jest pięknie, przyjacielu? Kiedy całość ma dobre zakończenie.

– Całość czego? Roku, pięciu, dziesięciu lat? Całość życia?

Filip zrobił chaotyczny ruch ręką.

– Nie wiem, daj mi spokój. Jestem bardzo zmęczony wspominaniem tego konkretnego etapu, tak jakbym go na nowo fizycznie przeżył.

– To może się przejdźmy – zaproponował Maciek.

– Przejdźmy się.

Wstali i zaczęli iść wolno wzdłuż torów.

– Skąd Doris wzięła tego psa? – spytał Maciek.

– Jaszczuk skądś go wytrzasnął, podobno kiedyś coś tam wspomniała, że zawsze chciała mieć psa.

– Naprawdę był taki brzydki?

– Brzydki to mało powiedziane. Był odrażający. Nieokreślonego koloru, wyliniały, z zębami na wierzchu
i naderwanym uchem. Wyraz mordy miał taki, jakby
wiecznie chciał kogoś zagryźć. Doris jednak uważała,
że jest piękny.

Maciek roześmiał się głośno. Filip zerknął na niego
i pomyślał, że chłopak jest młodszy, niż go na początku
ocenił. Śmiech wydobył z jego twarzy zdecydowanie
młodzieńcze rysy, wyeksponował je. Filip miał ochotę
zapytać, ile tamten tak naprawdę ma lat, ale zaraz pomyślał, że przyjdzie na to właściwa pora. Zamiast tego
powiedział:

– No właśnie...

– Co właśnie?

– Te ich wariactwa, które wcześniej tak mnie irytowały,
teraz zaczęły mnie stawiać na nogi.

– Myślałem, że już jako tako na nich stałeś.

Teraz Filip parsknął śmiechem.

– Jako tako. Łatwo powiedzieć. Łatwo opowiedzieć coś
w kilku zdaniach. Piłem, sięgnąłem dna, ale się odbiłem
i zacząłem żyć na nowo. Żadnymi słowami tak naprawdę
nie da się opisać tego, co się wtedy przeżywa... – Zamyślił się na chwilę, po czym dodał: – Albo czego się nie
przeżywa po prostu.

– Coś jednak wygrałeś.

– Nie czułem się jak zwycięzca. Czułem się jak oszust.

– Dlaczego, na Boga?!

– Jak by ci tu powiedzieć... Kiedy dopada cię jakaś choroba, organizm zaczyna z nią walczyć. Wtedy pojawia się gorączka.

Maciek przystanął, zerknął na Filipa raz, drugi...

– Zaczynam łapać, do czego zmierzasz. Pijaństwo to była twoja reakcja obronna? Nie chrzań. Co było chorobą?

– Rzeczywistość Magnolii – odparł Filip. – Obcy świat, w którym nie potrafiłem się odnaleźć. Kiedy minęło najgorsze i odleciały koszmary, stwierdziłem, że muszę z tym po prostu żyć.

– Powiedzieć ci coś?

– Śmiało.

– W każdej innej rzeczywistości byłoby tak samo. Może jeszcze gorzej...

– Wiem.

– Magnolia nie była tym najgorszym, co mogło cię spotkać.

– Wiem.

– Problem tkwił w twojej przeszłości. W cholernie poukładanej przestrzeni: odtąd – dotąd...

– Wiem!

– Nie mogłeś się z tej zakichanej przeszłości zwyczajnie wydostać.

– Kurwa, wiem!

– To o co ci chodziło?

– Nie wiem.

Wrócili do ławki i usiedli. Maciek powiedział cicho:

– Gdybym miał taką Magnolię… Takie miejsce, pozwalające przeżywać zwyczajne chwile…

Filip nie musiał na niego patrzeć, by wiedzieć, że tamten postarzał się o dziesięć lat. A może nawet więcej.

– Kim ty jesteś, Maciek? – zapytał.

– Na razie jesteśmy przy tym, kim ty jesteś, Filipie.

Filip odgarnął włosy z czoła i rozejrzał się wokoło.

– Facetem, który siedzi na końcu świata i zastanawia się, dlaczego dobry Bóg pozwolił, by doszło do tej tragedii. Przecież było tak pięknie…

🐌 🐌

Życie toczyło się teraz głównie na zewnątrz. Ciepłych dni było coraz więcej. Wczesne kwiaty, którymi Doris obsadziła każde nadające się do tego miejsce, zaczęły kwitnąć i nie przestawała się nimi zachwycać. Każdy już miał dość. Ona, jej kwiaty i ten odrażający pies, który chodził za nią krok w krok i szczerzył na wszystkich zęby, działały ludziom na nerwy. Doris bardzo się dziwiła, jak można nie lubić kwiatów albo takiego kochanego psa, dla którego notabene wciąż nie znalazła imienia, choć przekopała cały internet ze stronami imion dla psów.

– Lubię kwiaty – powiedziała jej pewnego razu Marlena – ale w granicach rozsądku.

– To znaczy? – Doris zatrzepotała rzęsami i zagryzła wargi umalowane różową szminką.

– Kiedy stoją dla ozdoby w dwóch, trzech miejscach,

a ja się o nie nie potykam. Brzydota – tu spojrzała z niesmakiem na psa – też powinna mieć swoje granice. Ten zwierzak jest wręcz absurdalnie paskudny. Naprawdę, Doris. O! Wreszcie mam dla niego imię.

– Masz imię dla mojej kochanej psinki?! – ucieszyła się Doris.

– Chcesz wiedzieć jakie?

– Jasne!

– Na pewno?

– Marlena, proszę cię…

– Absurd – ogłosiła Marlena.

– Żartujesz. – Doris uznała, że tamta z niej kpi. Sposępniała, gdy przekonała się, że nie.

– Dobre imię dla psa – wtrącił Filip, wynosząc z samochodu pojemnik z chlebem, świeżo odebranym od ciecia ze stacji.

– Żartujecie! – upierała się Doris. – Jak można nazwać psa w ten sposób? Takiego psa!

– Takiego można – zakończyła sprawę Czesia. – Zrobiłaś pokój po tych małolatach z czwórki?

– Już dawno! – warknęła Doris. Czasem potrafiła się zirytować, ale zaraz jej przechodziło.

– Jesteś nieoceniona – przymiliła się Czesia.

Doris uśmiechnęła się i pogłaskała czule swojego ulubieńca, który zawarczał z radości. Potem postawiła przewróconą doniczkę z nemezją przy ścieżce i spojrzała na zegarek.

– Kuriera jeszcze nie było? – spytała, już udobruchana.

Czesia przewróciła oczami.

– Co jeszcze chcesz obsadzać? Przecież tu już nie ma gdzie się ruszyć!

– A nie… Nie z roślinami. Zamówiłam różne rzeczy dla psa. Pełny asortyment. Od a do zet.

Wszystkim odebrało mowę.

– Co zamówiłaś? – po jakimś czasie odważyła się zapytać Czesia.

– No wszystko. Szczotki, szampony, smycze, odżywki itepe.

– Dla tego… psa? – Czesia zapewne chciała zapytać: „kundla", ale były jeszcze dwa pokoje do ogarnięcia w trybie bardzo pilnym, bo czworo turystów, którzy jedli tu obiad, zdecydowało się wrócić na noc. Wolała nie ryzykować.

Kurier przywiózł przesyłkę przed wieczorem. Przez kilka dni Doris z godnym podziwu zapałem wypróbowała na Absurdzie wszystkie specyfiki. Kąpała go, czesała, obcinała sterczące kłaki i faszerowała odżywkami na poprawienie wyglądu i sierści. Efekt przerósł jej oczekiwania. Absurd nie był już brzydki. Stał się teraz groteskowo brzydki. Na koniec, po nadludzkich wysiłkach mających na celu upodobnienia tego monstrum do gatunku, do którego należał, pocałowała go w naderwane ucho, zawiesiła mu na szyi białą obróżkę z różową kokardką i klasnęła w dłonie. Nie wiadomo dlaczego.

Jaszczuk, zobaczywszy tę pokrakę, zbaraniał jeszcze bardziej niż za pierwszym razem na widok Doris. W końcu, czując na sobie wyczekujące spojrzenie obiektu swego bezgranicznego uwielbienia, oświadczył:

– Pani Doris! Ależ ten pies jest piękny!

Przychodził teraz na kolacje. Doris przez całe dnie była nieustannie zajęta i dopiero wieczorem, kiedy wszystko zostało już ogarnięte, siadali razem przy stoliku pod kuchennym oknem i dopiero wtedy Zenek mógł sobie na nią w spokoju patrzeć. Doris podawała mu posiłek, składający się z trzech dań, bo Jaszczuk po całym dniu przegryzania byle czego był bardzo głodny, i siadała obok. Do każdego rachunku dokładał solidny napiwek, na co ona na początku bardzo się obruszała, protestując, że od swoich napiwków nie przyjmuje, ale Zenek się uparł.

– A na co mam wydawać, pani Doris! Na te... no...?!

Doris natomiast wszystkie pieniądze z napiwków wydawała na Absurda. Przez długi czas nie mogła się zdecydować, by tak na niego wołać, ale w końcu, widząc, że psu to imię bardzo się podoba, przywykła. Chodziła z nim na spacery, a od czasu do czasu pakowała go do samochodu i woziła na wycieczki po okolicy.

– Co pani robiła, pani Doris, dzisiejszego popołudnia pod więzieniem?

Doris swoim zwyczajem zatrzepotała rzęsami.

– Pod więzieniem?

– Przejeżdżałem akurat tamtędy.

– Nawet nie wiem, że byłam pod więzieniem. – Doris machnęła ręką i wzruszyła ramionami. – Tak sobie jeździłam z Absurdem po okolicy.

– To trochę dziwne – mamrotał pod nosem Jaszczuk, chlipiąc zupę grochową z grzankami, bo wydawało mu się, że stała na poboczu i patrzyła... Ale skoro Doris nie zdawała sobie sprawy, to nie ma się o co spierać. On też nieraz sobie gdzieś stanął i bezmyślnie na coś się gapił, normalka.

Czas jakby zwolnił. Ten w pojęciu ogólnym, bo według Czesi Gawlińskiej wciąż gnał z astronomiczną prędkością, nie oglądając się na nic. Wszystko działo się w określonym tempie, dzieląc dni i całe tygodnie na pewne etapy. Turyści, wpadający na posiłki czy zatrzymujący się na nocleg, paradoksalnie uporządkowali życie w Magnolii, wyznaczając każdemu zajęcie, do jakiego był powołany. Nikt nie pałętał się bez celu, nie stał przy oknie, gapiąc się w nie tylko po to, by się gapić, i nie narzekał. Może Czesi tego narzekania od czasu do czasu brakowało i od czasu do czasu coś jej się wymknęło, że to nie tak, a tamto to już w ogóle... ale naprawdę nie miała powodów. Do pełni szczęścia brakowało jej tylko świadomego swej pozycji, umiarkowanie odpowiedzialnego (pełnej odpowiedzialności od Filipa nie oczekiwała chyba nigdy) właściciela Magnolii i takiej Doris.

Późne popołudnia, a właściwie wczesne wieczory, to była pora, gdy wydawało się ostatni posiłek dla Zenka Jaszczuka (chyba że ktoś się zaplątał, to też nie było problemu), przychodziła Marlena (bez kawy i starych gazet była wyciszona i mniej agresywna), Doris, z przytulonym do kolan Absurdem kładła nowy lakier na paznokciach, a Czesia, obrzuciwszy wszystko do-około zadowolonym spojrzeniem, siadała obok Marleny, wzdychając, że oto, proszę bardzo, kolejny dzień minął. Dla Filipa nie było już miejsca. Miał swój ulubiony kąt na ławce pod krzakiem bzu czy też jaśminu – nigdy tego do końca nie wiedział – kładł się na niej i po prostu leżał. Brakowało tylko Olgi – czego, niestety, nie dało się powiedzieć o Tuśce. Póki nie zaczęło się ściemniać, plątała się wokół, nasłuchując albo usiłując sprzedać dalszy ciąg swojej opowieści.

– Poczekaj, aż Olga wróci – przerywała jej za każdym razem Czesia. – Będziesz później wszystko od nowa po-wtarzać? Kto to wytrzyma?

Olga pojechała z mężem do Konstancina i codziennie dzwoniła do Czesi. Na początku rokowania były opty-mistyczne i Olga po dziesięć razy dziękowała Czesi, Marlenie i Doris, że ją namówiły do wyjazdu, ale po miesiącu badań i intensywnej rehabilitacji stan Adama się nie poprawiał i raczej nie było już nadziei. Gdyby od razu po wylewie wziął go ktoś porządnie w obroty, to kto wie. Gdyby...

– To nic – powiedziała Olga po powrocie z pięknym uśmiechem, nie zdając sobie sprawy, jak bardzo uszczę-śliwiła nim Filipa. – Adam ma teraz wspaniałe łóżko, na którym leży sobie jak król, jednym przyciskiem pilota ustawia oparcie w dowolnej pozycji, podpórki pod to, pod tamto, a nawet stolik, na którym kładę mu książkę albo krzyżówkę.

Swietłana, która na czas pobytu Olgi z mężem w Konstancinie u nich zamieszkała, by doglądać gospodarki, tylko machnęła ręką na orzeczenie lekarzy.

– E tam, pani, co one się znają. Nie takich widziała, jak wstali.

Z ławki pod bzem czy też jaśminem Filip obserwował te późnopopołudniowe posiedzenia, nabierające z każdym dniem cech prawdziwego rytuału, ale jak dawniej, prawie w nich nie uczestniczył. Nie irytował się już jednak i nie kazał im się zamknąć, gdy plotły o niczym. Były częścią wieczoru, który chciał spędzić tak, jak spędzał; fragmentem mijającego dnia, który nic nowego nie przyniósł. Filip nie chciał już zmian ani żadnych spektakularnych zdarzeń. Coś się w nim uspokoiło i pragnął, żeby już tak zostało.

Czasem zastanawiał się tylko, co go dawniej w nich tak naprawdę złościło. Nieokiełznana swoboda w wyrażaniu myśli i podejmowaniu pewnych (przeważnie jakichś drobnych) działań? Brak wszelkich konwenansów? Konwenanse! To chyba nawet niewłaściwe wyrażenie w takim jak to miejscu. Tu się robiło to, co chciało, i to, co chciało, się mówiło. Nie zważając na nic.

Pewnego wieczoru Filip usłyszał, jak Czesia referuje Oldze, co w ostatnim okresie z nim przeszły, zanim stanął na nogi i zaczął wyglądać, tak jak wygląda. Nie pominęła żadnego szczegółu i w ten sposób dowiedział się wielu szczegółów o „tym okresie".

– I pomyśl tylko, Olgo – zakończyła ze zdziwieniem.

– W tak krótkim czasie! Wielu lat treningu trzeba, żeby stać się alkoholikiem, a tu pomyśl!

– Nie byłem alkoholikiem! – zaprotestował spod krzaka.

– Tylko kim?

– Nie musiałem pić.

– Tylko co?

– Chciałem.

– Ciekawe! Chcieć, to można wypić drinka przed kolacją, a nie litr wódy.

Marlena kopnęła ją w kostkę.

– Już mu tak nie przypominaj, bo jeszcze znowu zacznie.

Czesia przeżegnała się i szturchnęła ją w łokieć.

– A ty się zastanów, co mówisz.

– Bo co?

– Bo żebyś nie wypowiedziała czego w złą godzinę.

Marlena parsknęła lekceważącym śmiechem.

– Ty i te twoje zabobony! Aforyzmy parobków z pańskiego dworu. Sentencje bieszczadzkich smolarzy! Jak można wypowiedzieć coś w złą lub dobrą godzinę? Co ma być, to będzie, czy będziesz o tym mówić, czy nie.

– No więc wcale nieprawda – wtrąciła Tuśka. – Ciotka Sabina…

– A któż by inny! – wtrąciła Marlena.

– …też mamę nieraz tak przestrzega. O! Zresztą najlepszy przykład…

– To będą jeszcze przykłady? – Marlena wzniosła oczy ku ciemniejącemu niebu.

– Najlepszy przykład – ciągnęła Tuśka, wcale niespeszona – Rudolfa i Luizy.

– Dajcie mi się czegoś napić! – zażądała Marlena, reflektując się zaraz: – Sorry, Filip, gdyby to miało być... wiesz... w złą godzinę.

Filip, nie spuszczając wzroku z Olgi, która po tym miesiącu w Konstancinie u boku sparaliżowanego męża wyglądała jeszcze piękniej, a używając terminologii Zenka Jaszczuka – wręcz zjawiskowo, odparł:

– Będę chciał, to się napiję, nie to nie. Nie jestem dzieckiem.

– No właśnie! – podchwyciła Tuśka. – Rudolf i Luiza też już właściwie nie byli dziećmi...

Czesia weszła do środka, aby zrobić po małym drinku, jeśliby komuś przyszła ochota. Absurd oparł łeb na kolanach Doris. Doris oparła głowę na ramieniu Zenka Jaszczuka. A ten nigdy w życiu nie był tak szczęśliwy.

❧ ❧

Luiza miała siedemnaście lat, gdy umarł jej ojciec. Ostatnie miesiące spędziła przy jego łóżku, bo matka ani na chwilę nie przerwała produkcji serów, z którymi potem godzinami stała przy szosie, bo z czegoś trzeba było żyć. Starsi braci wpadali na dzień lub dwa ogarnąć grubsze prace i odjeżdżali. Józefina zarzuciła wyrób wisiorków i bransoletek ze skóry, by całe dnie doglądać gospodarki i zwierząt. Na początku lata ojciec Luizy umarł.

To lato było dla niej podwójnie tragiczne, bo Rudolf nie przyjechał, jak zawsze, z początkiem wakacji, tylko dopiero pod koniec lipca. Rozwód rodziców wywrócił jego poukładany dotąd świat do góry nogami. W chaosie spowodowanym przeprowadzką ojca do mniejszego mieszkania oraz wyjazdem matki do Niemiec przegapił terminy składania papierów na uczelnię i po raz pierwszy, odkąd pamiętał, nie miał pojęcia, jak będzie wyglądał kolejny rok jego życia.

Dopiero ręce Luizy, które zawisły na jego szyi, umiejscowiły go w konkretnej rzeczywistości: nieprzewidywalnej i zwariowanej, ale niczego innego tu się nie spodziewał. Ten chaos był mu bliski, znany, tęsknił za nim. Twarz Luizy straciła już wszelkie ślady dzieciństwa, a jej figura nabrała pełnych kształtów. Długa choroba ojca i jego niedawna śmierć odrobinę pozbawiły spontaniczności wszelkie jej działania, ale była już chyba na to najwyższa pora. Zamiast biegać z dzikim wrzaskiem po okolicy, spędzali teraz więcej czasu na długich rozmowach i przytulaniu się do siebie. Pewnego razu tak się w siebie wtulili, że nie mogli się oderwać, i stało się to, na co też już była najwyższa pora. Luiza szeptała do Rudolfa, że teraz to już na pewno nie przestanie na niego czekać. Do końca życia. Potem szła przez wieś z dumnie uniesioną głową i z taką miną, że każdy, kto ich mijał, w lot pojmował, co się stało. Równie dobrze mogła krzyczeć na całą wieś, że nie jest już dziewicą. Nikt się nie zgorszył ani nawet nie zdziwił. Niektórzy dziwili się tylko, że dopiero teraz.

– Rudolf był jeszcze dzieckiem – wyjaśniła im wtedy i zawołała do mężczyzny na mijanym podwórku: – Panie Małczak! Nie zgadnie pan, co się stało!

– A niech wam będzie na zdrowie! – odpowiedział gospodarz.

– I niech pan żonie powie!

– Powiem, jak wróci ze sklepu – odkrzyknął, a wtedy ktoś inny, mijając ich rowerem z siatką zakupów na ramie, zawołał, że w sklepie już wiedzą.

Rudolf ani razu się nie zaczerwienił, nie speszył i nie zezłościł na Luizę, że tak beztrosko rozgłasza tak intymne wydarzenie. Kilkanaście wakacji w miejscu, w którym ludzie dziwią się całkiem innym rzeczom niż gdzie indziej, zrobiło swoje.

Matka Luizy też już wiedziała. Machnęła ręką.

– A! Wcześniej czy później, mała różnica. Żebyśta tylko co nie wycudowały. Idź do ciotki, niech ci powie, co trzeba, ja jadę z serami na szosę.

Józefina, krojąc owczą skórę na cieniutkie paseczki, powiedziała Luizie, co trzeba, dodając, że to nie zawsze się sprawdza. Luiza wzruszyła ramionami.

– No to najwyżej jeszcze raz. Na pożegnanie. – Szybko sprawdziła w kalendarzu, czy przedostatni sierpnia, dzień wyjazdu Rudolfa, mieści się w bezpiecznej granicy, po czym odetchnęła z ulgą. – Pasuje jak ulał.

Luiza wstawała teraz skoro świt. Robiła wszystko, co trzeba było zrobić, żeby ulżyć matce, i jak dawniej biegła pod okno Rudolfa, by zajrzeć w nie, zanim się obudził. Potem spacerowali po wsi do samej cerkwi, trzymając się za ręce i patrząc sobie co chwila w oczy z ogromną tęsknotą. Tęsknili za wtulaniem się w siebie, za pocałunkami i baraszkowaniem w trawie, ale Luiza miała już dość kobiecej intuicji, by wiedzieć, do czego to wszystko razem może ich teraz doprowadzić. Była z tych, co nie zmieniają raz powziętej decyzji i dotrzymują obietnic. Wyznaczając jednak termin ich kolejnego zbliżenia, sprawiła, że czekając nieprzytomnie na tę chwilę, jednocześnie czekali na swoje rozstanie.

Ona, która od wczesnego dzieciństwa nie miała żadnych oporów przed przytulaniem się do najdroższego Rudolfa, kiedy tylko przyszła jej na to ochota, stała się teraz nerwowa i opryskliwa. Pyskowała matce, że po co tyle tej roboty, a Józefinie, że niepotrzebnie do niej wtedy przyszła, a ta niepotrzebnie jej powiedziała, co trzeba, żeby nic się nie stało. A niech się dzieje, co chce! Niech się dzieje wszystko! Ludzie powinni robić to, na co mają ochotę. Wstawać rano i cieszyć się życiem bez skrępowania i ograniczeń, być z tym, kogo się kocha, na co dzień, na zawsze, a nie tylko od wielkiego święta.

– Nie wyjeżdżaj, Rudolfie – mówiła, podając mu rękę na moście. – Dopiero co przyjechałeś, a już chcesz odjechać, i znowu będę czekała.

Rudolf otulał ją spojrzeniem i wzdychał ciężko, nic nie mówiąc. Był człowiekiem z dwóch różnych światów, nie urodził się tu i nie wychował jak ona. Wiedział, bo tak było za każdym razem, że już w pociągu, gdy ten tylko ruszy, znajdzie się w swoim drugim życiu, mimo że wciąż będzie widział na peronie machającą na pożegnanie Luizę. Chciałby bardzo, żeby skończyły się te pożegnania, ale dla niego to wszystko nie było takie proste jak dla niej. Dzieciństwo, kiedy to wyobrażali sobie, że kiedyś będą ze sobą na zawsze, po prostu ze sobą będąc, już dawno minęło. Luiza nigdy nie wyrosła z prostych marzeń. On wiedział, że musi skończyć studia, znaleźć jakąś pracę, zadbać o jakiś dom. Nie był człowiekiem stąd, więc musiał snuć konkretne plany na konkretną przyszłość, nie umiał tylko przyjąć jej w takiej postaci, w jakiej sama nadejdzie. Jeszcze parę lat temu wszystko było bardzo proste. Mieli dorosnąć, pobrać się i zamieszkać „tu" lub „tam", w uroczej krainie, gdzie ludzie na pierwszym planie stawiają to, co chcą robić, a dopiero dalej to, co muszą.

Chciał jej to wszystko powiedzieć, ale nie wiedział jak. Nie potrafił przełożyć myśli na słowa tak, by zrozumiała to, co najważniejsze, nie wyciągając pochopnych wniosków. Popatrzył na nią, mocno ją przytulił, a potem wziął na ręce i zaniósł na łąkę pełną motyli. Luiza była jak jeden z nich – mała istota, zachwycająca się bezkrytycznie pięknem świata, którą świat przez chwilę się zachwyci, a potem bez skrupułów funduje jej realną rzeczywistość. Rudolf stał już na jej progu, Luiza ciągle była dzieckiem natury.

To nie był przedostatni dzień jego pobytu, ale Rudolf już wiedział, jak ma się zachować, by nie musiała się o nic martwić. Powiedział jej tylko, żeby mu zaufała, i zaraz potem unieśli się nad łąką jak dwa nieświadome ulotności wszystkiego motyle.

– Zawsze będę cię kochał, Luizo – powiedział, gdy żegnali się wieczorem pod drzwiami jej domu, a potem pobiegł do Józefiny, bo mu wcześniej dała znać, kiedy razem u niej byli, żeby przyszedł.

Józefina, przekładając koronkowe kapelusze z jednego miejsca w drugie, zaczęła mówić, że jej siostra bardzo martwi się o Luizę. Teraz, gdy została bez męża, bardziej niż kiedy indziej.

– Gdy ty odjedziesz – opowiadała ciepłym głosem, odrywając koronki od niektórych kapeluszy, uznawszy, że chyba są już niemodne – ona ciągle chodzi na stację, stoi przy torach i patrzy w jednym kierunku. Nie muszę ci mówić, w którym.

– Nie musisz – burknął Rudolf.

– Ludzie, którzy ją tam widzą, mówią, że nieraz stoi na samej krawędzi peronu. Podmuch wiatru może ją kiedyś popchnąć pod koła pociągu, nawet nie musi przed nim przebiegać.

– Cóż mam zrobić? – zapytał Rudolf, unosząc dramatycznym gestem dłonie do twarzy. Myśl o zbliżającym się rozstaniu z Luizą bolała go bardziej niż kiedykolwiek przedtem.

– Powiedz jej, żeby już nigdy nie próbowała przebiegać przed pociągiem. Powiedz jej to stanowczo, kategorycznie, tak żeby zrozumiała, przyrzekła, że nigdy więcej tego nie zrobi. Jej matka bardziej niż dawniej drży teraz o jej życie…

– Dlaczego wy jej tego nie powiecie? – spytał Rudolf, odrywając dłonie od twarzy. Wsunął ręce do kieszeni i chodził po zagraconym mieszkaniu Józefiny tam i z powrotem.

– Luiza kocha cię nad życie. Może nie jest już takim trzpiotem jak dawniej, ale ciągle robi to, co zechce, nie zważając na nikogo. Ciebie posłucha.

– Dobrze, powiem jej – obiecał i wyszedł.

Powiedział jej to, gdy się żegnali.

– Luizo, moja najdroższa i najpiękniejsza Luizo – zaczął, ujmując jej twarz i całując oczy. – Przyrzeknij mi, że nigdy więcej tego nie zrobisz.

– Czego, Rudolfie? – spytała naiwnie, tuląc się do jego piersi.

– Nigdy więcej nie przebiegniesz przed pociągiem. Chyba że przed takim, który stoi na stacji i nie może tak prędko odjechać.

– Dlaczego? – Przestała tulić się do niego nieprzytomnie i przytomnie spojrzała mu w oczy.

– Bo jeśli się dowiem, nigdy tu nie przyjadę.

Ludzie nieraz mówią, że pewne słowa padają w złej godzinie. Trudno określić, nawet z perspektywy czasu, czy to były akurat te słowa, które przed chwilą wypowiedział Rudolf, czy to, co teraz odrzekła Luiza.

Była dumna i uparta, nikt nigdy nie mógł jej niczego narzucać, bo swobodę ceniła ponad wszystko. Gdyby ją poprosił, być może roześmiałaby się jak nieraz i odrzekła: „Dobrze, Rudolfie, nigdy więcej tego nie zrobię". Ale on nie poprosił, tylko zażądał. Zabrzmiało to jak ultimatum, zakaz z potrójnym wykrzyknikiem. Nigdy nie mówili do siebie w ten sposób. Nigdy od siebie niczego nie żądali.

– No więc nie przyjeżdżaj! – wyrzuciła z siebie gwałtownie, odwróciła się i odeszła. Po raz pierwszy przed odjazdem pociągu.

I Rudolf już nigdy do niej nie przyjechał.

🐌 🐌

Marlena chwyciła Tuśkę za łokieć, kiedy ta, schowawszy pojemniki z resztkami z całego dnia, chciała odejść.

– No co ty, Tuśka, niepoważna jesteś?

– Jak to, już nigdy do niej nie przyjechał? – Doris, robiąc wielkie oczy, nieświadomie ścisnęła ucho Absurda, aż ten warknął.

– Mów, co było dalej – zażądała Czesia.

Tuśka zawiesiła reklamówkę z pojemnikami na kierownicy roweru i ustawiła go na ścieżce.

– Nie mogę – odparła. – Ściemnia się.

– No to co, że się ściemnia. Śmigniesz rowerem w parę minut do domu. Kto ci tu co zrobi? – napierała Marlena. Ta, która zawsze pierwsza przypominała Tuśce, że noc idzie.

– Mamusia będzie się martwić. Dokończę innym razem.

Marlena uparła się jednak.

– Innym razem! Znalazła mi się Szeherezada! Nim matka was się doliczy, trochę zejdzie. Ile was jest w chałupie?

– Siedmioro.

– Matko jedyna!

– Daj jej spokój – wtrąciła Doris.

– Daj jej spokój – poparł ją Filip.

Tuśka wsiadła na rower i ruszyła. W bramie zatrzymała się i zawołała:

– Nie dlatego, że nie chciał! Wyjechał do matki, do Niemiec! Tak mu się życie ułożyło.

Gdy dziewczynka zniknęła za bramą, Marlena zaczęła się zbierać.

– Tak mu się życie ułożyło! – mruknęła. – Każdemu życie jakoś się układa. Jednemu tak, drugiemu inaczej. Cześka! – zawołała nagle olśniona. – Przecież ty chyba powinnaś coś wiedzieć!

– Ja jestem spod Leska. To Sylwek był stąd – odrzekła Czesia. – Przez dziesięć lat mieszkaliśmy u mnie, chyba akurat wtedy, gdy to wszystko się działo. Jeśli w ogóle się działo. Mała naczyta się tych książek, a potem wymyśla.

– Wymyśla czy nie – szepnęła Doris w zamyśleniu – warto by wiedzieć, co było dalej. Dlaczego ten Rudolf nigdy już do niej nie przyjechał.

❧ ❧

Życie tak się przeważnie układa, że jedno zdarzenie ciągnie za sobą szereg innych. Gdyby jego rodzice się nie rozstali, zdałby na studia i kolejne lato spędziłby tak jak wszystkie dotąd. Gdyby matka nie wyjechała do Niemiec, a on nie pojechał do niej i gdyby coś tam tak, a nie inaczej... Gdyby, gdyby, gdyby...

Ani razu nie pomyślał, jadąc na rok do matki, bo akurat na ten rok nie miał innego pomysłu na życie, że nigdy nie wróci do Luizy. Jej zaciśnięte usta i piąstki, gdy odeszła ze stacji, nie pożegnawszy się z nim, bardziej go rozbawiły, niż zmartwiły. Takich słów po tylu ważnych zdarzeniach nie bierze się przecież poważnie. Trochę było mu żal, że jej na koniec nie przytulił, a ona jego, nie zapewnił, że zawsze będzie ją kochał, a ona nie odpowiedziała na to: „Zawsze będę na ciebie czekać. Zawsze". Trochę mu zabrakło łez w jej oczach, gdy szła wraz z odjeżdżającym pociągiem i machała na pożegnanie. Zabrakło mu pewnego zakończenia i długo nie dawało mu to spokoju, a potem...

Potem, jakby bez dokończonego rozdziału, zaczęła się inna historia. Pracował, szlifował język, poznawał ludzi, rozpoczął pierwszy rok studiów (tylko na razie, żeby nie marnować czasu), potem drugi, tak z rozpędu, a na trzecim już nie opłacało się ich przerywać, wracać, by w kraju zaczynać wszystko od początku.

Poznał dziewczynę, Sandrę Dahl, pół Polkę, pół Niemkę, i zaczęli spędzać ze sobą czas. Ujęła go jej nieśmiałość, delikatność i nadzwyczajna łagodność. On sam w jej towarzystwie złagodniał, patrzył na świat jej oczami, trochę inaczej niż dotąd – spokojniej. Od czasu do czasu opowiadał jej o istocie nie z tego świata, pięknej Luizie o pełnych żaru oczach i dzikim sercu, lecz z każdym miesiącem i z każdym mijającym rokiem robił to coraz rzadziej i coraz bardziej zapominał. W końcu chyba uwierzył w teorię jednego z tutejszych przyjaciół, że ludzie, którzy byli ze sobą od wczesnego dzieciństwa, rzadko tworzą potem udane związki. Tamten popierał swoje stwierdzenie wynikami długoletnich badań amerykańskich czy też japońskich naukowców. „Każdy z nas – tłumaczył – ma we wspomnieniach taką Luizę. Taką kobietę-dziecko. Co z tego? Lepiej nie konfrontować młodzieńczych wspomnień z dorosłą rzeczywistością. To nie ma szans". I chyba w końcu Rudolf bardzo mocno w to uwierzył, bo pewnego lata przywiózł do Polski swoją narzeczoną, Sandrę Dahl, by ją przedstawić starej babci, u której kiedyś spędzał każde wakacje. Odkąd pamiętał.

Był początek lata, pierwsze wolne dni. Słońce grzało jednostajnie, powietrze było ciężkie, wilgotne, podmuchy wiatru nie dawały żadnej ulgi – były jak para wypuszczona z piekarnika. Rudolf wyskoczył szybko z pociągu, rozejrzał się i znieruchomiał.

Na końcu peronu zobaczył Luizę. Szła wolno w jego stronę, osłaniając od czasu do czasu oczy od słońca, które świeciło mocnym blaskiem akurat z jego strony. Jej twarz nie wyrażała żadnej nadziei, dziewczyna patrzyła obojętnym wzrokiem na ludzi idących po peronie. Przychodziła tu codziennie, każdego dnia lata, od dawna, i wszystkich, którzy wysiedli z pociągu, odprowadzała chłodnym wzrokiem, bo na nic innego nie zasługiwali. Słońce tylko na chwilę skryło się za przepływającą chmurą, ale to wystarczyło, by go dostrzegła, rozpoznała i pojęła, że to on, a nie wytwór jej wyobraźni, marzenie, którym karmiła chorą z tęsknoty duszę, aby całkiem nie uschła. Kładąc dłonie na policzkach, zawołała:

– Rudolf do mnie przyjechał! – a potem rzuciła się w jego stronę, zawisła mu na szyi, tuląc mokrą od łez twarz do jego twarzy.

– Przecież ja tylko tak to powiedziałam. Tylko tak… – szeptała, całując nieprzytomnie jego oczy. – Jak mogłeś uwierzyć w takie słowa i tyle lat nie wracać…

Gdy na chwilę udało mu się od niej oderwać i oprzytomnieć, spojrzał w okno przedziału. Sandra Dahl, łagodna i nieśmiała istota, z którą jeszcze chwilę wcześniej zamierzał wieść spokojne życie, pomachała mu dyskretnie dłonią. Nie wysiadła z pociągu.

A on pozwolił, żeby tym pociągiem odjechała.

🐌 🐌

– Nad czym tak się zamyśliłeś? – zawołał Filip do stojącego tyłem na skraju peronu Maćka.

Ten tylko wzruszył ramionami.

– Człowiek od czasu do czasu po prostu tak się zamyśla – odparł po chwili. A potem dodał: – Nad tym, co było, co mogłoby być… Wspomnienia są jak ulubione smaki z dzieciństwa. Dobre i niepowtarzalne. Na przykład smak niedojrzałych jabłek zrywanych z sadu sąsiada. Nie pamiętasz, że bolał cię po nich brzuch, tylko jakie były dobre.

– Nie pamiętam smaku niedojrzałych jabłek z dzieciństwa – przyznał się Filip.

– Żałuj.

– Nie wiem, czego mam żałować. Skoro się czegoś nie pozna...

– No właśnie tego.

– A ty poznałeś wszystko? Ile masz lat?

– Dwadzieścia pięć... można powiedzieć.

– Naprawdę? Myślałem, że parę lat więcej.

– Przykro mi, że cię zawiodłem.

– Nie w tym rzecz. Nie zachowujesz się, nie mówisz jak dwudziestopięcioletni mężczyzna. Jest w tobie coś dziwnego, coś niepasującego do reszty, jakaś tajemnica...

– Którą zapewne w końcu poznasz.

– Nie mogę się doczekać.

– Mów dalej – ponaglił go Maciek, odwracając się od torów. – Bardzo lubię cię słuchać.

– No właśnie. Ludzie w twoim wieku wcale nie słuchają. Po pięciu minutach taki jeden czy drugi powiedziałby mi: Nie truj, stary. Kogo to obchodzi.

– Mnie akurat obchodzi.

– Wiem. Gdy zaczynałem, zdawało mi się, że zamknę tę historię w kilkuset słowach. I gdybym się bardzo uparł, mógłbym to zrobić.

– Nie mógłbyś.

– Dlaczego?

– Opowiedzieć w kilkuset słowach o całym roku z czterema kobietami i jedną przemądrzałą dziewczynką?

– Wiele razy chciałem już przerwać.

– Dlaczego?

– Żeby powstrzymać tę tragedię.

– Tragedia już się stała. Nie powstrzymasz jej, nie mówiąc, co się wydarzyło.

– Wiem. Korci mnie jednak, żeby w pewnym momencie zamilknąć.

– Milcz, jeśli chcesz.

– Pomilczę – odrzekł Filip. – Pomilczę przez chwilę.

Wstał z ławki i przeszedł na drugą stronę torów, nie oglądając się na nic. Zdawało mu się, że szyny wydały jakiś szmer, niepodobny do niczego dźwięk, jakby chciały wyrazić tęsknotę za pociągami, które dawno temu przejeżdżały tędy codziennie. Filip roześmiał się głośno i odwrócił do Maćka, by powiedzieć: Patrz, przyjacielu, szyny do mnie śpiewają, zwariowałem! Nic dziwnego, bo to takie miejsce, taka okolica, gdzie normalny człowiek wcześniej czy później wariuje.

Ale Maćka nie było.

Nie było już komu opowiadać o tych nieszczęsnych kobietach: o Czesi, Marlenie, Doris i Oldze. Ani nawet o Tuśce.

🐌 🐌

Pewnej deszczowej soboty Marlena oznajmiła, że jeden z braci Wilczewskich jej się oświadczył. Zrobiła to jakby od niechcenia, przeglądając bez specjalnego zainteresowania jedną ze starych gazet. Deszcz, który padał od tygodnia, rozleniwił wszystkich i pozbawił codzienne zajęcia właściwego rytmu, bo turyści, jeśli nawet zatrzymali się na noc, czmychali z samego rana. Strugi wody za oknem nie zachęcały do pozostania na dłużej. Okolice Magnolii wyglądały wtedy paskudnie.

Doris stała przy oknach i martwiła się o pelargonie, którymi obwiesiła prowizoryczną konstrukcję pośrodku podwórza. Długotrwały brak słońca pozbawił je wszelkiej urody.

Czesia chaotycznie grzebała w wysuniętej szufladzie zamrażarki, zastanawiając się, co wyjąć. W końcu zamknęła ją z impetem, mrucząc pod nosem, że w taką pogodę szkoda w ogóle czymkolwiek zawracać sobie głowę.

W kącie Filip odsypiał ciężką noc.

– Nie słyszeliście, co mówiłam? – Marlena demonstracyjnie złożyła gazetę i schowała okulary do futerału.

– A co mówiłaś? – spytała Czesia.

– Że Wilczewski mi się oświadczył.

Doris gwałtownie odwróciła się od okna.

– Naprawdę?! Który?

– A co za różnica.

– W sumie… żadna. I jak to zrobił?

Marlena wzruszyła ramionami.

– Normalnie. Powiedział, że bardzo bym im się w chałupie przydała.

– To pięknie! – Doris klasnęła w dłonie.

Filip szeroko otworzył oczy. Chciało mu się śmiać, ale się opanował.

– Zgodziłaś się? – spytał.

– Jeszcze nie. Na razie się zastanawiam.

Czesia stanęła nad Marleną i, kładąc ręce na biodrach, zmierzyła ją wzrokiem.

– Nad czym? – zagadnęła.

– Co nad czym?

– Nad czym się zastanawiasz?

– Ja tam bym się zgodziła – wtrąciła Doris. – Są tacy piękni!

– Ciebie nikt nie pyta. No więc? – ponagliła Marlenę. – Nad czym się jeszcze zastanawiasz?

– Chyba nie myślisz, że tak od razu się zgodzę... – Marlena zatrzepotała rękoma nad głową i wtedy po minie Czesi zorientowała się, co zaraz usłyszy. Mimo to dodała: – Muszę rozważyć tę propozycję.

Czesia parsknęła śmiechem.

– Ty to chyba jakaś nienormalna jesteś. Są dużo młodsi od ciebie.

– Dwa lata to dużo? – postawiła się Marlena. – Mają po trzydzieści osiem lat.

– Jeden ma trzydzieści siedem.

Marlena chwyciła się za głowę.

– To ty jesteś nienormalna. Przecież to bliźniacy.

– Co z tego? Urodzili się w różnych latach.

Marlena postukała się w czoło, Filip wybuchnął długo powstrzymywanym śmiechem, a Doris, z miną ostatniej idiotki, szeroko otworzyła oczy. Czesia pewnym siebie ruchem, zakołysała biodrami, jakby chciała zatańczyć.

– Powiesz nam, jak to możliwe, czy będziesz tak stać nie wiadomo dokąd? – spytała ze złością Marlena.

Czesia powiedziała. Matka Wilczewskich zaczęła rodzić trzydziestego pierwszego grudnia przed północą. Ku zdumieniu lekarza i położnej wszelkimi siłami starała się ten proces opóźnić, powstrzymując parcie i nie robiąc tego, co jej mówili. W końcu, gdy lekarz na nią wrzasnął, wyjaśniła, że w jej rodzinie był już taki przypadek. Jeden z braci urodził się przed, a drugi po północy. Jeden został naukowcem, a drugi bandytą. Ona tak nie chce. Dopiero gdy lekarz, wyprowadzony z równowagi (z pokoju lekarskiego koledzy wołali go już na szampana), huknął jej nad uchem, żeby, do ciężkiej cholery, dała szansę urodzić się naukowcowi, wystraszona i skołowana kobieta w jednej chwili zaczęła go słuchać, a w następnej urodziła. Za siedem dwunasta. Drugi syn przyszedł na świat po pierwszej następnego dnia. Dopiero wtedy, gdy wszystkie szampany zostały wypite.

Marlena z niedowierzaniem pokręciła głową.

– Nie wiedziałam – zaczęła, obrzucając krytycznym wzrokiem Czesię – że długotrwały brak słońca może zaszkodzić w równym stopniu jak jego nadmiar. Ty, kiedy nie masz w kuchni urwania głowy, to przestajesz normalnie funkcjonować.

– Opowiedziałam tylko pewne zdarzenie. Co w tym jest nienormalnego?

– Zgadnij, ile mnie to obchodzi.

– Zamknijcie się i dajcie mi pospać! – warknął Filip. Ich sprzeczki bawiły go tylko do pewnego momentu.

Czesia przeniosła na niego całą swą złość.

– Jeszcze się nie wyspałeś? Przez kilka miesięcy nic innego nie robiłeś. Można by się tylko spierać, czy upojenie alkoholowe można nazwać snem.

Doris położyła rękę na ramieniu Czesi.

– Nie przypominaj mu, bo wiesz...

– Bo co?! – wrzasnął Filip, wstając. – Zajmijcie się czymś! Najlepiej każda czym innym.

Ale gdy w drzwiach pojawiła się Olga, w jednej chwili odechciało mu się spać i odzyskał humor. Olga była mokra od deszczu. Rozejrzała się po sali i wyciągając spinki z włosów, spytała:

– Nie było tu Swietłany? Umówiłam się z nią.

Swietłany nie było. Od paru dni właściwie nie było nikogo. Filip wyciągnął z kuchennych szuflad czysty ręcznik i zaczął delikatnie wycierać włosy Olgi. Spojrzała na niego speszona, ale uspokoił ją wzrokiem, posadził na krześle i powyjmował resztę spinek z jej włosów.

– Jak się czuje Adam? – zapytała nienaturalnie głośno Czesia, mierząc go złym wzrokiem.

– No właśnie... – Olga przechyliła głowę do tyłu i rzuciła uśmiech Filipowi. Miał ochotę przytulić ją do siebie i zostać tak do końca świata. – To w sprawie Adama

202

umówiłam się ze Swietłaną. Parę dni temu powiedział coś, co mnie kompletnie zaskoczyło.

Powiedział, że bolą go jej ręce, gdy każdego wieczoru masuje jego ciało, by całkiem nie stracił mięśni. Bolą go jej plecy, kiedy schyla się nad nim, pomagając mu się unieść. Boli go wszystko, co ją boli. Czuje jej zmęczenie i znużenie i dłużej tak nie może być. Swietłana robiła to wszystko jak profesjonalistka, nie zważając na jego reakcje. „Musi trochę zaboleć – mówiła stanowczym tonem – jeśli potem ma być lepiej" i on jej wierzył. I nie obchodził go jej wysiłek. Robiła to za pieniądze, zawodowo. Trzeba ją zapytać, czy nie chciałaby dalej przychodzić. A jeśli tak, to za ile.

Filip nie pozwolił Oldze wracać w strugach deszczu. Odwiózł ją i pod domem zapytał, czy może wejść i przywitać się z Adamem. Przytaknęła skwapliwie. Poprowadziła go za rękę do pokoju i z promiennym uśmiechem zawołała do męża:

– Filip przyjechał!

Usiadła przy nim na chwilę i pogładziła go po dłoni. Filip po raz kolejny miał okazję zobaczyć, co tak naprawdę znaczy uśmiech Olgi. To, co im rzucała, to była tylko jakaś namiastka.

Gdy wyszła do drugiego pokoju, żeby się przebrać, Filip po raz któryś z kolei pogratulował Adamowi żony, po czym od razu zmienił temat, mówiąc, że z tego, co wie, Swietłana u Walendziaka za jakieś marne pieniądze robi wszystko. Tak mówiła Czesia, a ona wie. Warto spróbować ściągnąć tu tę Ukrainkę, by życie tak delikatnej istoty jak Olga stało się lżejsze.

To samo Swietłana powiedziała następnego dnia przed Magnolią.

– Ja, pani, u Walendziaka robię wszystko. I jeszcze się cieszę, że mam robotę, przy drodze nie stoję. Córka w Kijowie w szkole baletowej, mąż nałogowy pijak... Też na wsi, zaraz za waszą granicą, nim się już nie przejmuję. Co mnie zostanie, to Lence poślę, choć ona oparcie ma większe w matce męża, którą kocham bardziej jak rodzoną i Bogu sto razy dziennie dziękuję, że mnie się taka teściowa w życiu trafiła. Toż to ja teraz na siebie tylko robię, choć natułam się tu i tam i nieraz już miałam dosyć, ale do tego pijaka, raz sobie powiedziałam, że nie wrócę, boby mnie zabił. Koleżki moczymordy tam mu już dawno nagadały, że ja polska kurwa, a on przecież porządny. Aaaa... – Swietłana machnęła ręką. – Takie to ludzkie życie. U Walendziaka jeszcze nie tak źle, nieraz gorzej bywało. Dużo nie płaci, bo mówi, że za utrzymanie. I że pozwala mi dorabiać, bo jak się ludzie dowiedziały, to przychodzą niektóre na masaże. Wieczorem, jak się napracuję, to nawet za specjalnie mi się nie chce, ale grosz do grosza się liczy, co zrobić. Tylko że tam gospodarka wielka, chłopy ze wsi też robią. Głupim chłopom Ukrainka i masaże z jednym się tylko kojarzą, pani wie...

– Domyślam się – wtrąciła delikatnie Olga, dodając zaraz przepraszającym tonem: – I ja nawet się cieszę, że

204

u Walendziaka nie za dobrze się pani czuje, bo Adam dziś powiedział, żebym bez pani nie wracała.

– Daleko mnie będzie trochę jeździć, pani, tak w te i z powrotem...

– Otóż właśnie nie – przerwała Olga. – Bo my byśmy chcieli, żeby pani tak jak tam, na stałe, tylko za uczciwe wynagrodzenie. Adam się trochę zastanawiał, ale ja w końcu też mam coś do powiedzenia. – Wzięła Swietłanę za rękę. – Ja mam pieniądze. Przez ten miesiąc, co nas nie było, pani tak o wszystko zadbała...

– Co miała nie zadbać, ja, pani, ze wsi, znam się na każdej robocie.

– I bardzo cię proszę, żebyś nie mówiła do mnie „pani", w ten sposób...

– To źle mówię? – zatrwożyła się Swietłana.

– Nie w tym rzecz, że źle, tylko brzmi tak... tak... Mów mi po prostu Olga.

Swietłana klasnęła w dłonie.

– O, to nawet lepiej! I jeszcze powiem, że od tamtej pory, co u was byłam, to mnie po nocach śniło się takie miejsce. Czyste i porządne. I to najważniejsze, jak wy się kochacie z mężem.

– Dlaczego mielibyśmy się nie kochać... – szepnęła Olga, spuszczając wzrok z lekkim zawstydzeniem.

Dobry Boże, pomyślał Filip, czemu mi nie dałeś takiej kobiety? Dlaczego mnie, egoistę, obdarzyłeś taką samą egoistką? Oczywiście nie oczekuję od ciebie odpowiedzi, bo nawet nie wiem, czy naprawdę istniejesz. Pytam, zamiast się dziwić niedorzecznie, że coś takiego w tym powierzchownym świecie jeszcze jest możliwe.

Gdy tamta odjechała, Olga położyła ręce na twarzy, a potem zaraz je oderwała, odetchnęła głęboko i powiedziała:

– Nie mogę uwierzyć, że od jutra nie będę w tym wszystkim sama.

– W ciężkiej harówce, przyznaj uczciwie – odezwała się Marlena. – Czemu nie nazwiesz rzeczy po imieniu. Jak długo zamierzałaś to sama ciągnąć?

Olga pokręciła głową.

– Nie wiem… Nie wiem… Bywały momenty, że siadałam pod chałupą i zdawało mi się, że więcej już nie wstanę. – A potem, patrząc na polną drogę, prowadzącą w kierunku stacji, wyznała: – Mam piękne sny. Śni mi się, że idziemy z Adamem łąką, jedno obok drugiego. Nie obejmujemy się ani nawet nie trzymamy za ręce. Po prostu idziemy.

Wstała, wsiadła na rower i odjechała.

Filip patrzył za nią, a potem przymknął oczy i już zaczynał myśleć: Dobry Boże…, gdy Czesia szturchnięciem łokcia sprowadziła go na ziemię.

– A ty się tak nie migdal do Olgi.

– Nie migdalę się – odparł atak. – Podziwiam ją.

– No, ciekawe. Tylko żeby ten podziw Oldze kiedy się nie udzielił.

Filip popatrzył jej głęboko w oczy.

– Czy ty czasem siebie słyszysz?

– Też nieraz zadaję sobie to pytanie – wtrąciła się Marlena.

– Czasem nawet tak, wyobraźcie sobie – burknęła
Czesia, obejmując Filipa. – Niezły z ciebie jeszcze chło-
pak. Przestań się na nią gapić, bo serce, nawet takie jak
Olgi, czasem potrafi zwariować.

🐞 🐞

– Cały czas tu byłem – upierał się Maciek, gdy Filip
upierał się, że go nie było. – Odwróciłeś się od peronu
i zacząłeś mówić o deszczu.
– Naprawdę? – Filip potarł kilka razy skroń, jakby to
miało mu w czymkolwiek pomóc.
– I o Oldze.
– Widzisz? Widzisz? Teraz może wreszcie uwierzysz.
– W co?
– Że można się zgubić w czasie, który urywa się w jakimś momencie, dzieje się jakaś inna rzeczywistość.
Niby jesteś w jakimś miejscu, ale tak jakby cię w nim
nie było… Ciągle mi się to zdarza. Od tamtej chwili, gdy
zobaczyłem tego tira w wąwozie. Roztrzaskanego o milion
drzew i kamieni. A pod nim coś, czego bym nawet nie
rozpoznał… Gdyby nie czerwona parasolka Tuśki…
– Czerwona parasolka?

🐞 🐞

Pewnego słonecznego dnia dziewczynka przyjechała
z nią rowerem. Nie zsiadła z niego i trzymając w jednej

207

ręce rozłożoną parasolkę nad głową, zrobiła kilka rund po podwórku, a w końcu, wciąż nie zsiadając, stanęła wreszcie przed wejściem do Magnolii, opierając nogę o niski schodek.

– Ciotka Sabina mi ją przywiozła – powiedziała, gdy patrzyli na nią z lekkim zdziwieniem. Chuda jak patyk Tuśka, z tą czerwoną parasolką nad głową, siedząca na rowerze, wyglądała bardzo dziwacznie. – Mam teraz swoją.

– Przepiękny kolor! – zachwyciła się Doris nie wiadomo czym. Kolor był zwyczajny, czerwony. – Czy to parasolka od słońca?

– Od wszystkiego.

– Mam pulpety koperkowe z wczoraj – zagadnęła Czesia. – Weźmiesz dla psów?

– A to wezmę.

– To może zejdź. – Czesia przymilała się jak nigdy. – Poopowiadaj co.

– Może co tu się zdarzyło dwadzieścia lat temu na stacji – podsunęła Marlena. – Bo chyba do tego momentu wreszcie doszłaś.

– Nie mogę – odparła Tuśka, kręcąc czerwoną parasolką nad głową. – Mam pełno książek do czytania od tej pani z polany.

– No to nie schodź! – warknęła Marlena i wróciła do rozwiązywania krzyżówki w jednej ze starych gazet. – Czesia, macie tu jakąś encyklopedię? Jednego hasła mi brakuje…

208

– U Filipa stoi pełno książek.

– A mówił pan, że nic nie przywiózł – odezwała się z wyrzutem Tuśka.

– Bo nie przywiozłem! Już tu były. Daj jej, Cześka, te psie reszki i niech zmyka, bo mi zaczyna działać na nerwy.

– Jeden z urzędowych języków na Madagaskarze... – głośno zastanawiała się Marlena, obgryzając ołówek.

– Malgaski – podsunęła Doris i zwróciła się do Tuśki: – Napij się chociaż wody. Taka blada jesteś.

– A bo pędziłam na złamanie karku. Muszę jak najszybciej przeczytać te książki, bo ciotka Sabina chce mnie koniecznie zabrać do siebie na całe wakacje.

Marlena, wpisując hasło do krzyżówki, zerknęła przelotnie na Doris.

– Na całe wakacje? – spytała ta. – A kiedy?

– A lada dzień. – Tuśka zawiesiła reklamówkę z pojemnikiem od Czesi na kierownicy. – Jak mi się uda, to może przed wyjazdem wpadnę któregoś dnia i wam dokończę.

– Cóż za łaskawość! – rzuciła ze złością Marlena i z taką samą złością zwróciła się do Doris: – Ty nam to teraz dokończ. To przez ciebie w ogóle zaczęła.

Czesia lekceważąco machnęła ręką.

– E tam, głupie wymysły. Jakby kto nie znał Tuśki. Tu się nasłucha, tam się nasłucha, naczyta, wszystko jej się w głowie wymiesza i historia gotowa.

Tuśki nie było dwa tygodnie, a może nawet trzy. Nikt nie liczył i nie zastanawiał się, od jak dawna mała nie przyjeżdża i nie wściubia we wszystko nosa. Tylko pewnego dnia Cześka, robiąc porządki w lodówce i spiżarni, zaczęła się zastanawiać, co ma z tym wszystkim teraz zrobić. Nie przerabiała resztek na najrozmaitsze sposoby, żeby je potem w innej formie i pod inną nazwą podać gościom, i nie miała zwyczaju niczego wyrzucać.

– Przydałby się tu jakiś pies – powiedziała w końcu, odwracając się do Filipa, który taszczył z samochodu zgrzewki napojów chłodzących i kartony piwa.

– A czy to, co tu łazi pod nogami, wyleguje się na mojej kanapie i warczy na gości, to nie jest pies? – zapytał Filip.

Doris, wycierająca parapety z jednodniowego kurzu, objęła czułym wzrokiem śpiącego na kanapie w kącie ulubieńca. Absurd chrapał, ślinił się i mlaskał.

– Absurd je tylko pełnowartościową karmę, bogatą w witaminy i składniki odżywcze – powiedziała Doris.

– Jakbym słyszała reklamę psiego żarcia – wtrąciła Marlena, zła, że wszyscy złapali się z samego rana za jakieś durne porządki i nie ma żadnej atmosfery na picie kawy.

– I nawet mu nie próbuj tego dawać – uprzedziła Doris, dostrzegając kątem oka, jak Czesia obraca w rękach kawałek mięsa.

– A nawet nie zamierzam. Jeszcze mi się we łbie nie przewróciło na tyle, żebym miała karmić taką pokrakę dobrym schabem. Zastanawiam się tylko, czy mrozić. Zamrożę! Ale co zrobić z resztą, to nie wiem. Jakby Tuśka przyszła, toby wzięła.

– Czemu tak długo nie przychodzi? – zainteresowała się Marlena.

– Może akurat mają co jeść – podpowiedziała Doris, ustawiając doniczki z kwiatami na wytartych z kurzu parapetach.

Marlena zsunęła na nos okulary i popatrzyła na nią ze zdziwieniem.

– Kto?

– Tuśka i jej rodzeństwo.

– Te resztki dla psów? Czasem taka głupia jesteś, Doris...

Tamta odwróciła się od okna i wyglądała jak nie ona. Powaga i smutek w oczach zmieniły ją nie do poznania.

– Wy jesteście takie mądre, a nie potraficie dostrzec, że mała znalazła sobie sposób na biedę? Na głód? Spróbujcie ją czymś poczęstować, to zobaczycie, jak gwałtownie protestuje, bo się tego wstydzi. Albo boi. Albo jedno i drugie. Nigdy tego nie zauważyłyście?

Czesia, która w chwilach gwałtownej złości lubiła rzucać czymś o blat kuchennych szafek lub stołu, cisnęła teraz z impetem kawałkiem schabu.

– A ty, Doris, nie zauważyłaś, że zawsze szykuję dla Tuśki dwa pojemniki?! W jeden rzeczywiście wkładam jakieś resztki! W drugi pakuję po brzegi to, czego mamy w nadmiarze! To, co już przez dwa dni się jadło i przydałoby się zjeść coś innego! Robię tak, Doris, bo nie jestem ślepa i od dawna wiem, co się tam u nich dzieje. A co się może dziać w rodzinie z siedmiorgiem dzieci, niezaradną matką i ojcem, który chwyta się sezonowych prac?! – Czesia popatrzyła na znieruchomiałego Filipa, usiadła na taborecie i pokręciła gwałtownie głową. – Mam nadzieję, że Filip nie ma mi tego za złe.

Przez chwilę mierzył ją badawczym wzrokiem.

– Nie mam – odrzekł ze ściśniętym gardłem. – Cholera, nie mam ci takich rzeczy za złe. Chyba tylko to, że mogłaś wcześniej powiedzieć.

– Po co?

– Przecież w takiej sytuacji można jakoś zadziałać.

– Znam tę rodzinę. Są dumni i wstydzą się biedy. Można jakoś zadziałać, tylko nie wiem jak.

Filip też nie wiedział. Nigdy się nie spotkał z biedą. Nie miał pojęcia, co ona oznacza i jak się zachowują ludzie nią dotknięci. Czesia od razu wybiła mu z głowy, żeby dać tamtym jakieś pieniądze. Raz, że nie wezmą, a dwa, że doraźne działania w takich przypadkach przynoszą przeważnie więcej szkody niż pożytku. Najlepiej poczekać, aż pojawi się Tuśka, i spróbować wziąć ją w obroty. Czegoś konkretnego się dowiedzieć i dopiero potem ewentualnie…

Wtedy w drzwiach stanęła Tuśka.

– Coś się stało? – zawołała, widząc ich miny. Zakręciła czerwoną parasolką nad głową. – Wpadłam, bo byłam akurat u pani Józefiny po kacze pierze. Mama mówi, że nie jest wcale gorsze od gęsiego, a pani Józefina akurat sprzedaje za grosze. Nie ma głowy do interesów albo nie kuma, ile za co wziąć. Dla nas akurat to dobrze, bo Jasiek i Czaruś już wyrośli z małych poduszeczek, a zresztą u nas cokolwiek by było, to się przyda, wszystkiego zawsze mało...

– Jedzenia też? – palnęła niemądrze Marlena, przepraszając zaraz wzrokiem Filipa, który ją zmroził spojrzeniem.

– Nie! Jedzenia mamy dość, bez przerwy coś się u nas gotuje albo piecze. Mama na okrągło nie wychodzi z kuchni, ale sama sobie winna, po co nas tyle narodziła. O! – Tuśka palnęła się ręką w czoło. – Stoję tu i gadam, a tam mama od rana robi pierogi z jagodami. Jak jej nie pomogę, będzie się z nimi dłubać do nocy, bo żeby każdy się najadł, trzeba ich zrobić ze dwieście. Lecę, nie będę stać tu i...

– A tata gdzie teraz pracuje? – spytała chytrze Czesia.

– Teraz? W zakładach drzewnych, ale już się Walendziak o niego pytał, czyby na żniwa nie przyszedł, bo wszyscy robotnicy podobno od niego pouciekali. Resztki dla psów, jak są jakie, to mogę wziąć przy okazji.

Czesia w minutę napakowała jej wszystkiego do torby, rozglądając się, czego by tu jeszcze dołożyć, a wtedy Filip przypomniał jej o schabie, który nie zmieścił się do zamrażalnika i nie wiadomo, co teraz z nim zrobić. Czesia w dwie sekundy zawinęła mięso w folię i podała torbę małej.

Po wyjściu Tuśki popatrzyli na siebie niepewnie, ale jakby z niewielką ulgą. Wtedy Doris powiedziała:

– Nie dajcie się zwieść. Tam nie jest tak, jak być powinno.

❧ ❧

– Co z tą Doris? – spytał Maciek.

– Mam wrażenie, że identyczne pytanie dotyczące Doris już kiedyś padło – odparł wykrętnie Filip.

– Wtedy chodziło mi o co innego i teraz o co innego. Nie udawaj, że nie wiesz.

– Nigdy niczego nie udawałem – odrzekł z lekkim zdziwieniem Filip. – Naprawdę. Ani dawniej, ani tu… w Magnolii. Taki ze mnie gość. – Parsknął śmiechem. – Nie zastanawiałem się nad tym nigdy, ale chyba to o czymś świadczy.

– O tym, że zawsze miałeś w nosie, jak ludzie cię odbierają? – podsunął Maciek.

– A może o akceptacji.

– Czego?

– Wszystkiego.

– Łatwo wszystko akceptować, kiedy jest się pilotem samolotów pasażerskich na trasie Warszawa – Nowy Jork…

– Nie tylko.

– I mieszka w strzeżonym apartamentowcu w dobrej dzielnicy.

– Mam się za to bić w piersi? – Filip się zezłościł. – Odpokutowałem w ekspresowym tempie czterdzieści pięć lat beztroskiego życia.

– Naprawdę było takie beztroskie? – spytał całkiem poważnie Maciek.

Po chwili zastanowienia Filip odparł:

– Wszystko przychodziło mi łatwo. Nie przeżywałem dramatów, z niczym nie miałem większych problemów. Parłem do przodu jak nóż po miękkim maśle. Nie zastanawiałem się, że kiedyś to wszystko może się zwyczajnie skończyć. Że znajdę się w takiej Magnolii...

– Gdzie wszyscy poza tobą coś udawali, starali się coś ukryć.

– Nie udawali. Po prostu starali się nie obarczać innych swoimi problemami i dramatami. Znaleźli się tu z konkretnego powodu, nie przez przypadek czy złośliwość losu jak ja.

– Ale chyba nie Doris.

– Zwłaszcza Doris.

∗ ∗

W pewnym momencie dla wszystkich stało się jasne, że Doris, używając bardzo popularnego kolokwializmu, coś ściemnia. Można było, jak zrobiła to Czesia, przejść nad tą sprawą do porządku dziennego, pozwalając, by Doris sama się w końcu wysypała.

– Obchodzi mnie, kim tak naprawdę jest Doris i co przed nami ukrywa, jakbym mało miała innych spraw na głowie. Życie jest krótkie i nim się obejrzysz, pora ze wszystkim się żegnać. Zjawiła się tu w odpowiednim

215

momencie i sto razy bardziej jestem z niej zadowolona niż z własnej siostrzenicy, którą w końcu moja siostra zabrała do wielkiego miasta, żeby sobie tu dłużej nie marnowała życia. Krzyżyk na drogę, powiedziałam, kto ma sobie spieprzyć życie, to je sobie spieprzy gdziekolwiek, taka moja filozofia. Doris może sobie kłaść na głowę pięć kolorów farby naraz i stroić się w sto odcieni różowego, dla mnie to bez różnicy. I żeby nie ten jej obrzydliwy pies i te kwiatki na każdym kroku, od których można oszaleć, dla mnie byłaby ideałem.

Można było jak Olga czy Filip zachować pełne dyskrecji i szacunku milczenie lub jak Marlena małymi kroczkami zmierzać do zaspokojenia niezdrowej ciekawości.

– Doris, nie wiedziałam, że jesteś taka zboczona – odezwała się pewnego ranka, siadając z kawą przy małym stoliku, skąd miała widok na wszystko.

Doris sprzątała po śniadaniu. Wytarła ręce w ścierkę, stanęła przed Marleną i spytała:

– Ja zboczona? Co konkretnie masz na myśli?

– Znowu wczoraj gapiłaś się na więzienie.

– Skąd wiesz?

– Byłam po sery w ziołach u Kalatowej. Wracam, patrzę, na górce przy szosie stoi samochód Doris. Wytężam wzrok – widzę Doris w pełnej krasie, stoi i gapi się na więzienie.

– Dlaczego mówisz do mnie w trzeciej osobie?

– Mówię o tobie, ogólnie, do wszystkich, nie zmieniaj tematu. Więc?

– Tak sobie obserwowałam okolicę, widoki. Nie można?

– Przez lornetkę?

– No właśnie przez lornetkę. Cóż w tym dziwnego?

Marlena ze zniecierpliwieniem rozpostarła przed sobą gazetę.

– Daj spokój, Doris! Nie podziwiałaś żadnych widoków. Stałaś na górce i gapiłaś się na boisko więzienne, gdzie kilkunastu młodych, opalonych recydywistów biegało za piłką.

– Skąd wiesz, że młodych? – wtrąciła Czesia.

– Bo stare recydywy leżą w celach i mają w głębokiej pogardzie ruch na świeżym powietrzu. Więc, Doris? Albo jesteś zboczona, albo…

– Jestem zboczona – tamta nie pozwoliła jej dokończyć. – Uwielbiam patrzeć na młodych, muskularnych i opalonych więźniów, biegających za piłką. To mnie kręci.

Zakręciła się po kuchni i poszła sprzątać pokoje. Absurd, który dotąd leżał przy wyjściu i spał jak zabity, w jednej chwili zerwał się i poszedł za panią.

Czesia powiedziała, że Doris jest młoda i nie ma nic złego w tym, że sobie patrzy na młodych chłopców. Przecież ślubu z nimi nie będzie brała.

– Jak cię nieraz słucham, Cześka – odezwała się Marlena, nie podnosząc oczu znad gazety – to się zastanawiam, czy czas, którego tak się czepiasz na każdym kroku, nie dając mu na chwilę zapomnieć, że mija, nie płynie czasem dla ciebie szybciej niż dla całej reszty świata.

– Dlaczego? – Czesia przerwała krojenie warzyw i stanęła przed nią z nożem.

– Bo gadasz jak stara baba.

– Młoda nie jestem.

– Duchem na pewno. Fizycznie jeszcze jako tako.

Czesia odruchowo przejrzała się w lustrze, wiszącym w korytarzu. Z jednej strony, z drugiej. Dostrzegła w nim Filipa, który od paru minut szukał kluczyków do samochodu.

– Jadę po chleb na stację – warknął, zły, że nie może ich znaleźć. – Potem do banku. Wracając, wstąpię do księgowej. Dajcie mi spokój. Doris!

Doris, z naręczem brudnej pościeli, wyłoniła się z korytarza. Z wieszaka przy lustrze zdjęła kluczyki i bez słowa mu podała.

– Znalazłybyście sobie jakieś wspólne hobby, jakiś ciekawy temat – poradził, wychodząc. – Coś, na czym mogłybyście się skupić, żeby bez przerwy jedna drugiej nie dogadywała, kiedy jesteście razem.

Chyba w złą godzinę wypowiedział te słowa, bo nie minął tydzień, jak znalazły sobie hobby. Wariacką jazdę dżipem Cześki po okolicznych serpentynach. Najbardziej polubiły te na drodze do Buka. Filip złapał się za głowę, gdy zaczęły przychodzić mandaty, a pewnego dnia Jaszczuk, blady jak prześcieradło, wyskoczył ze swojego grata pod Magnolią i zawołał do grillującego na dworze Filipa:

– Panie Spalski! O mało co nie zepchnęły mnie z drogi! Szalone kobiety! I jeszcze wciągają w to Doris.

Filip nie zauważył, żeby Doris jakoś specjalnie się przed tym wariactwem wzbraniała. Ani Olga.

– A wydawało mi się, że pani Cześka to poważna kobieta.

– Mnie też do pewnego momentu tak się zdawało, panie Jaszczuk.

Czesia bardzo się przejęła słowami Marleny o duchowej starości. Przez tydzień nie przeszła koło lustra, by się w nim nie obejrzeć z każdej strony, aż w końcu wymyśliła, że, co tam, pora trochę odmłodnieć duchem – i tak się zaczęło. Filip podejrzewał, że Czesia już wcześniej nieźle doginała na tych serpentynach, bo ni z tego, ni z owego nie wpadłaby chyba na tak szaleńczy pomysł, ale co to za zabawa w pojedynkę. Raz zabrała ze sobą Doris, raz Marlenę, potem obie naraz, a Olga, jak usłyszała, to sama się wprosiła. Prawie co wieczór zostawiały Filipa w Magnolii z całym bałaganem i pędziły w tę lub inną stronę po końską dawkę adrenaliny, bez której – jak się nagle okazało – żyć nie mogły. Gdy zaczęły przychodzić mandaty, bo posterunkowy Miśkiewicz junior na chybił trafił ustawiał się z radarem przy jednym z takich odcinków i czasem udało mu się je upolować, zrzucały się po równo i Doris płaciła z konta Czesi przez internet. Posterunkowy Miśkiewicz był, jak kiedyś jego ojciec, sumiennym funkcjonariuszem i w pewnym momencie zagroził Czesi osobiście punktami karnymi, a wtedy mu powiedziała:

– Spróbuj! Babka twojej narzeczonej jest krewną mojej babki Klary…

– Daleką – jęknął.

– Co z tego? To chyba do czegoś zobowiązuje.

Co miał począć? Kochał narzeczoną i wiedział, jak jest przywiązana do rodziny. Poprosił tylko, jak dawniej jego ojciec Luizę, by, na litość boską, przestały, bo strach pomyśleć.

– Od dwudziestu lat jeżdżę samochodem. Znam te drogi jak własne mieszkanie – odparła Czesia na to. – Nie przynudzaj.

– Stuknijcie się – powiedział Filip po odejściu posterunkowego. – Potrzebna mi tu jeszcze policja!

W kilka dni później policja przyjechała po niego. I nie miejscowa, tylko aż z Sanoka. Zapakowali go do radiowozu i zawieźli na czterdzieści osiem do aresztu. Co się stało? Właściwie nic. Parę słów za dużo i upał.

W ten upalny dzień Walendziak podjechał wypasioną terenówką pod Magnolię, ledwo się wyrabiając w szerokiej bramie, wyskoczył z auta i wydarł na całe gardło:

– Cóśta zrobiły ze Swietką?! Powiedziała, że jedzie do tej… Jak to się, kuźwa, nazywa… i tyle ją widziałem!

Czesia, która chodziła z Walendziakiem do jednej klasy i wiedziała, że głąb z niego, odparła:

– A dokąd to miała się wysługiwać za utrzymanie, ty głąbie?

Na Walendziaku ów mało wyszukany epitet nie zrobił wrażenia.

– Gorzelak jej napłaci, już to widzę. Mata tu książkę telefoniczną?

– A nauczyłeś się już czytać?

– Co trzeba, przeczytam. Numer do urzędu pracy znajdę. Niech przyjadą i sprawdzą, jakie ona ma tam zatrudnienie.

Czesia obrzuciła go beznamiętnym wzrokiem.

– Najpierw do ciebie pojadą, sprawdzić, jakie tam u ciebie robotnicy mają zatrudnienie.

– A niech se przyjeżdżają! – zawołał hardo. – Wszystkie pouciekały, jak Swietka odeszła. Póki po obejściu tyłkiem kręciła, to jakoś im nie przeszkadzało to czy tamto. Mogły se za friko popatrzeć i po cichu na co tam może i liczyć. Teraz Gorzelak ma uciechę.

Cios w szczękę sprawił, że Walendziak się zamknął. Filip, który grzebał pod maską dżipa Czesi, bo narzekała, że coś jej tam stuka (Bardzo dziwne!), nie wytrzymał i stuknął tamtego pięścią. Walendziak zatoczył się i uderzył głową o kawałek jakiegoś poniewierającego się żelastwa. (Doris powiedziała potem, że od miesiąca nie może się doprosić, żeby jej to postawić przed kabarynami, bo mogłaby tam puścić jakiś bluszcz). Po policzku spłynęło mu trochę krwi, ale bez przesady. Nie żeby zaraz jechać do szpitala i zakładać szwy. Ale Walendziak pojechał i kazał je sobie założyć na gęsto, głowa to nie brzuch, co innego chroni – „ciekawe co?", spytała potem Czesia – a z pogotowia poszedł prosto na policję. Z trzema świadkami, którzy zeznali, że Walendziak został okrutnie pobity na publicznej drodze przed Magnolią. Przed wieczorem przyjechała policja i zabrała Filipa bez pytania na czterdzieści osiem.

Po dwudziestu czterech Filip wyszedł w towarzystwie mecenasa Lorki, który akurat spędzał wakacje z rodziną w swojej chacie. Ten przekupił dwiema butelkami wina jednego ze świadków, notorycznego moczymordę spod sklepu, który się wycofał, oświadczając, że został przekupiony przez Walendziaka butelką taniego bełta, żeby złożyć fałszywe zeznanie. Filip podziękował Lorce, dziwiąc się, że adwokat nie ma do niego żadnych pretensji o wiadomą imprezę.

– Pretensję?! – zdumiał się mecenas. – Panie Spalski, do końca życia się panu nie odwdzięczę, żeś mnie pan uratował od życiowej pomyłki i fatalnego interesu, w który chciałem włożyć znaczną część majątku.

– Jak to? – równie mocno zdumiał się Filip, dokładnie pamiętając finał owego przyjęcia.

– Pamięta pan gościa, którego w tak kulturalny sposób chciałem ugościć, żeby wejść z nim w pewien biznes? To oszust pierwszej wody. Hochsztapler! Łeb nie od parady nosi na tej krótkiej szyjce, niejednego przekręcił na miliony. Tylko że do wódki tego łba nie miał. Aleś pan trafił wtedy z tą zarąbistą śliwowicą! Może by jakie tańce w sobotę przy wódeczce zorganizować? Kuzynka ma przyjechać, biedactwo, tak jej się nie szczęści z tymi narzeczonymi.

– Chętnie – zgodził się Filip.

Kuzynka Lorki nie stanowiła już dla niego żadnego zagrożenia. Na pewne sprawy po prostu się uodpornił.

– Naprawdę? Noc w celi miała na to jakiś wpływ?

– A tam! Spędziłem niejedną noc w swoich kabarynach, jak Cześka mi zamykała drzwi przed nosem, kiedy wracałem ze spaceru w deszczu z pustą butelką. Pewnie myśli, że nie pamiętam.

– To ładnie, że ująłeś się za Gorzelakiem. Czy może za Olgą?

– Ująłem się za przyzwoitością.

– Tak zostałeś chyba wychowany.

– Taaak… Wiedziałem, że przyzwoitość to dobre maniery i porządne ubranie. Tu chodziło o coś więcej. Zawsze dobrze się czułem, gdy otaczali mnie ludzie, których byłem w stanie zaakceptować. Tu miało to szczególne znaczenie.

– Myślę, że chodziło o wiele więcej.

– Nie chce mi się tego tłumaczyć, przyjacielu, ale jeśli bardzo ci na tym zależy, dodam tylko, że nie zapałałem nagle wielką miłością do rzeczywistości, w której się znalazłem. Każdego dnia coś mnie wkurzało i przed czymś się buntowałem. W dalszym ciągu nie wiedziałem, czy chcę tu zostać. Nie chciałem jednak już stąd uciekać.

– Może dlatego, że nie miałeś innego wyjścia.

– Miałem. W każdej chwili mogłem sprzedać Magnolię, kupić małe mieszkanko w dużym mieście i żyć spokojnie, bez stresu, do końca swoich dni. Czytać książki w pochmurne popołudnia, chodzić na spacery w pogodne…

Pytanie tylko, czy tego chciałem. Czy byłem jeszcze zdolny do normalnego życia.

– Co właściwie znaczy normalne życie?

– Nic. Życie nabiera prawdziwego znaczenia, gdy otaczają cię ludzie, na których każdego dnia chce ci się patrzeć. Wkurzają cię i stwarzają masę problemów, ale ja miałem już za sobą życie bez problemów. Dopiero po wielu miesiącach funkcjonowania w Magnolii dotarło do mnie, ile ono było warte.

– Czy w tym poprzednim życiu naprawdę nie było ludzi, których mogłeś nazwać kimś więcej niż znajomymi?

– Większość z nich ledwo pamiętałem. W takim sensie, że kojarzyłem ich tylko z jakimiś konkretnymi, najczęściej powtarzalnymi zdarzeniami. Wiedziałem, że z Wiktorem latam do Nowego Jorku, a Magda, śliczna i miła stewardesa, towarzyszyła nam najczęściej na trasach azjatyckich. Z Głowackimi, znajomymi żony, chodziliśmy do teatru, a z Dulębami na wytworne sobotnie kolacje, jeśli akurat nie miałem lotu… Nie mogłem sobie jednak przypomnieć żadnych emocji i żadnych emocji na wspomnienie tych ludzi nie czułem. A co musiałoby się stać, żebym zapomniał o Czesi Gawlińskiej, Marlenie, Oldze, Doris i wszystkich uczuciach, dobrych i złych, jakie budziły we mnie każdego dnia? Czy kiedykolwiek w życiu ktoś mnie wkurzał tak jak one? Czy wzbudzał tyle tkliwości co Olga? Czy miałem powody, by martwić się o kogokolwiek, jak martwiłem się o nie wszystkie? Jak to się stało, że zacząłem się o nie tak zwyczajnie martwić?

– Zachowywały się dość niekonwencjonalnie...

– Z punktu widzenia człowieka prowadzącego usta-
bilizowane życie na pewno. Tylko że ja nie byłem już
takim człowiekiem. I nawet być nim nie chciałem.

🐛 🐛

Oczywiście Doris czuła, że jej starannie pielęgno-
wany do pewnego czasu image słodkiej idiotki powoli
zaczyna się sypać. Może w pewnych momentach traciła
czujność, a może po prostu miała dość, w każdym razem
nie biła z niej już taka nienaturalna słodycz na każdym
kroku i skończyły się te zachwycone ochy i achy nad
wszystkim. Oczywiście dalej rozgrzebywała całe podwórko, sadząc kwiatki i krzewy, gdzie tylko się dało,
i dalej wiązała Absurdowi na szyi kokardki w kolorach,
jakie akurat miała na sobie, jednak skala okazywanych
uczuć znacznie się powiększyła o złość, zniecierpliwienie lub też niepokój.

Pokazała im w końcu swoje obrazy, które przez wiele miesięcy malowała po nocach, mówiąc, że ukazują
jej dzieciństwo. Przedstawiały proste, wiejskie widoki,
ciepłe i jednocześnie zadziwiająco w swej wymowie
ascetyczne. Bez przerysowań. Nie były to dzieła sztuki,
ale coś w nich tkwiło.

– Coś w nich jest – stwierdziła Czesia.

– Zależało mi bardzo, żeby się nimi otoczyć.

– Oddzielić od czegoś, Doris? – podsunęła Marlena,

dawny psycholog więzienny. – Stworzyć jakąś barierę między dobrym a złym światem? Dlaczego akurat tu i teraz?

– Wcześniej nigdy nie miałam dość pieniędzy na prawdziwe farby – odparła Doris i zamknęła drzwi. – Nie dorabiaj wydumanej psychologii do prostych spraw, Marlena. Dzieciństwo spędziłam u babki na wsi i był to najlepszy okres w moim życiu. O reszcie czasem chciałabym zapomnieć.

– O tych balangach i facetach? – zainteresował się Filip. – O nieustającej imprezie zwanej życiem?

– Nie przeginaj.

– Przepraszam. – Wsunął rękę we włosy, rozczochrał je. Robił tak zawsze, gdy czegoś się zawstydził. – Piękne obrazy, Doris. Bardzo proste, bez krzty tandety, coś, czego nie można byłoby się…

– Po mnie spodziewać?

– Już raz je widziałem – odezwał się wymijająco.

– Kiedy? – zdziwiła się Doris. Nie broniła im wstępu, ale była raczej pewna, że nikt do niej nie wchodził.

– Jak byłem w piekle.

– Pomogły ci? – W Marlenie wciąż musiał drzemać psycholog. Chyba tak do końca niespełniony.

Filip rozłożył ręce.

– Naprawdę nie wiem.

Może wtedy była już pora na więcej, ale Doris chyba uznała, że tyle wystarczy na pierwszy raz, albo jej się po prostu nie chciało, bo zamknęła wszystkim drzwi przed nosem i zajęła się uaktualnieniem strony internetowej

Magnolii. Filip zdążył tylko poprosić, żeby nie ładowała tam zdjęć z oknami pełnymi zwisających badyli albo, nie daj Boże, portretu jej przecudnej urody Absurda, bo nikt tu nie przyjedzie.

Marlena nie byłaby sobą, gdyby po swojemu nie przyspieszyła całej sprawy. Któregoś wieczoru, pochylona nad krzyżówkami, które nagle stały się jej wielką pasją, spytała:

– Doris, przypomnij mi, bo na śmierć zapomniałam... Stolica Nepalu...

– Katmandu – rzuciła tamta, szorując gary w zlewie. – Co jeszcze chcesz wiedzieć? Jaka jest pustynia w Chile, czy może do kogo należą Wyspy Żółwie? Nie będziesz wiedzieć, jakie plemiona zamieszkują środkowe dorzecze Amazonki, pytaj.

– Skąd to wiesz?

– Wszyscy to wiedzą.

– Jakie plemiona zamieszkują środkowe dorzecze Amazonki?! Skończyłam trzy fakultety, a nie mam zielonego pojęcia.

– Jedni wiedzą to, inni tamto... – zbagatelizowała Doris. – Ludzka pamięć jest bardzo wybiórcza.

– Pamięć a wiedza to dwie różne sprawy.

Tamta odwróciła się nagle od zlewu, objęła się rękami i powiedziała cicho:

– Jestem już bardzo zmęczona. Tak bardzo, że...

Marlena zerwała się z krzesła i w jednej chwili znalazła się przy niej. Objęła ją niezdarnie, jakby trochę się tego wstydząc.

– Nic nie mów. Nie musisz. Przepraszam... Przepraszam, Doris... Taka jestem głupia.

Dziewczyna delikatnie wyswobodziła się z jej objęć i pokręciła głową.

– Nie. Na wszystko kiedyś przychodzi pora. Ja, prawdę mówiąc, też mam już tego dość. – Opadła na stołek, poszukała wzrokiem Czesi. – Czesia, zrób mi dobrą kawę. Ciągle mam problemy z tym ekspresem.

– Ja ci zrobię! – zaoferowała się skwapliwie Marlena. – A ty usiądź sobie.

– Przecież siedzę.

– Nie, nie tu. Tam, na kanapie Filipa. Usiądź sobie wygodnie, a ja ci zrobię kawę. I drinka. Chcesz drinka z limonką?

– Nie, głowa mnie boli.

– To napij się czystej wódki. Mnie zawsze pomaga.

Doris, idąc w róg sali na kanapę Filipa, próbowała protestować.

– Przestań z tą wódką! – warknęła na Marlenę Czesia. – Jeszcze Filipowi coś się przypomni. Filip!

Zajrzał do sali.

– Słyszę! Wszystko słyszałem. Co chcesz?

– Chodź, siadaj...

– Po co?

– Doris nie wytrzymała. – Czesia zgarnęła telefon ze stołu i zaczęła wybierać numer. – Zadzwonię po Olgę!

– To może jeszcze po Zenka Jaszczuka? – krzyknęła Doris.

– Która godzina? Zaraz sam przyjdzie.

Wtedy zaczęła się śmiać. Śmiała się i nie mogła przestać. Patrzyli na nią jak na wariatkę, ale miała to gdzieś.

– Teraz boli mnie brzuch – wykrztusiła w końcu, ocierając łzy, i znowu wybuchnęła śmiechem.

Gdy po chwili zjawił się Zenek, Czesia powstrzymała ją ruchem ręki i sama podała mu trzydaniowy obiad. Zenek jadł, zerkał na wybuchającą co chwila śmiechem Doris i przyglądającą jej się trójkę. Gdy przyjechała Olga, Doris jeszcze tylko raz parsknęła śmiechem, po czym wytarła nos w serwetkę i wypiła kawę.

– No? – Rozejrzała się demonstracyjnie. – Mogę już mówić?

Marlena kiwnęła głową, Czesia w ekspresowym tempie zgarnęła puste talerze i wrzuciła je do zlewu, tłukąc wszystkie.

– Zawsze miałam kurewskie szczęście do złych ludzi... – zaczęła opowiadać Doris.

Od kogo zacząć? Od złej pani w przedszkolu, która nienawidziła dzieci? A Doris nienawidziła szczególnie, odkąd pojęła, że ta bardziej niż inne zdaje sobie z tego sprawę.

Czy może od złego sąsiada w obskurnej kamienicy na peryferiach Krakowa, który dzień w dzień po pijanemu bił żonę i najmłodsze dziecko? Przestał, gdy dziecko w stanie ciężkim zostało odwiezione do szpitala, a żona zwariowała.

Ojciec Doris tylko raz zareagował, waląc w ścianę, bo krzyki obojga przeszkadzały mu spać. Wtedy tamten wpadł, niemal wyważywszy drzwi, i zamachnął się na niego ręką. To wystarczyło, ojciec skulił się i więcej się nie wtrącał. Był tchórzem, nierobem i pasożytem. Naśmiewał się nieustannie z matki, gdy skonana wracała ze szpitala, gdzie była salową.

– No?! Ile tam dziś zarobiłaś przez cały dzień ciężkiej harówki? – wołał, ledwo przekroczyła próg i marzyła tylko o tym, żeby się wykąpać i położyć. Nie mogła. Musiała jeszcze ugotować pasożytowi obiad i posprzątać. – Pracuj, pracuj za darmo na innych!

On nie zamierzał. Za uczciwe pieniądze, za jakieś grube pieniądze w ostateczności. Ale kto ci da zarobić tysiące? Jakiś bogacz. To on ma robić na bogaczy, żeby jeszcze bardziej się bogacili jego pracą, bo takim zawsze mało? To już woli leżeć.

Leżał więc. Matka harowała od świtu do nocy, nic nie mówiąc. Doris nie pamięta, żeby mama kiedyś usiadła sobie przed telewizorem. Albo wyszła na spacer czy pojechała gdzieś odpocząć. Chyba że na wieś, do dziadków, jak zawoziła tam Doris, i to wszystko. W domu nigdy nie było grosza. Pensja salowej to śmieszne pieniądze, a ojciec miał wymagania, byle czego nie zjadł.

– To po co tam chodzisz? Sprzątasz osiem, dziesięć godzin po tych kalekach? – podśmiewał się, gdy podawała na obiad pierogi z kapustą, które najpierw przez dwie godziny lepiła. – Żeby na obiad nie było mięsa? Ci, na których harujesz, codziennie jedzą mięso. Chyba że im się znudzi, to sobie dla fantazji wymyślają frykasy. Po których nie śmierdzi w całym domu kapustą.

Nie, ojciec nigdy nie krzyczał na matkę. Nie mówiąc o tym, żeby kiedykolwiek podniósł na nią rękę. Tego mu nie można było zarzucić. Tylko się z niej naigrawał. Nie można mu też zarzucić, żeby się kiedykolwiek sprzeniewierzył... Śmiesznie byłoby powiedzieć: swoim ideałom. Trzeba po prostu powiedzieć: nieróbstwu.

Raz Doris usłyszała, jak matka mówi do niego:

– Poszedłbyś do Kozakiewicza, zapytał o jaką robotę, to prawie pod nosem. Mamy taką śliczną córeczkę, a nawet nie ma jej w co ubrać.

– Do tego pazernego kapitalisty?! – oburzył się ojciec. – Widziałaś, jaką brykę kupił synalkowi, żeby mógł się po całym Krakowie rozbijać?

– Pracuje na to – wtrąciła słabym głosem.

– A ja mam pracować na niego, żebyś mogła wystroić dzieciaka w kolorowe szmaty? Nago nie chodzi.

Doris nago nie chodziła. I nigdzie. Prosto po szkole wracała do domu, by pomóc matce we wszystkim. Już w podstawówce potrafiła ugotować prosty obiad i wysprzątać całe mieszkanie, tak że mama nie musiała nic poprawiać. Wieczorami siadała przy obłażącym z farby parapecie okna, malowała kredkami w bloku albo zamykała oczy i wracała wspomnieniami na wieś, do dziadków, u których mieszkała, póki nie musiała pójść do szkoły. To był jedyny beztroski okres w jej życiu.

Babcia zawsze była uśmiechnięta i bardzo czuła, a dziadek wiecznie coś robił. Naokoło domu rosły kwiaty. Jedne przekwitały, drugie zaczynały kwitnąć. Wszędzie panował wielki porządek. Dziadek każdego roku czyścił i malował okna. Jedno, to z tyłu, pozwalał pomalować Doris. Sama też biegała każdego wieczoru, żeby przygnać krowy z łąki pod lasem. Krowy były bardzo posłuszne, nie rozłaziły się po polach jak te sąsiadów. Dziadek je nauczył. W niedzielę brali ją za ręce i pieszo szli trzy kilometry do kościoła. Doris bardzo uważała, żeby nie potknąć się o coś i nie przewrócić, ale w powrotnej drodze puszczały wszelkie hamulce. Biegała po łąkach, wyprzedzając dziadków, by zaraz do nich wrócić, i do woli szurała nogami na piaszczystej drodze pod domem, nie przejmując się, że utytła białe podkolanówki wiecznym kurzem.

Piękne wspomnienia, od których nigdy nie chciało jej się odrywać. Zamknęła każdy fragment tamtej rzeczywistości pod powiekami, marząc, by kiedyś wrócić tam na zawsze. Nie było szans. Dziadkowie zmarli. Tamten świat przejął ktoś inny, obcy. Ojciec nie dał się namówić matce do wyjazdu na wieś. Nie wiadomo dlaczego. Przecież tam też mógłby sobie leżeć i nic nie robić, a nie trzeba byłoby za wszystko tyle płacić.

Doris nie wie, dlaczego wyszła za złego mężczyznę. Nie chodziła na imprezy, nie przesiadywała po kawiarniach, nigdzie nie jeździła. Nie miała przyjaciółek. Nie trafiła na taką, której by nie przeszkadzało, że Doris ma dwie pary spodni na zmianę, kilka bluzek, nie maluje się i nie nosi kolczyków w różnych dziwnych miejscach. Nie zamierzała udawać, że jest kimś innym. Po szkole, a potem po zajęciach, wracała do domu, po cichu sprzątała mieszkanie, żeby nie obudzić ojca, po czym szykowała obiad. Wieczorami czytała. Po studiach zaczęła pracować w bibliotece. Gdzie i kiedy miała poznać mężczyzn, żeby cokolwiek o nich wiedzieć?

Wie natomiast, dlaczego on się z nią ożenił. Nienawidził pustych panienek, wystrojonych, wyuzdanych, lekko traktujących wszystko dziewczyn, które najpierw zamierzały wziąć z życia, ile się da, a dopiero potem, ewentualnie, choć niekoniecznie i nie za wszelką cenę, dać co nieco od siebie. Cenił sobie za to wszelką skromność, tak w zachowaniu, jak i wyglądzie. Był także estetą. I cholernym sknerą. Pech chciał, że trafił na taką Doris (albo ona trafiła na niego), jedyną kobietę, która była ładna, skromna pod każdym względem i nie wymagała, by włóczył się z nią po knajpach i fundował drogie koktajle albo kosmetyki, Właściwie to nie wymagała niczego.

Życie Doris, kiedy wyszła za mąż, prawie wcale się nie zmieniło. Zamieszkali w parterowej, ledwo trzymającej się chałupinie po jego dziadkach na innym przedmieściu. Doris wracała po pracy do domu i sama wszystko robiła, bo mąż, mały fotograf z wielkimi aspiracjami, uważał się za artystę. Pięć razy zdawał na wydział operatorski do szkoły filmowej, ale za każdym razem go odrzucali.

– Nie poznali się na mnie – mówił zawsze, gdy to wspominał. – Ale jeszcze zobaczą. Wszyscy zobaczą, jakim jestem artystą.

Tymczasem pstrykał zdjęcia na chrztach, komuniach świętych i weselach.

Na początku Doris nie wiedziała, że jest zły. I podobała jej się jego pasja. Robi to, co lubi (przede wszystkim podobało jej się, że w ogóle coś robi), i ma ambicje. Do pewnego momentu. W pewnym momencie ich małżeństwa zapytał żonę, co robi z pieniędzmi, które zarabia, że on ich w ogóle nie widzi. To, co zarobił, wydawał na swoje potrzeby, ale od czasu do czasu przydałoby mu się parę dobrych ubrań, to, tamto i owamto. Taką ma pracę.

Doris w jednej chwili skamieniała. Zrozumiała, że mąż niewiele się różni od jej ojca, który całe życie żerował na pracy innych, a ona od swojej matki, która całe życie to znosiła. Przymknęła oczy, co wyglądało, jakby je skromnie spuściła, i odparła, że pieniądze, które zarabia, idą na mieszkanie i na życie, na nic więcej. Od lat niczego sobie nie kupowała, choć przecież też chodzi do pracy…

– A co to za praca w tej bibliotece – przerwał jej. – Siedzisz tam i cały dzień nic nie robisz.

– Ale jakoś muszę się ubrać.

– Jakoś jesteś ubrana. – Przyjrzał jej się podejrzliwie. – Jeśli zamierzasz się stroić i pacykować jak te puste, bezmózgie koczkodany, to proszę bardzo, ale nie ze mną.

– Nie z tobą…? – Doris w ostatniej chwili postarała się, żeby zabrzmiało to jak pytanie. Była tchórzem.

Nie chciała być tchórzem. I miała dość swoich szarych ubrań, nieokreślonego koloru włosów, upiętych gładko z tyłu, i nieustannego myślenia o tym, co ugotować, żeby wyszło taniej. Tu akurat miała cholerne szczęście. Mąż nie był wymagający jak ojciec, nie dokuczał jej, zjadł cokolwiek. Nawet to, co prawie nic nie kosztowało.

Doris nie chciała Bóg wie czego, ale zaczynała mieć dość szarości, skąpstwa i przechwałek męża, jakim to kiedyś będzie artystą.

Tymczasem stawał się łotrem. Z dnia na dzień coraz większym. Przekonała się o tym w drugim roku małżeństwa. Po jednym z wesel, na których robił zdjęcia, machnął jej przed oczami plikiem banknotów i powiedział:

– Patrz, jak się zarabia pieniądze! Zgadnij, kto w minutę może zarobić tyle, ile tobie dają na rękę po całym miesiącu nicnierobienia w tej bibliotece?

– Kto? – spytała z kamiennym wyrazem twarzy.

– Artysta! – odparł z miną zadowolonego z siebie pajaca.

Nie bardzo interesowały ją szczegóły, ale nie dało się ich nie usłyszeć.

Robił więc zdjęcia. Normalnie, jak to na weselu. To młodym, to gościom, w tańcu, to przy stołach… Wszystkim i wszędzie. Po północy wpadał do domu, ładował kartę do komputera, drukował i wracał szybko do domu weselnego, by po piątaku sprzedać fotki gościom, którzy chcieli mieć pamiątkę. Chcieli, nie chcieli. Jak im podsunął odbitkę pod nos, mało kto nie wziął. Tak zarabiają artyści...

– To żałosne! – przerwała Marlena, nie mogąc się powstrzymać. – A cóż to znowu za zwyczaj.

– Tak się robi. – Czesia kiwnęła głową na znak, że nie jest jej to obce. – Przeważnie goście z młodymi, ale byłam też na weselu, gdzie fotograf przyniósł nad ranem takie różne zdjęcia.

– Dobrze, że nie chodzę po weselach. – Marlena wydęła pogardliwie usta. – Dopiero by mnie coś takiego wkurzyło.

– Bo cię nikt nie zaprasza – Czesia na to.

Marlena zmierzyła ją wzrokiem.

– Ciebie tak zapraszają. Odkąd tu jestem...

– A odkąd ty tu jesteś? Ledwo rok minął.

– Półtora.

Zenek, wycierając głośno nos w chusteczkę, poprosił, żeby pozwoliły Doris mówić dalej.

– To takie ciekawe – dodał. – I smutne.

– Smutne? – Uśmiechnęła się do niego promiennie. – To poczekaj. Smutne dopiero będzie.

Czesia poufale szturchnęła go w bok.

– Zostaw łzy na później, Zenek.

– No właśnie – dołożyła swoje Marlena. – Nie mazgaj się.

– To przez te filmy Halinki tak żem się nauczył. Co tylko, to mi łzy w oczach stają. Ale żem, kurwa, głupi!

Doris życzliwie położyła mu dłoń na ramieniu.

– Nie ma się czego wstydzić. Nikt się z ciebie nie śmieje.

– Ja bym wolał śmiać się z tego, co pani mówi, jak płakać – Zenek na to.

– Właściwie... – Lekko przymknęła pomalowane na niebiesko powieki. – Ja też bym wolała. Ale wtedy nie mogłam. Teraz chyba też jeszcze nie.

Doris nie udało się nie dowiedzieć, że jej mąż, przeglądając wywołane zdjęcia, by ewentualnie te słabsze odrzucić, spostrzegł, co uchwycił czujny obiektyw drogiego aparatu. Pan młody za stołem jedną ręką obejmował świeżo poślubioną żonę, drugą natomiast trzymał pod sukienką siedzącej z lewej strony druhny. Mąż Doris, wróciwszy na wesele, namierzył nowożeńca gdzieś w holu w otoczeniu rozbawionych i pijanych kumpli i dyskretnie podsunął mu zdjęcie. Na zblazowanym, bogatym gówniarzu nie zrobiło to żadnego wrażenia. Bez namysłu wyjął plik banknotów z kieszeni drogiej jak jasna cholera marynarki i, mówiąc, że ma nie zostać śladu po tym incydencie, wsunął forsę do ręki fotografa.

Doris nie mogła uwierzyć, że mąż w ogóle wziął te pieniądze. Gdy coś jej się wymknęło, jak trudno z kimś takim żyć, wybuchnął śmiechem.

– I dokąd ty pójdziesz, szara do bólu istoto? – rzucił jej w twarz. Gdyby nie ton i kontekst, te słowa mogłyby zabrzmieć niemal jak poezja. – Nie wiesz, że wyróżniasz się z tłumu jak szara gęś w stadzie kolorowych pawi? Jeśli zechcę, wszędzie cię znajdę.

Mówi się, że okazja czyni złodzieja. Doris powiedziałaby, że złodziej zawsze znajdzie okazję, by stać się złodziejem. Nigdy nie miała na to konkretnych dowodów, ale jest pewna, że od tamtej pory jej mąż nieraz wykorzystał obiektyw aparatu fotograficznego, by stać się łotrem. Którym był zawsze. I już nie stało się to przypadkiem, tylko w wyniku działań podejmowanych z pełną premedytacją. Krótko mówiąc, przekonał się, jak łatwo utrwalić w obiektywie wstydliwe chwile, by na nich bez trudu zarobić. Nie chwalił się już, bo chwalić nie było czym, ale Doris wiedziała, że dzieje się coś wstrętnego. W jego pokoju pojawił się sprzęt, na jaki wcześniej nie miał pieniędzy, i zaczął się ubierać w markowych sklepach. Wreszcie było go na to stać.

Ale to jeszcze nic. Najgorsze dopiero się zaczynało. Na jej oczach.

Po drugiej stronie ulicy w małym domku z ogródkiem mieszkało małżeństwo. On prowadził kilkuosobową firmę budowlaną, specjalizującą się głównie w remontach i wykańczaniu wnętrz. Ona nie robiła nic. Nie zajmowała się nawet psem, z którym on po dwunastu godzinach pracy wychodził na wieczorne spacery. Doris czasem pogłaskała psa, gdy mijali się z sąsiadem na chodniku. Specjalnie wychodziła niekiedy do sklepu albo do kiosku po drugiej stronie ulicy, by mogli się minąć. Uśmiechali się do siebie i mówili sobie dzień dobry, jak to sąsiedzi.

Psy mają szczególną umiejętność wyczuwania życzliwych sobie ludzi, więc nieraz sam ciągnął pana w jej stronę. Wtedy zamieniali ze sobą parę słów.

W nudne popołudnia Doris czasem stawała przy oknie i patrzyła na piękną i bardzo zgrabną brunetkę, miotającą się po ogródku, któremu nie poświęciła nigdy najmniejszej uwagi i do którego w ogóle nie pasowała. Nie pasowała też do swojego męża, który był zwyczajnym facetem. Nie było w nim niczego niezwykłego, sama prostota, zarówno w wyglądzie, jak i zachowaniu. I szczerość. Doris zazdrościła tej pięknej kobiecie dwóch rzeczy: męża, który świata poza nią nie widział, i ogrodu, w którym nigdy nie sadziła kwiatów. Zazdrościła jej więc wszystkiego. Ciągle myślała, jak to się dzieje, że dwoje ludzi żyje w związku i jedno jest bezwarunkowo szczęśliwe, a drugie dusi się, miota jak zwierzę zamknięte w ciasnej klatce. Takie wrażenie odnosiła, patrząc na tę kobietę. On był tak ślepo zakochany, że niczego nie widział. Zdaje się, że do pełni szczęścia brakowało mu tylko dziecka. Doris nigdy nie widziała, żeby ktoś tak bardzo się cieszył jak jej sąsiad, gdy ta zimna kobieta powitała go kiedyś na schodach przed domem, wyciągając przed siebie dłoń, w której trzymała niemowlęce buciki. Doris cieszyła się razem z nim mimo bolesnego ukłucia w sercu. Był jedynym jasnym punktem w jej szarym, wręcz mrocznym świecie. Zdziwiła się jednak bardzo, gdy następnego dnia zobaczyła jego żonę, która miotała się jak dawniej po ogrodzie. Coś tu było nie tak. I wkrótce dowiedziała się co. Wszystko było nie tak.

– Jak miała na imię miłość twojego życia, Doris? – spytała Marlena, gdy tamta na chwilę urwała, by napić się wody.

Filip ze zdumieniem spostrzegł, że twarz dziewczyny pozostała niezmieniona po tym pytaniu. Doris wypiła pół szklanki wody i powiedziała:

– Zwyczajnie: Marek. Miłość to za wiele. W porównaniu jednak z tym, co czułam do własnego męża... – Zamilkła i schyliła głowę, a potem uniosła ją i spytała: – Jakich miałyście mężów? Czesia, Marlena? Bo jakiego ma Olga, to wiem.

Czesia wzruszyła ramionami.

– Mój był normalny. Taki sobie... Raz było tak, raz siak, jak zawsze. Nieraz się pokłóciliśmy siarczyście nie wiadomo o co, a po chwili szliśmy pod rękę do kościoła albo do sklepu. Wszędzie chodziliśmy razem. Powinniśmy także razem umrzeć.

– Mój był ideałem – oświadczyła Marlena, wywołując ogólne zdumienie. – I co się tak dziwicie? Miałam szczęście poślubić wspaniałego człowieka.

– Dlaczego się rozwiedliście? – wykrztusiła Olga.

Marlena złożyła dłonie, oparła na nich brodę i przez chwilę bezmyślnie patrzyła przed siebie, póki Czesia nie szturchnęła jej łokciem.

– To przeze mnie. Bez przerwy czegoś szukałam...

– No i znalazłaś – tamta wpadła jej w słowo. – Dwóch.

Marlena gwałtownie pokręciła głową.

– Nie chodziło o facetów, Cześka. Nigdy nie chodziło o facetów.

– To o co mogło chodzić?

– Sama nie wiem. Ciągle gdzieś biegłam. Chwytałam się różnych zawodów, w żadnym się nie odnajdując. W pewnym momencie powinnam była zwolnić.

– Powinnaś – przytaknęła Czesia.

– Ale nie zwolniłam! Moja sprawa, moje życie. Nie mówimy teraz o mnie, zresztą nawet nie ma o czym mówić. Gdybym wtedy miała ten rozum, co teraz, do tej pory bylibyśmy szczęśliwym małżeństwem. Każdemu zdarza się coś w życiu przegrać. Wszystko, co przegrałam, przegrałam, niestety, na własne życzenie. Teraz siedzę tu i zastanawiam się, co udało się wygrać Doris.

– To ona coś wygrała? – zdziwiła się Czesia.

– Od pewnego grudniowego dnia nie jest z tym… Nawet nie wiem, jak go nazwać. Oszustem? Draniem?

– To za mało – cicho powiedziała Doris. – Mój mąż był po prostu złym człowiekiem. Ona też. Obserwowałam nieraz, jak mizdrzy się do niej przez ogrodzenie. Zwisało mi to. Zdziwiłam się jednak, gdy przez to ogrodzenie zaczęli ucinać sobie pogawędki. Chyba nie powinnam się dziwić. Swój ciągnie do swego. On ją próbował namówić na serię artystycznych zdjęć, zachwycając się przy każdej okazji, jak bardzo jest fotogeniczna. Nie mówiła „tak", nie mówiła „nie", nie mogłam jednak pozbyć się wrażenia, że ta kobieta coś kombinuje. Na zwykłe pogawędki z sąsiadem była zbyt wielką egocentryczką. Pewnego popołudnia zobaczyłam, jak Marek kopie w ogrodzie dół, w którym następnie pochował martwego psa. Postał chwilę nad usypanym kopcem, potem odwrócił się gwałtownie i wszedł do domu. Ona stała na tarasie i przyglądała się temu z kamienną twarzą. Ja stałam przy oknie i nie mogłam się ruszyć. Wiedziałam, że to jej sprawka. Domyśliłam się, że w swej podłości odebrała mu po prostu jedyną istotę, która zasługiwała na jego miłość. Wkrótce przekonałam się jednak, że zrobiła to z innej przyczyny. Kiedyś wróciłam wcześniej z pracy i zanim weszłam do domu, usłyszałam jej głos w naszej kuchni.

– Nie mogę tak dalej żyć! – mówiła nerwowo żona Marka. – Nie w ten sposób i nie z tym cholernym, przyzwoitym idiotą. Jestem młoda, chcę się ubrać, bawić, jeździć po świecie. Czekałam siedem lat, dłużej już nie zamierzam. Mam dość tej przeciętności, tych jego szczęśliwych oczu i tego: „cierpliwości, kochanie, cały czas inwestuję po to, żebyś miała wszystko, na co zasługujesz. Za dziesięć lat…". Dziesięć lat?! Za dziesięć lat będę stara. Nie potrafię się cieszyć jak on, że firma od początku pozwala na godne życie. Mam głęboko gdzieś taką godność. Chcę zacząć żyć naprawdę. I nie z nim.

– Spokojnie, na wszystko jest sposób. Na wszystko. – Cwaniacko-służalcza nuta w głosie męża przyprawiła Doris o mdłości.

– Na dniach ma dostać kredyt. Trzysta tysięcy, pod hipotekę. Ma od cholery zleceń, chce rozbudować firmę, zatrudnić więcej pracowników, zainwestować w najlepszy sprzęt. Drugiej takiej szansy prędko nie będzie.

– Zapłaci?

Kobieta roześmiała się nieprzyjemnie.

– A nie? Kiedy myśli, że jestem w ciąży? Żartujesz? Cały świat by mu się zawalił. Nie masz pojęcia, jak ten kretyn cieszy się z dziecka. Zapłaci bez namysłu. Dla ciebie dziesięć procent, dla mnie reszta.

Pod Doris nogi się ugięły. Serce zaczęło jej walić jak oszalałe.

– Dwadzieścia – zaproponował stanowczo mąż Doris.

– Pieprz się! – odparła zimno. – Czyje to w końcu pieniądze?! Ty tylko pstrykasz zdjęcia i przez parę dni przechowujesz pieniądze. Gdybym od razu dała nogę z kasą, byłoby to podejrzane. A tak jeszcze mu zrobię scenę o kredyt, że niby gdzie się podział. Rozumiesz, co kombinuję... Potem legalnie odchodzę, bez skazy, bez podejrzeń, i zaczynam swoje życie. Ty niczego nie ryzykujesz. Nawet dziwki nie potrafiłeś zorganizować...

– Jak by ci tu powiedzieć... Mam wrodzoną awersję...

– Dobra! Nie interesują mnie twoje fobie. Zrób, co do ciebie należy. I żebyś wiedział, że za parę złotych znajdę bez problemu człowieka, który zrobi ci z gęby miazgę, jeśli coś zakombinujesz z forsą.

– A co miałbym zakombinować?

– W czwartek przyznają mu kredyt – kontynuowała. – Popołudniami odpoczywa z tyłu domu na tarasie. Powiem, że chcę kupić parę ciążowych ciuchów, wezmę kluczyki i wyjdę. Będzie wdzięczny, że nie ciągnę go na zakupy, nienawidzi tego. Wychodzę, zostawiam otwartą furtkę. Dziwka już czeka w samochodzie na chodniku. Wchodzi i robi, co do niej należy. Resztę załatwiasz ty. Nie schrzań, bo taka okazja więcej się nie powtórzy.

– Nie ma czego schrzanić. Muszę tylko mieć szansę na wykonanie kilku niepozostawiających wątpliwości zdjęć. Jeśli od razu wyrzuci tę dziwkę...

– Będzie usiłował, ale to profesjonalistka. Da sobie radę. Masz już pomysł na resztę? Wszystko ma się odbyć w błyskawicznym tempie, żeby nie miał czasu się zastanowić. Nawet jednej chwili.

– Sprawdzony. Chwilę później dostanie płytę ze zdjęciami, informacją, ile kosztują i w jaki sposób ma za nie zapłacić. Szczegółów nie zdradzę.

– Daj mu tylko tyle czasu, ile potrzeba na podjęcie pieniędzy. Ja wrócę po kilku godzinach z torbami zakupów. Reszta według ustalonego planu. Kiedy dostaniesz trzy kolejne sygnały z tego numeru, przyjeżdżasz z kasą w umówione miejsce i od tej pory się nie znamy.

Doris na palcach wróciła do furtki, trzasnęła nią i dopiero wtedy głośno weszła do domu. Nadludzkim wysiłkiem woli zapanowała nad sobą, by w żaden sposób się nie zdradzić. Z głupawą miną i jeszcze głupszym uśmiechem wysłuchała naiwnej historyjki, mającej wytłumaczyć to tête-à-tête.

– Naprawdę? – cieszyła się jak ostatnia idiotka. – Naprawdę zgodziła się pani pozować mężowi? Na pewno wyjdą piękne zdjęcia.

Całą noc nie spała, rozmyślając, co zrobić: iść do Marka czy na policję. A jeżeli nikt jej nie uwierzy? A jeśli z jakichś przyczyn w ogóle nie dojdzie do całej sprawy? A jeśli sama to sobie wymyśliła? Za każdym razem, gdy odtwarzała w pamięci wszystko, co usłyszała, coraz mniej w to wierzyła. Nad ranem wpadł jej do głowy pewien pomysł.

W czwartek rano pojechała do szpitala. Wyciągnęła matkę na dziedziniec, usiadła z nią na ławce i bez żadnego wstępu oświadczyła:

– Mamo, muszę zniknąć na jakiś czas. Tak żeby nikt mnie nie znalazł. – Matka popatrzyła na nią i o nic nie spytała. Przeszły razem zbyt wiele, by po takiej wiadomości miała o coś pytać.

– Marcel – powiedziała.

– Marcel…? Jaki Marcel? Ten gospodarz ze wsi dziadków?

– Dziadkowie od dawna nie żyją. Nikomu nie przyjdzie do głowy, by tam cię szukać.

– Co on… Co ten Marcel… – Doris nie wiedziała, o co właściwie chce zapytać.

Dobrze pamiętała samotnego mężczyznę mieszkającego na skraju wsi. Matka odwiedzała go za każdym razem, gdy przywoziła tam Doris. Dziadkowie czasem dogadywali, że powinna za niego wyjść, przecież tyle ich łączyło, a nie wiadomo dlaczego wyszła za tego nieroba.

– Mamo… – wykrztusiła w końcu przez ściśnięte gardło. – To był twój…

– Do samego końca. Jak ja ciebie, tak i ty mnie o nic nie pytaj.

W czwartkowe popołudnie wszystko rozegrało się według ustalonego planu. Doris patrzyła z kuchennego okna, jak żona Marka wychodzi z podwórka, zostawiając niedomkniętą furtkę. Chwilę później z samochodu, zaparkowanego kilka domów dalej, wysiadła atrakcyjna kobieta, widać było, że to dziwka, weszła na posesję sąsiadów i od razu skierowała się do ogródka z tyłu. Mąż Doris wyślizgnął się z domu z aparatem, podszedł do płotu i, schowany za jakimś krzakiem, prawie od razu, z miną ostatniej kanalii zaczął pstrykać zdjęcia. Nie minęło kilka minut, jak Marek wyrzucił kobietę na ulicę, ale zobaczywszy zadowoloną minę swojego męża, Doris wiedziała, że miał dość niepozostawiających wątpliwości ujęć. Wystarczyło, że tamta przytuliła się do zaskoczonego mężczyzny i objęła go, wystarczyło cokolwiek.

Doris usiadła na schodach przed domem i z głową opartą na dłoniach obserwowała dalszy rozwój wypadków. Widziała, jak wzburzony Marek wyszedł z telefonem przy uchu do furtki i podniósł z chodnika kopertę. Po jakimś czasie wypadł z domu, wsiadł do samochodu i odjechał. Mąż Doris wyszedł z mieszkania, przeciągnął się leniwie i nie wyjaśniając jej, dokąd się wybiera, też odjechał. Wrócił po dwóch godzinach. Wyjął z bagażnika wielki worek na śmieci, w którym Doris dostrzegła kształt torby podróżnej, i poszedł z nią do piwnicy, gdzie sobie urządził pracownię, do której miała nigdy nie wchodzić.

Tylko że ona tam weszła, żeby się rozejrzeć i namierzyć wszystkie możliwe skrytki.

Doris miała prosty plan. Głównym jego punktem było przejęcie trzystu tysięcy, zanim żona Marka je zabierze, i ucieczka z pieniędzmi do Marcela. W odpowiednim czasie dawny kochanek matki miał przyjechać do Marka i oddać mu całą tę sumę. Oczywiście jak najszybciej, zanim bank zacznie się upominać o swoje raty i odsetki, żeby Marek nie stracił małego domku z ogrodem na przedmieściu, całego dorobku swego życia. Doris natomiast zamierzała pozostać na wsi, prać i gotować Marcelowi, a także pomagać mu w gospodarstwie. Najważniejsze, aby uratować Marka przed bankructwem, a siebie uwolnić, raz na zawsze, od kanalii. Żona Marka miała zamiar po kilku dniach zabrać forsę. Doris aż tyle sobie nie dała. Postanowiła działać natychmiast. Dlaczego? Zwyczajnie się bała. Jej mąż, kanalia, wyszedł gdzieś, rzucając w przelocie, że wróci późno. Doris szybko spakowała kilka podstawowych rzeczy do niewielkiej torby podróżnej i napisała na kartce: „Odchodzę do innego. Z czymś, co nie należy do ciebie. Nie próbuj mnie szukać". Potem pobiegła do piwnicy, przepakowała pieniądze do innej torby i spiesznie wróciła do mieszkania. Dotąd wszystko szło zgodnie z planem. Tylko że nagle sprawy przybrały całkiem inny obrót.

Wróciwszy do kuchni, by napić się wody, bo strasznie zaschło jej w gardle, Doris zerknęła w okno i na chwilę znieruchomiała. Na środku ulicy siedział w samochodzie

Marek. Silnik cały czas chodził, Marek co jakiś czas dodawał tylko gazu na wciśniętym sprzęgle. Doris nie miała wątpliwości, na kogo czekał. Wyskoczyła z dwiema torbami przed dom, nie wiedząc, co teraz zrobić, i wtedy zobaczyła samochód jego żony, wjeżdżający w uliczkę. Marek ruszył gwałtownie wprost na nią. Doris upuściła torby i zasłoniła oczy dłońmi. Żona Marka w ostatniej chwili zjechała na chodnik, uderzyła jednak w bok samochodu męża. Wóz Marka z wielkim hukiem zatrzymał się na kiosku, w którym na szczęście o tej porze nikogo już nie było. Doris skamieniała z przerażenia i nie była w stanie się ruszyć. Dopiero gdy przyjechał policyjny radiowóz, podniosła obie torby i ruszyła z nimi w kierunku policjantów. Wtedy tamta kobieta wyskoczyła ze swojego auta i zaczęła krzyczeć, że mąż chciał ją zabić. Doris zbliżyła się do policjantów; zaraz odda im pieniądze i opowie wszystko, jak było. Zanim jednak zdążyła się odezwać, policjanci wywlekli Marka z auta. Wyrwał im się, a gdy próbowali go obezwładnić, pchnął jednego tak mocno, że ten uderzył głową o słupek ogrodzenia, a drugiego po prostu pobił. Furia wyzwoliła w tym zwykłym, przeciętnym człowieku nieprawdopodobną siłę. Wtedy podjechał na sygnale drugi radiowóz. W następnej chwili Marek został obezwładniony, skuty kajdankami i zabrany na posterunek.

Doris stała na środku ulicy, ściskając w dłoniach torbę z trzystoma tysiącami złotych. Wiedziała, że mąż może wrócić w każdej chwili. Zdawała sobie sprawę, że ten pozbawiony wszelkich skrupułów drań nie pozwoli jej odejść. Prędzej ją zabije. Odwróciła się i szybkim krokiem poszła w stronę przystanku.

※ ※

– Pamiętam… – Po raz pierwszy, odkąd usiedli, twarz Filipa rozjaśnił prawdziwy, radosny uśmiech. – Pamiętam, że milczeliśmy wtedy bardzo długo. Oczami wyobraźni każdy z nas widział Doris, zmierzającą zapyziałą uliczką na przedmieściach Krakowa, z trzystoma tysiącami złotych w torbie. To było niesamowite.

– Wyobrażam sobie. Doris trochę was zaskoczyła.

– Powaliła nas na kolana. Tak jak mówiłem, od jakiegoś czasu wszyscy zdawali sobie sprawę, że tak do końca nie jest tamtą słodziutką dziewczynką ani trzepoczącą rzęsami Barbie, która pewnego grudniowego wieczora pojawiła się w Magnolii. Nikt jednak nie spodziewał się takich rewelacji.

– Jak to się stało, że tu się znalazła?

– Dobre pytanie. Takie samo zadawaliśmy sobie, patrząc w osłupieniu na Doris. Zdawało nam się… Mnie się zdawało, że Doris po tym wyznaniu bardzo dojrzała.

– Może dlatego, że stała się prawdziwsza.

– Może tak, może nie. Do jej słodkiego wizerunku już każdy z nas zdążył się przyzwyczaić. Pod starannym makijażem dostrzegłem twarz młodej kobiety, która miała odwagę stanąć do walki z losem, z tym, co wydawało się

249

już przesądzone. Była wyczerpana. Któreś z nas powiedziało, żeby poszła się położyć, a wtedy Doris gwałtownie pokręciła głową i odparła, że nigdy w życiu byśmy jej tego nie wybaczyli. Poniekąd miała rację.

🐝 🐝

Tego samego dnia późną nocą zjawiła się u Marcela. Zorientowała się od razu, że został uprzedzony o jej przyjeździe, zrozumiała więc, że cały czas byli z matką w kontakcie. O nic nie pytał, ale Doris sama o wszystkim mu powiedziała. Nie skomentował jej decyzji. Był prostym, konkretnym, trochę gburowatym człowiekiem. Wstawał o świcie i brał się do roboty, a gdy nadszedł wieczór, kładł się spać. Pokazał jej wszystko i powiedział, żeby jakoś spróbowała się urządzić w tym bałaganie, on sam nie będzie się do niczego mieszał. Sprzątała mu, gotowała, a także trochę pomagała w polu i oboje byli z tego zadowoleni. Nie przyjeżdżała tutaj od wielu lat, nikt jej więc nie rozpoznał i nie pamiętał, co nie znaczy, że nie budziła pewnego zainteresowania. Gospodarstwo Marcela znajdowało się na końcu wsi, w pewnym oddaleniu od innych, Marcel jednak uznał, że lepiej, by się nie ukrywała, bo i tak ktoś ją w końcu gdzieś zobaczy, a wtedy będzie jeszcze gorzej. Nie ukrywała się więc. Swobodnie chodziła po obejściu, przyganiała krowy z łąki i wieszała pranie na sznurkach przed domem. Gdy ktoś się o nią pytał, Marcel z kamienną twarzą odburkiwał, że córka cudem mu się gdzieś w świecie odnalazła. A co, może za młodu nie jeździł trochę tu i tam?

– Marcel – wypytywała go Doris, chodząc za nim po podwórku – a może ja naprawdę jestem twoją córką?

– Chciałabyś – mówił jej na to.

– No pewnie, że bym chciała.

Gdy jej się znudziło z tą córką, pytała, czemu się w końcu nie ożenił. Dobra żona w takim gospodarstwie to skarb.

– Ciekawe jak! – odpowiadał bez namysłu. – Twoja matka co roku przyjeżdżała, pakowała mi się do łóżka i do następnego łeb miałem nabity tylko tym jednym.

– No dobrze, to wtedy. – Doris nie rezygnowała. – Ale później, jak przestałyśmy przyjeżdżać?

– Później ja jeździłem do niej.

Doris aż usiadła. W życiu by nie powiedziała, pamiętając, z jaką pokorą (a może rezygnacją) matka podawała obiad mężowi nierobowi, że do czegoś takiego była zdolna. Wtedy przyszło jej do głowy, że każda, najbardziej nawet stłamszona życiem istota znajdzie sposób, by zdobyć swój kawałek szczęścia. Dziwiła się tylko jeszcze od czasu do czasu, czemu mama w końcu nie zostawiła ojca i nie przyjechała do Marcela, który i jako mężczyzna, i jako człowiek bardzo się Doris podobał.

– To samo jej mówiłem – odpowiadał Marcel, marszcząc czoło. – Żeby przyjechała i o nic więcej się nie martwiła. Dla mnie sprawa była prosta. Ale widać dla niej nie.

Dużo by opowiadać o kilku miesiącach w domu Marcela, ale Doris przecież do czego innego zmierzała. Uwolniła się od strachu i po raz pierwszy od bardzo dawna poczuła prawdziwą wartość życia. Uwolniła się przede wszystkim od zła, nawet na chwilę jednak nie zapomniała o Marku. Sen z oczu spędzały jej myśli o tym, co się z nim dzieje. Jego żona i własny mąż nie obchodzili jej wcale.

Jesienią Marcel pojechał do Krakowa, aby zasięgnąć języka. Szykował się pół dnia i zapewniał Doris, że zawsze jest jakiś sposób, by się czegoś dowiedzieć. Tak chętnie zgodził się to zrobić, że Doris przypuszczała, iż miał również w planach spotkanie z jej matką. Chyba się nie myliła, bo wrócił bardzo późno, jakby trochę mniej gburowaty, i nie czekając, aż zacznie go wypytywać o to i tamto, od razu przeszedł do rzeczy.

– Jest w więzieniu. W jakiejś dziurze w Bieszczadach. Dwa i pół roku, za pobicie policjantów.

Gdy z jękiem opadła na krzesło, wygrzebał z kieszeni zmięty skrawek papieru, wyprostował i podał jej, mówiąc:

– O, masz, zapisałem miejscowość. Możemy zaraz sprawdzić na mapie albo w internecie, będziesz wszystko wiedziała.

Przez dwa miesiące Doris nie spała po nocach, rozmyślając, co zrobić, i jak tę sprawę rozwiązać. Powrócił strach na samą myśl o tym, że musi opuścić jedyne miejsce, w którym czuła się bezpieczna.

Jej mąż to żaden mafioso, którego macki sięgają wszędzie, tylko mały, żałosny drań, jednak gdy zdała sobie sprawę z tego, że miałaby się stąd ruszyć, ogarniał ją paraliżujący strach. Bała się, że zostawi gdzieś po sobie jakiś ślad, który go do niej doprowadzi, przez przypadek wpadnie na kogoś, kto ją rozpozna. Bała się setki różnych rzeczy, których właściwie nie powinna się bać, cały czas wiedziała jednak, że mały drań może się zmienić w wielkiego drania, gdy w grę wchodzą duże pieniądze.

– Zmień się – poradził jej pewnego dnia zniecierpliwiony jej obawami Marcel.

– Jak mam się zmienić? – spytała zaskoczona.

Wzruszył ramionami.

– Zwyczajnie. Dla bab to chyba nie takie trudne.

Wtedy ją olśniło. W jednej chwili zrozumiała, że nawet jeśli jej cholerny mąż stanie na głowie, by ją odnaleźć, będzie przetrząsał z maniackim uporem mniejsze lub większe miejscowości i wypytywał, to zawsze i wszędzie będzie szukał cichej, szarej gęsi w rozkrzyczanym stadzie kolorowych pawi. Musiała się zmienić. I nie tyle fizycznie, ile mentalnie, od środka – stać się kimś innym i zapomnieć nawet, jak ma na imię.

– Dorota – podsunął Marcel, któremu bardzo się spodobała cała ta maskarada, gdy Doris nakupowała w najbliższym miasteczku ciuchów, zaczęła się przebierać i ćwiczyć bycie inną osobą. – To ładne imię.

Jej też się spodobało. Pewnego dnia stanęła przed lustrem ubrana we wszystkie odcienie różowego, zatrzepotała rzęsami i powiedziała:

– Cześć, Dorota… – Ale zabrzmiało to jakoś nie tak. Spróbowała inaczej: – Dorotka… A może Doris?

– Doris będzie w sam raz – uznał Marcel i od tej chwili Anna Woźniak stała się Dorotą Leszcz (nazwisko jakoś tak samo się nasunęło, w sumie takie czy inne, nie miało to żadnego znaczenia), czyli Doris.

Znaleźli w internecie Magnolię, niezbyt reprezentacyjne miejsce, nawet nie hotel, na skraju mało komu znanej, oddalonej od świata bieszczadzkiej wsi, kilka kilometrów od więzienia.

Marcel dał jej starego opla. Od dwóch lat stał w stodole, odkąd kupił sobie terenówkę, która lepiej sprawdzała się na tutejszych drogach, i zapewnił Doris, że dojedzie tym autem na koniec świata. I to on doradził, żeby wyruszyła tuż przed świętami, bo to taki okres, kiedy cały świat głupieje, a policja na wiele przymyka oko na drodze, gdyby miało jej się co, nie daj Bóg, przytrafić. Doris była słabym kierowcą i poza wszystkim innym bardzo się tej jazdy obawiała. Nic złego jednak się nie stało. Szczęśliwie, w pewien grudniowy, śnieżny wieczór, dwa dni przed świętami, dojechała do Magnolii.

Gdy wysiadła z samochodu przed słabo oświetlonym, ginącym w ciemności budynkiem, serce, które łomotało jej w klatce piersiowej od chwili rozpoczęcia podróży, wreszcie się uspokoiło. Rozejrzała się dookoła i zanim zatrąbiła, by obwieścić swój przyjazd, pomyślała: Kto mnie tu znajdzie? Jakim cudem? Jaki przypadek może sprawić, że wyjdę ze sklepu, który mijałam dwie minuty temu, akurat w tym samym momencie, gdy ktoś z mojej przeszłości będzie do niego wchodził? Takie przypadki nie istnieją.

I wtedy, po raz pierwszy od wielu miesięcy, bardzo zachciało jej się spać. Wyśpię się, uznała, ledwie trzymając się na nogach, pobędę tu parę dni, rozejrzę się i znajdę sposób, żeby jakoś się skontaktować z Markiem. Po to tu przyjechałam.

– Po to tu przyjechałaś?! – zawołała nienaturalnie wysokim głosem Marlena. Gdy Doris skinęła głową, tamta już nieco spokojniej dodała: – Taka głupia jesteś Doris, że nie wiem!

Wszyscy wlepili oniemiały wzrok w Marlenę, a Jaszczuk schował prawą rękę pod stół, chyba tylko po to, żeby tej jędzy nie zdzielić. Filip przez chwilę miał na to wielką ochotę.

– Pozwól, że jeszcze coś powiem… – Doris, lekko zmieszana, wybita z jakiegoś rytmu, zerknęła na nią niepewnie, a potem na Czesię, jakby u niej szukała pomocy. Czesia demonstracyjnie odsunęła się od Marleny.

– Mów – łaskawie przyzwoliła tamta. – A potem ja coś powiem. Wtedy wszyscy razem będziecie się mogli zastanawiać, czy mnie udusić, czy może zastrzelić.

– Ja cię uduszę, a później zastrzelę – oświadczył Filip. Bywały momenty, gdy miał dość wielkiej szczerości lub, jak kto woli, lekkiej arogancji Marleny. To był właśnie taki moment. – Mów, Doris.

Doris powiedziała coś, co z grubsza wszyscy już wiedzieli: Magnolia ją wchłonęła, otoczyła z każdej strony bezpiecznym kokonem i w pewnym sensie także uśpiła. Budziła się każdego dnia i cieszyła się życiem. Było tak pięknie. Kilka kilometrów dalej tkwił w bezpiecznym zamknięciu ktoś, kto sprowokował wydarzenia, bez których do tej pory byłaby szarą, pozbawioną woli Anną Woźniak, i była mu za to dozgonnie wdzięczna. Malowała lub krzątała się po Magnolii, wiedząc, że on będzie tam przez wyznaczony wyrokiem czas. Wszystko, co złe w jego życiu, już się stało, wszystko, na co pracował, dawno przepadło i nie było siły, by w pewnym momencie to zatrzymać. Doris krążyła wokół więzienia, sama nie wiedząc, na co liczy. Gdy zrobiło się ciepło i więźniowie chętniej wychodzili na boisko, zaczęła ich obserwować, mając nadzieję, że go tam dojrzy, a wtedy podejdzie bliżej i da mu jakiś znak. Znajdzie w końcu sposób, by mu przekazać, że coś dla niego ocaliła. Łatwo mówić, że pieniądze nie są najważniejsze, gdy ma się ich pod dostatkiem. Ale kiedy jest się na całej linii bankrutem, na jakiś dobry początek mogą się przydać.

Doris właściwie na nic nie liczyła. Chciała, żeby się do niej uśmiechnął, jak wtedy, gdy mijali się na chodniku przed domem. Ona też chciałaby się do niego uśmiechnąć i zapytać, jak to się stało, iż tak szybko się zorientował, że jego ukochana, przepiękna żona uczestniczyła w tym łajdactwie.

Już się niczego nie bała. I od dawna nie grała Doris. Stała się nią i będzie tamtą nawet wtedy, gdy odda Markowi trzysta tysięcy i cała sprawa wreszcie się zakończy…

– Doris? – przerwała Czesia, wlepiając w nią wzrok. – Chcesz powiedzieć, że te pieniądze tu są? W Magnolii?

– A gdzie miałyby być? Przecież wam mówiłam, że w jednej z toreb mam pieniądze. Nie pamiętasz?

– Mówiła – potwierdził Filip.

Czesia zerwała się od stołu.

– A kto by w to uwierzył? Tyle forsy?! Nad naszymi głowami? Doris, ty naprawdę jesteś głupia. Jeździsz sobie z torbą pełną forsy jakby nigdy nic, to do Marcela, to tu… Pozbądź się tych pieniędzy jak najszybciej, ja nie chcę tutaj kłopotów.

– Jakich kłopotów? – zdenerwowała się tamta. – Pół roku tu leżą i co? Były jakieś kłopoty?

– Bo nikt o nich nie wiedział.

Doris załamała ręce.

– Wystarczy, że ktoś gdzieś coś chlapnie – nie ustępowała Czesia.

– Ja nic nie wiem o żadnej forsie! – Jaszczuk uderzył się dłonią w pierś. – Nawet Halince nie powiem.

– Przestańcie! – krzyknęła Marlena.

Wszyscy spojrzeli na nią z ukosa.

– Od dawna wiem, że nie jesteś głupią gęsią, Doris – zaczęła. – Nie w tym sensie to powiedziałam, a wszyscy omal mnie nie zlinczowali. Jesteś głupia, że wcześniej wszystkiego nie powiedziałaś.

– Po co?

– Po to, że bardzo dobrze znam dyrektora tego więzienia. To jedno z najładniej położonych w kraju, notabene. W dalszej części więziennego budynku jest kilka gościnnych pokoi, wykorzystywanych w różnych celach. Pracownicy więziennictwa chętnie tu przyjeżdżają na normalny wypoczynek. Korzystają z uroków natury i tak dalej. Jeśli mnie kiedykolwiek słuchaliście, to pamiętacie, jak mówiłam, niejeden raz zresztą, że przez pewien czas byłam legalnym pracownikiem więziennictwa.

– Mówiłaś, że psychologiem – wtrąciła Czesia.

– Więziennym! – wydarła się Marlena. – Ktoś jest zainteresowany, do czego zmierzam?

Rozejrzała się dookoła. Nie musiała już nic mówić, ale dodała jeszcze:

– Jutro skoczę do Mańka, naświetlę mu z grubsza sprawę...

– Nic nie mów o forsie! – wpadła jej w słowo Czesia.

– O forsie nic nie powiem, bo nie jestem głupia, tylko zapytam, kiedy dałoby się zorganizować, bez żadnych formalności i najmniejszych ceregieli, spotkanie Doris z Markiem.

Doris zakryła twarz dłońmi.

– Marlena! – jęknęła.

– Potem mi podziękujesz. Powiesz Markowi, że cała jego forsa jest bezpieczna...

– Nie cała – szepnęła tamta. – Jakaś część z tego poszła

na ciuchy, farby, różne takie duperele i pobyt tutaj... Mniej więcej dziesięć procent...

– Tyle, ile miała wynosić działka twojego męża?

Doris potulnie kiwnęła głową. Filip zamaszystym ruchem odsunął od siebie pustą szklankę i wstał.

– Tyle, ile wynosi znaleźne! – oświadczył stanowczym tonem. Potem popatrzył na nie z góry i kręcąc z niedowierzaniem głową, dodał: – Niby ją podnosicie na duchu, a z drugiej strony nie przepuścicie okazji, żeby jej nie dołożyć. Jak wy mnie czasem denerwujecie!

– Dokładnie tyle, Doris! – Marlena potwierdziła pierwszą część przemowy Filipa, całkiem pomijając reprymendę. – Wkrótce zobaczysz się z Markiem, nic się nie bój.

Doris odgarnęła włosy z czoła i szepnęła:

– Nie boję się już. Czasem jeszcze, tak bez żadnego strachu, przychodzi mi do głowy myśl, że jednak ktoś tu kiedyś się pojawi, przyjdzie nie wiadomo skąd...

– Niech przyjdzie – przerwał jej Zenek Jaszczuk. – I niech spróbuje coś ci zrobić!

Ledwo umilkł, odezwał się jego telefon. Wygrzebał go z przepastnych kieszeni i odebrał.

– Halinka? Co chcesz? Zaraz będę w domu... Co? Nie, nic nie wiemy.

Słuchał przez chwilę, a potem się rozłączył, popatrzył na nich dookoła i powiedział:

– Halinka mówi, że przed wieczorem u Tuśki była policja, pogotowie i opieka społeczna. Pyta, czy nic na ten temat nie wiemy.

CZĘŚĆ IV

Pogotowie przyjechało do matki Tuśki. Potem zjawiła się zawiadomiona przez sanitariuszy policja z opieką społeczną i wszyscy zobaczyli, że w tym domu od dawna była tragedia. Poza kartoflami i jakimiś warzywami, które Tuśka skądś przywlokła, nie znaleziono nic do jedzenia. Sześcioro przerażonych dzieci, w tym troje jeszcze całkiem małych, stało w sieni, tuląc się do najstarszej Tuśki.

Ich ojciec ciągle chwytał się jakichś dorywczych zajęć. Gdy na jesieni ubiegłego roku wyrzucono go z zakładów drzewnych za picie alkoholu w pracy, wyszedł z domu, mówiąc, że idzie szukać nowej roboty, i tyle go widzieli. Matka z początku próbowała jakoś to wszystko ogarnąć. Były jeszcze mizerne zapasy z pola i niewielkie pieniądze, które udało jej się z nędznych zarobków męża odłożyć na czarną godzinę. Potem jedli już tylko kartofle i to, co dostała Tuśka. Od jednych przynosiła mleko, od innych jajka, a z Magnolii resztki dla psów. Zimą matka popadła w głęboką depresję. Snuła się po chałupie, nic nie mówiąc, albo stawała przy oknie i patrzyła w nie, nawet przez parę godzin. Wiosną nie wyszła już na pole koło domu, żeby posadzić kartofle i zasiać warzywa. Tuśka z dziesięcioletnim bratem skopała ręcznie kawałek ziemi, zasadziła dwa rządki kartofli i wsiała trochę nasion warzyw, których resztki z poprzedniego roku znalazła w komórce. Kartofle zjedli w dwa tygodnie, warzywa prawie wcale nie wzeszły.

Matka już prawie nie wstawała z łóżka. Leżała na boku i patrzyła w ścianę albo na plecach, gapiąc się cały dzień w sufit. Nad rodzeństwem czuwał dziesięciolatek, bo Tuśka od rana biegała po okolicy, usiłując wyprosić wszystko, co komu zbywało albo miał wyrzucić. Tu nazbierała spadów z czyjegoś ogrodu, tam przerośniętych ogórków, a gdzie indziej dostała stare kartofle. Sklepowa czasem zostawiała jej przeterminowaną mąkę, ryż albo makaron, bo wolała podarować to rodzinie z siedmiorgiem dzieci, niż wyrzucić. Tak jak wszyscy, tak i ona nie podejrzewała jednak, że tam jest aż taka bieda. Tuśka zawsze potrafiła w ten sposób zagadać, że wyglądało, jakby wszystko, co ktoś jej dawał, brała tak sobie, od niechcenia. „A mogę wziąć. Najwyżej psy zjedzą" – mówiła wesoło, dodając, że ciotka Sabina bogata, a też nigdy niczego nie wyrzuca.

Któregoś dnia matka wstała z samego rana. Rozejrzała się po chałupie, popatrzyła przez okno, zerknęła na Tuśkę, piorącą w misce ubranka trójki najmłodszych, a potem podcięła sobie żyły.

– Dobrze, że mała wiedziała, co zrobić – odezwała się po bardzo długiej chwili milczenia Olga. Od dobrej godziny siedzieli w sali jadalnej i patrzyli po sobie. – Nie każdy dzieciak wie, jak i w którym miejscu zacisnąć opaskę, żeby powstrzymać krwotok.

– Tuśka dużo wie – przytaknęła Czesia. – Jednego się naczyta, drugiego nasłucha...

Urwała w połowie zdania i znowu zapadło milczenie. Filip, skulony w rogu kanapy, gasił kolejnego papierosa w masywnej popielniczce.

– Tacy jesteśmy wszyscy mądrzy. Tacy mądrzy – powiedział w pewnej chwili i rzucił popielniczką w ścianę. Tyle że trafił w okno.

Po południu, gdy Czesia z Marleną wydłubywały z ramy resztki szkła, żeby wstawić nową szybę, którą od szklarza miał przywieźć Jaszczuk, a Filip i Doris pojechali się czegoś dowiedzieć, wpadła do Magnolii Olga z informacją, że z matką Tuśki jest już lepiej. Fizycznie, bo leczenie psychiki wymaga chyba o wiele więcej niż kilka szwów i kroplówek.

– Jak się Adam dowiedział, co się stało – mówiła Olga, zgarniając na szufelkę kawałki szyby z podłogi – to usiadł.

– Jak to usiadł?! – wykrzyknęła Czesia.

– Normalnie. Usiadł i powiedział: „No co ty?!".

– I siedzi.

Olga pokręciła głową.

– Leży, jak leżał. Swietłana mówi... Po swojemu, jak to Swietłana... że teraz już inaczej czuje jego ciało, niż czuła na początku, i że to w nim samym siedzi jeszcze jakaś niewiara. Tak go maltretuje codziennie, że Adam woła mnie za każdym razem i drze się, że jakby wiedział, toby wcale tej Swietłany pod dach nie wpuszczał. Ale ona ma to w nosie i mówi, że nie odpuści.

– Ty też czasem nie odpuszczaj – poradziła Czesia, klnąc cicho pod nosem, bo się skaleczyła.

– Nie mam zamiaru. Jak mi nudzi wieczorami, żebym się jej pozbyła, odpowiadam tylko jedno: „To wstań. Wtedy ją zwolnię". Swietłana odejdzie dopiero wtedy, kiedy sama zechce. Na razie się na to nie zanosi.

Filip z Doris wrócili przed wieczorem i nie mieli dobrych wiadomości. Całą siódemkę porozwożono po różnych placówkach, tam, gdzie było miejsce, w Sanoku, Przemyślu, a nawet w Krośnie. Dziewczyny z opieki społecznej wypytywały dzieciaki o jakąś rodzinę w okolicy, ale te znały tylko wujka ze strony ojca w Komańczy. Tam nie było jednak warunków nawet dla jednego.

– Zaraz, zaraz, a ta ciotka Sabina – przypomniała sobie Marlena – o której Tuśka bez przerwy gadała. – Co rusz podobno u nich była, więc chyba mieszka gdzieś niedaleko. No nie kojarzycie? Mała bez przerwy mówiła: ciotka Sabina to, ciotka Sabina tamto…

– Ciotka Sabina – przerwała Olga – to młodsza i jedyna siostra Kaliny, matki Tuśki. Chodziłam z Kaliną do jednej klasy, stąd pamiętam, bo Kalina też o niej bez przerwy wspominała.

– Gdzie mieszka? – zapytał z nadzieją Filip.

– Nigdzie – odparła Olga. – Utopiła się dawno temu.

– No masz! – Czesia opadła na ławę, kładąc ręce

na kolanach. – To czegoś nigdy nie prostowała tych bredni małej?

– Po co? Ja też czasem lubię wyobrażać sobie coś, czego nie ma. Trochę mi wtedy łatwiej. Może Tuśce z ciotką Sabiną też było łatwiej, jak myślicie?

Nie było odpowiedzi.

Filip nie spał tej nocy. Ani następnej. Ciągle widział rozbiegane oczy małej i słyszał jej irytujący głos. Myślał, jak bardzo musiała być samotna w swoich nieustannych staraniach o to, by cały świat dookoła nie dowiedział się, jak u nich źle, i nie zareagował, rozdzielając całą rodzinę dla jej dobra. W końcu tak się stało.

– Moja żona – odezwał się przy porannej kawie Marleny po trzeciej nieprzespanej nocy – nie mogła wytrzymać komfortu, jaki przyszło jej znosić każdego cholernego dnia, przewidywalności i pewności każdego cholernego jutra. Śmiertelnie ją to znudziło.

– Dlaczego akurat teraz o tym mówisz? – zainteresowała się Marlena.

Filip obojętnie wzruszył ramionami.

– Nie wiem. Tak mi przyszło do głowy – odparł i natychmiast zmienił temat: – Jakie są szanse, że Tuśka odzyska rodzinę w pełnym składzie?

– Duże – odrzekła Marlena, ale zaraz dodała: – I małe.

– To duże czy małe? – Czesia zawsze chciała wszystko wiedzieć konkretnie: albo tak, albo siak.

– Jest matka, to plus, ale stan, w jakim się znajduje, to minus. W takim stanie trudno zadbać o siedmioro dzieci, nawet gdyby opieka społeczna przyznała im jakieś regularne środki, co w tej sytuacji wydaje się bardzo uzasadnione. Plus z minusem zawsze daje minus i tak to, niestety, w tej chwili wygląda.

– Trzeba to zmienić – zdecydował Filip. – Gdzie Doris?

– Liczy pieniądze na górze – odpowiedziała obojętnym głosem Czesia.

– Po co?

– Chce się przekonać, czy naprawdę wydała dziesięć procent, czy może trochę mniej. Bardzo się tym przejęła. Niektórzy – tu spojrzała z góry na Marlenę, siorbiącą kawę – to się nie potrafią powstrzymać, żeby czegoś nie chlapnąć.

– Jak nie ja, to ty sama byś chlapnęła – odparła atak Czesi Marlena i rozpostarła przed nosem gazetę. – Emerytury wcześniejszej chcą mnie pozbawić, złodzieje – skomentowała prasowy nagłówek, bo od jakiegoś czasu czytała już tylko tytuły artykułów.

– To jeszcze na niej nie jesteś?

Tego Marlena nie skomentowała. Filip wstał, spojrzał na nie i powiedział, że jedzie do Olgi.

– Po co? – zainteresowała się Marlena.

– Żeby się na nią pogapić. To nie wiesz? – odpowiedziała za Filipa Czesia. – Bo dawno się na nią nie gapił. Aż od wczoraj. Jedź. To, że Gorzelak nie wstaje z łóżka, nie znaczy, że nic nie widzi. Ale ty pewnie masz to w nosie.

– Mam to w nosie – przytaknął Filip i wyszedł. W samą

porę, pomyślał, zobaczywszy czwórkę obładowanych plecakami turystów, którzy właśnie wchodzili w bramę.

🙢 🙢

Cztery wzgórza, na które Filip patrzył od roku, gdy przyjeżdżał po chleb, a potem choć na chwilę przysiadał na ławce, nakładały się na siebie i z tej odległości wyglądało to tak, jakby jedno wyrastało z drugiego i nie stały w żadnej odległości od siebie. Piąte, zamykające horyzont, miało długość czterech pozostałych i całe było zalesione. Znał każdy fragment tego widoku na pamięć, a mimo to wciąż na nie patrzył.

– Natura potrafi stworzyć coś, co nigdy się nie nudzi – mówił, spoglądając gdzieś w dal za torami. – Byle drzewo, byle kawałek łąki za oknem, na które czasem odruchowo się gapisz, nigdy cię nie znuży. Ale od ludzi czy pomieszczeń od czasu do czasu trzeba wziąć głęboki oddech.

– Uciekając do innych? – zagadnął Maciek.

– Olga, ze swym wewnętrznym spokojem i oddaniem, była jak fragment natury za oknem, do którego bezwiednie podchodzi się wiele razy dziennie, by po prostu popatrzeć na ten widok. Co mam ci powiedzieć, przyjacielu, albo co miałem im powiedzieć, Czesi i Marlenie? Że kocham Olgę czy tylko jestem w niej zakochany? Pierwsze znaczyłoby zbyt wiele, a drugie za mało. To jakieś uczucie pomiędzy, dobre i przynoszące ulgę, radość, nawet w tak

okropnych dniach jak wtedy. Nie chciałem tego tłumaczyć, tylko odczuwać, bo było piękne. Nie chciałem też
z nikim o tym rozmawiać. Nawet z Doris, która kiedyś
stawała przy kuchennym oknie, by popatrzeć na Marka,
wychodzącego na spacer z psem.

– Spotkała się z nim w końcu?

– Tak, ale nie od razu. W każdym razie nie tak szybko,
jak można było się spodziewać.

– Dlaczego?

– Najpierw wynikła sprawa z Tuśką. Dziewczyny się
wokół tego wszystkiego trochę kręciły, dopytywały, usta-
wiały jej matkę, żeby zaczęła się natychmiast leczyć – nie
było czasu i atmosfery.

– A potem?

– A potem to w sumie nie wiem. Ale czy kto kiedy
trafił za Doris!

🐌 🐌

Doris najpierw wpadła w wielki entuzjazm, a potem całe
to zamieszanie wokół rodziny Tuśki trochę ją przystopowało.
I może dobrze, powiedziała Marlena, bo poleciałaby na wi-
dzenie, rzuciła się facetowi na szyję i spłoszyła go jak nic,
a tak, to może jeszcze coś z tego wyniknie. Coś, o czym będzie
można pogadać w długie i nudne jesienne wieczory, które
według Cześki nastaną, zanim się człowiek zdąży obejrzeć.

Podczas gdy Doris z Olgą dwa razy w tygodniu jeździły
do szpitala w Sanoku, usiłując podnieść na duchu matkę

Tuśki i przekonać ją, że jest o co walczyć, tylko najpierw należy się porządnie wyleczyć, Marlena przecierała ścieżki w opiece społecznej. Powołując się najpierw na znajomości, co na pracownikach biura nie zrobiło najmniejszego wrażenia, a potem na bogate doświadczenie w pracy z dziećmi ze skrzywionym życiorysem („Łże jak pies" – powiedziała potem Cześka), wymogła na urzędnikach obietnicę, że jeśli sprawy przyjmą wymagany obrót (Cześka pięć razy dopytywała się, co to właściwie znaczy), cała rodzina wróci do domu jeszcze przed rozpoczęciem szkoły.

– Dobre i to – powiedziała Marlena i dopiero wtedy wybrała się do więzienia, by przypomnieć jego dyrektorowi dawne dobre czasy, a przy okazji napomknąć, jakby od niechcenia, że jest taka i taka sprawa, i zapytać ze słodkim uśmiechem, czy można by jej nadać jakiś szczęśliwy obrót.

Tylko że w drodze do więzienia zahaczyła o dom Wilczewskich. Jeden z nich znowu jej się oświadczył i przez parę dni do niczego innego nie miała głowy.

– Dziwne by było, gdyby nie zahaczyła – mruczała pod nosem Czesia, faszerując nadzieniem z jabłek kaczkę od Józefiny. – Kobieta w jej wieku! I powiem ci – zwróciła się do Filipa, który wszedł do kuchni i od pięciu minut grzebał w skrzynce z gwoździami, bo mu paru zabrakło, a zbijał stelaż pod jakiś nowy cholerny bluszcz, który lada moment miał przyjść przez kuriera dla Doris – że bardzo wątpię w te jej trzy fakultety. Ja nie skończyłam żadnego, a jakoś potrafię się zachować.

– Cała skrzynka gwoździ i ani jednego prostego! – zirytował się Filip i wyszedł.

Przez parę dni Marlena zaglądała do Magnolii tylko po to, by poużalać się nad sobą. Co konkretnie miała na myśli, narzekając, jaki to ma ciężki los, nikt nie wiedział.

– Idźże wreszcie do tego Heńka czy Mańka – huknęła na nią pewnego razu Czesia, wyprowadzona z równowagi dylematem Marleny, czy powinna przyjąć oświadczyny czy nie – i załatw sprawę, jak obiecałaś. Dokąd będą tu leżeć te pieniądze?

Marlena wytrzeszczyła oczy.

– Więc ty myślisz, że Doris weźmie pod pachę trzysta tysięcy i pójdzie z nimi do więzienia?! Stuknij się.

– To dokąd tu będą leżeć?

– Ze dwa lata. Chyba że mu skrócą wyrok za dobre sprawowanie.

– O Maryjo! Tyle to ja nerwowo nie wytrzymam. A jak się ktoś dowie? Nie, ja nie mogę normalnie pracować, jak mi nad głową wisi trzysta tysięcy... czy tam dwieście siedemdziesiąt...

– Dwieście siedemdziesiąt siedem osiemset. Doris jeszcze dwóch tysięcy dwustu złotych się doliczyła.

– Wszystko jedno. Nie mogę normalnie pracować i już! Zakalec mi się zaraz w biszkopcie zrobi, zupy nie mają smaku, a mięso się przypala. Kaczka dla mecenasa Lorki, co ją zamówił na niedzielę dla gości, wyschła na wiór. Wziął i nic nie powiedział, ale ja bym na jego miejscu nie wzięła.

– Skoro wziął i nie marudził, to o co ci chodzi?

– O moją reputację.

– O co?! – Marlena z wrażenia aż usiadła.

– Jak stracę reputację najlepszej kucharki w okolicy, nikt do Magnolii nie przyjdzie.

– I co? Świat się zawali?

– Dla mnie tak.

Marlena wstała z impetem od stolika, zgarnęła swoje rzeczy i powiedziała:

– Już mi się nie chce tego słuchać. Jadę do Mańka, powiedz Doris, niech się powoli nastraja.

– Tylko jedź inną drogą – zasugerowała Czesia.

– Jaką inną?

– Okrężną. Z drugiej strony.

– Bo co?

– Dobrze wiesz co.

Pojechała i nie było jej kilka godzin. Doris w tym czasie wszystko leciało z rąk i na niczym nie mogła się skupić. W końcu powiedziała, że idzie liczyć pieniądze.

– Po co? – zainteresował się Filip.

– Może jeszcze coś znajdę. A ty odbieraj telefony. Koło trzeciej mają dzwonić z potwierdzeniem rezerwacji na weekend.

– Jest pierwsza! – wydarł się za nią Filip, bo akurat miał inne plany. – Ile czasu można liczyć pieniądze?

– No… trochę mi się zejdzie.

– Chyba są, do pioruna, w banderolkach! Pakowane po ileś tam. Przelicz, przemnóż, odejmij to, co brakuje, i nie zawracaj mi głowy telefonami!

– Zerwałam banderolki – wyjaśniła Doris i widząc bezgraniczne zdumienie w oczach Filipa, wyjaśniła:

– Jeszcze u Marcela. A co, miałam ruszyć w drogę z forsą popakowaną w paczki? Wiesz, jak by to wyglądało, gdyby na przykład zatrzymała mnie policja? Wiesz?

– Jak?!

– Jakbym wiozła kasę z napadu na bank.

Filip podniósł ręce do twarzy i długo ich nie odrywał. Potem popatrzył na Doris, która stała na schodach, trzepocząc rzęsami, popatrzył na szalejącą po kuchni Czesię, która pomstowała na Marlenę, że pewnie znowu zahaczyła o Wilczewskich, bo tak długo jej nie ma, i jęknął:

– Chyba znowu zacznę pić.

– A pij! – Czesia machnęła ręką. – Skoro uważasz, że ci to służy! Ja się nie będę wtrącać.

Wyszedł z Magnolii i trzasnął drzwiami. Pojechał do Olgi. A właściwie to do Adama, bo musiał pogadać z kimś, kto nie jest kobietą. Potrzebował zwykłej, męskiej rozmowy. Przez chwilę nawet można ją było tak określić. Gdy jednak Adam w pewnym momencie znowu zaczął powtarzać, że Olga się przy nim marnuje, Filip ścisnął go mocno za zdrowe ramię i powiedział:

– Zmarnuje się, jeśli w końcu w nią nie uwierzysz.

Wychodząc zaś, objął siedzącą na schodach Olgę i na chwilę przytulił jej głowę do swojego kolana. A Olga przez chwilę ją tak zatrzymała.

Gdy wróciła Marlena, Doris przeliczyła już pieniądze; stała teraz na schodach i ze strachem czekała na wieści.

– W poniedziałek – oznajmiła bez wstępu Marlena.

– Co, w poniedziałek?

– Macie się spotkać.

– W ten… w ten poniedziałek? – wykrztusiła Doris.

– Nie, po Nowym Roku, bo do niego twój Marek wszystkie poniedziałki ma zajęte.

– Ale… jak to…? Już tak zaraz… No… no to może i dobrze – wyjąkała tamta. – Niech to się już raz skończy.

Ale się nie skończyło.

W niedzielę wszystkie pojechały do Tuśki. Dziewczynka, przyprowadzona do świetlicy przez wychowawczynię, popatrzyła na nie pochmurnym wzrokiem.

– Co? Przyjechałyście, żebym wam dokończyła o Luizie i Rudolfie? – spytała poważnym tonem.

Zaprzeczyły gwałtownie. Przyjechały do niej. Filip też chciał, ale ktoś musiał zostać w Magnolii. Wzięły ją na spacer, nakupiły jej mnóstwo słodyczy w pobliskim sklepie, opowiedziały o losach reszty rodzeństwa i zdrowiu matki. Tuśka słuchała uważnie i na wszystko potakiwała głową, ale cały czas była przygaszona, nieobecna, złamana. Pytana o warunki, samopoczucie i inne sprawy, mówiła, że jest dobrze, wszystko dobrze. Ani razu nie odezwała się sama z siebie, o nic nie zapytała. Wbiła wzrok w ziemię i człapała obok nich skulona, milcząca. Dopiero gdy odchodziły do samochodu, zawołała:

– W szufladzie koło lodówki leży rachunek za światło! I osiemdziesiąt złotych… Nie zdążyłam zapłacić.

– Zapłacimy, nie przejmuj się – odkrzyknęła Czesia.

Wsiadły do samochodu z niejaką ulgą, bo nie musiały się już na siłę uśmiechać, żeby małej nie dołować, ani za wszelką cenę utrzymywać jej w nadziei, że wszystko dobrze się skończy. Marlena wsunęła się za kierownicę.

– Kurwa jego mać! – Walnęła rękoma w kierownicę, na moment oparła na niej czoło, a potem uniosła głowę powoli, z westchnieniem, i dopiero wtedy ruszyła.

Doris i Czesia milczały. Nie odezwały się do siebie do końca, do samej Magnolii. Dopiero już niemal przed bramą, na widok pędzącego w łupkowym pyle samochodu mecenasa Lorki i przecinającej im nagle drogę furgonetki Zenka Jaszczuka, i gdy jeszcze po chwili rozległy się strzały, któraś z nich spytała z niepokojem:

– Co, u diabła, się dzieje?

Filip wybiegł z Magnolii, jak tylko się zatrzymały. Był blady. Czesia z bijącym sercem wyskoczyła z auta, za nią Marlena i Doris. Znowu usłyszały strzał.

– Co się dzieje, Filip?! – pytała Czesia, chwytając go za koszulę. – Bandyci byli w Magnolii?! Cała jest? Nic się nie pali? Wszystko stoi? Filip!

– Uspokój się! – huknął na nią Filip. – To Jaszczuk goni po całej okolicy mecenasa Lorkę, strzela do niego i wrzeszczy, że go zabije.

– Jaszczuk Lorkę? Chyba odwrotnie, coś ci się pomieszało – próbowała sprostować Marlena.

No więc tym razem nie, upierał się Filip, gdy ciągle mu nie wierzyły. Dopiero kiedy wyjaśnił, że Jaszczuk chce zabić mecenasa, bo ten strzelił do psa, Doris najpierw zbladła, a potem chwyciła Filipa obiema rękami za koszulę pod szyją i wykrztusiła przez zaciśnięte zęby:

– Do jakiego psa, Filip?

– No… no do…

– Do jakiego psa?!

– Do Absurda! – krzyknął jej w twarz i dopiero wtedy Doris go puściła.

Z jej twarzy odpłynęła resztka krwi; zakołysała się i oparła o maskę samochodu.

– Jeśli mi powiesz – zaczęła wolno – że Absurd nie żyje…

– Żyje! – zawołał szybko Filip. – To znaczy, nie wiem… chyba… żyje… Zawiozłem go do weterynarza.

Doris znowu chciała złapać go za koszulę, ale w ostatniej chwili się cofnął.

– I samego go tam zostawiłeś?

– Miałem do wyboru: zostawić psa chrapiącego w najlepsze w narkozie, pod czujnym okiem weterynarza, albo pootwieraną na wszystkie strony Magnolię. Z prawie trzystoma tysiącami na stole w twoim pokoju, bo po przeliczeniu pewnie nawet nie chciało ci się schować pieniędzy.

– W dupie mam trzysta tysięcy! – wypaliła Doris.

– Zwłaszcza że nie są twoje.

– Sama zastrzelę tego pieprzonego mecenasa, jeśli Zenkowi się nie uda!

– Już nie przesadzaj, Doris – wtrąciła się Czesia. – Jak Absurd do tej pory nie zdechł, to i nie zdechnie. Lorka pewnie nawet nie wiedział, że to pies.

To samo powiedział mecenas, gdy z kwiatami przyjechał po południu do Magnolii. Zenek wystrzelał wszystkie naboje i chyba pojechał po nowy zapas do któregoś z braci ciotecznych w sąsiedniej wsi. Lorka miał więc trochę czasu.

– Pani Doris! – błagał ją, stojąc pod oknem, bo Doris zamknęła drzwi i po prostu go nie wpuściła. – Doris, na Boga! Nawet nie wiedziałem, że to pies. Wyskoczyło mi takie coś zza chałupy. Myślę sobie, co za czort, jakiś mutant, do niczego niepodobny, skrzyżowanie wilka z niedźwiedziem, ale chyba i to nie.

Ledwie trzymającą się furgonetkę Jaszczuka słychać już było na mostku. Zaraz potem padł pierwszy strzał. Zenek wracał z zapasem naboi. Adwokat rzucił kwiaty pod okno, wskoczył do auta i pognał w stronę stacji.

Podobno Zenek do samego zmroku gonił mecenasa Lorkę po Słowacji. Podziurawił mu dwie opony w aucie i odstrzelił oba lusterka.

Doris tymczasem pojechała z Filipem do weterynarza po Absurda, który zdążył się już wybudzić z narkozy. Całą powrotną drogę warczał i lizał ręce i twarz swojej pani, aż Filipowi zbierało się na wymioty.

Pies oczywiście przeżył, ale Doris przez wiele dni nie miała do niczego głowy. Zmieniała mu opatrunki, gotowała rosołki na skrzydełkach, głaskała i chuchała, wystarczyło, że się ruszył. Dwieście siedemdziesiąt siedem tysięcy i osiemset złotych leżało rozbabrane na stole w jej pokoju, a gościom nie miał kto podawać ani po nich sprzątać. Znowu wszystko zostało na głowie Czesi, która powiedziała, że dłużej tak być nie może – pewnego dnia rzuci to wszystko i pojedzie na Capri albo na inną wyspę o ładnie brzmiącej nazwie. Tam położy się na słońcu, będzie leżeć i mieć wszystko w nosie, a oni niech sobie tu co chcą, to robią.

– Ale najpierw zobacz, pod którym z czterech garów coś się przypala. Czuć spalenizną od bramy – odparł Filip, targając z samochodu zakupy.

Czesia, nadąsana, że zbagatelizował tę jej Capri lub jakąkolwiek inną wyspę o ładnej nazwie, mruknęła pod nosem, żeby się kiedy nie zdziwił.

– Gdybym zaczął się czemukolwiek dziwić, nie byłoby mnie tutaj do tej pory – odparł i poszedł przejrzeć pokoje, przeklinając w duchu cholernego zwierzaka, przez którego Doris na całej linii zaniedbała swoje obowiązki.

Pies wydobrzał w tydzień. Dwa tygodnie minęło, nim Doris w to uwierzyła i zaczęła cokolwiek robić poza chuchaniem i dmuchaniem na Absurda. Zaczęła od kwiatków, wyraźnie zaniedbanych przez cały okres rekonwalescencji ulubieńca, i trzeba było cierpliwie poczekać, aż z nimi skończy. Dopiero potem zajęła się pokojami, podawaniem posiłków i całą resztą. Pogodziła się z mecenasem Lorką, przyjmując od niego dwie donice z bujnie kwitnącymi hortensjami, obraziła się natomiast na Jaszczuka, gdy się dowiedziała, że Zenek też się pogodził z Lorką, pijąc z nim na mostku bimber.

– Czyli że wszystko zostaje po staremu – podsumował

Filip, kładąc się pewnego wieczoru na ławce przed Magnolią.

– W jakim sensie? – zainteresowała się Marlena.

– W takim, że żadnego sensu w tym wszystkim nie widać – odrzekł.

Czesia, Marlena i Doris jak na komendę wzruszyły ramionami. Właśnie siadały do kolacji przy świecach, którą urządziła Doris na cześć powrotu do zdrowia Absurda. Filip, bojąc się, że Doris śmiertelnie się na niego obrazi, też usiadł do stołu. Nawet wypił zdrowie psa, gdy wzniosła toast.

Marlena, oganiając się od komarów, wciąż sprawdzała skrzynkę mejlową w leżącym na kolanach laptopie.

– Nie gniewaj się, Doris – powiedziała w pewnej chwili – ale czekam na wiadomość. Odkąd nie mam telefonu, to mój jedyny kontakt ze światem.

– A gdzie twój telefon? – spytała Czesia.

– Leży w kawałkach w chałupie. Dostałam wiadomość, że coś tam szczęśliwie wygrałam, wystarczy tylko wysłać esemes pod numer... Nie wytrzymałam i rzuciłam komórką o ścianę.

– Z powodu takiej pierdoły? – Czesia nie wierzyła.

– No nie... Wcześniej przez pół godziny zasięg mi się rwał. A Wilczewski bez przerwy dzwonił...

– Który? – spytała Czesia.

– Co, który?

– Który Wilczewski? Olaf czy Borys, co za różnica?

Marlena zsunęła na nos okulary i przyjrzała jej się podejrzliwie.

– O coś ci chodzi?

– Tak. – Czesia z powagą kiwnęła głową. – Bardzo chciałabym na przykład wiedzieć, który z nich... Jeśli w ogóle... ci się oświadczył. Naprawdę to dla ciebie bez różnicy czy tylko się wygłupiasz?

Marlena z hukiem zamknęła laptopa.

– No co ty, Czesia! Oczywiście, że się wygłupiam.

– Ale po co?

Przez moment lustrowała Czesię wzrokiem, a potem powiedziała:

– Bo w pewnym momencie swojego życia miałam dość tej śmiertelnej powagi. Przyjechałam tu, żeby trochę zwolnić, odetchnąć i nie brać wszystkiego na serio.

– Raczej byłoby tu trudno – wtrącił Filip.

– Nikt jej nie każe. Ale są pewne granice. Czasem coś trzeba powiedzieć poważnie, wprost... Właśnie, dlaczego pewnych rzeczy nie mówicie wprost, tylko się wygłupiacie. Zwłaszcza tego, co boli, dokucza... Ty, Doris...

– A ty pierwsza – przerwała jej Marlena.

– Ja?! – zdumiała się Czesia. – A o czym ja mam mówić? O tym, że mąż odszedł za wcześnie, synowie za szybko się usamodzielnili, a siostra po czterdziestu latach życia na tym zadupiu nagle uznała, że warto spróbować gdzie indziej? O tym, że dopiero co miałam męża, synów, rodzinę, a teraz zostałam sama jak palec, wracam wieczorem do pustego domu i nie wiem, dla kogo żyję?

– Choćby.

– Przecież to na oko widać. Mam jeszcze o tym gadać?

– Dlaczego nie?

– Czy ty, Doris, mówisz nam, że głupiejesz na samą myśl o spotkaniu z Markiem, facetem, w którym zaczęłaś się podkochiwać, obserwując jego życie przez kuchenne okno, i żeby całkiem nie zgłupieć, urządzasz kolacje dla psa?

– Kolacja jest dla was – sprostowała Doris. – Pies był tylko pretekstem.

– Powiedzmy, że jest jakaś różnica.

– Nie, nie ma żadnej! – obruszyła się Doris. Zaniosła kawałek kiełbasy Absurdowi, leżącemu na schodach przed wejściem, a wracając, szturchnęła Marlenę łokciem. – No więc powiedz nam wprost, który z nich ci się oświadczył.

– Olaf – powiedziała wprost Marlena.

Doris klasnęła w dłonie.

– Wiedziałam! – A gdy spojrzeli na nią ze zdumieniem, wyjaśniła: – Jest taki przystojny!

Czesia pochyliła nisko głowę, a z jej gardła zaczęły się wydobywać jakieś dziwne dźwięki. Dopiero po chwili zorientowali się, że dusi się ze śmiechu.

Filipowi od początku brakowało przy tym wieczornym stole Olgi. Dotknął w myślach jej karku i gwałtownie wstał od stołu. Zaraz jednak znowu usiadł. A raczej opadł na krzesło. Rozpostarł szeroko ręce, żeby się czegoś chwycić, i przycisnął je gwałtownie do piersi, próbując zdusić ból, który mu je rozrywał.

– Przez kilka dni leżałem w szpitalu, poddając się całej serii badań, tylko po to, by się dowiedzieć, że odtąd muszę bardzo, ale to bardzo uważać. Nie dałem się przekonać o konieczności wszczepienia jakichś bajpasów. Dziewczyny przychodziły jedna po drugiej. Przestały dopiero wtedy, gdy lekarz powiedział, żeby mi pozwoliły odetchnąć. Doris więc znowu nie miała głowy na wizytę w więzieniu.

– Daj teraz spokój z Doris. Miałeś drugi zawał. To cię nie zaniepokoiło?

– Ale jaki tam zawał! Małe ostrzeżenie.

– Drugi zawał to ostatnie ostrzeżenie.

– Mówisz jak lekarze. Gdybym miał umrzeć, to już bym nie żył. Widać jeszcze nie przyszła na mnie pora. Miałem jednak kilka dni, by spojrzeć na pewne sprawy z dystansu, popatrzeć na wszystko z zewnątrz. W Magnolii nie było na to wielkich szans. Dostałem więc czas i warunki, by pomyśleć, co by się z nią stało, gdybym na przykład tego drugiego zawału nie przeżył.

– Więc jednak się przestraszyłeś.

– Nie o siebie, tylko o Magnolię.

– Tę Magnolię, której jeszcze prawie rok temu życzyłeś wszystkiego, co najgorsze.

– Jakoś tak chyba do niej przywykłem… Do swoich ulubionych kątów, klimatu, do tych szalonych kobiet. Szalonych tylko w tym jednym domu, w tym klimacie, w swoim towarzystwie. Każda z nich, przyszło mi kiedyś do głowy, poza tym cholernym miejscem miała szansę być całkiem normalna, wręcz przeciętna. Magnolia otoczyła je aurą delikatnej groteski, żeby nie powiedzieć absurdu. Doskonale się w niej odnalazły i udając czasem, że jedna drugiej nie rozumie, rozumiały się doskonale, prowadząc bezustannie jakąś grę, której zasad w żaden sposób nie dało się pojąć, jeśli samemu się w tym wszystkim nie uczestniczyło. Nie wiem, jak inaczej mam ci to wytłumaczyć, przyjacielu...

– Nie tłumacz. Dałeś mi już jako tako je poznać. Moje zdanie jest takie, że część tego wszystkiego sam stworzyłeś, a ściślej mówiąc, twoja rezerwa, olewający stosunek do otoczenia i w rezultacie wynikająca z tego, choć wcale niezamierzona, tolerancja. Gdybyś pewnego dnia nie dotarł do tej stacji i nie usiadł obok tamtego mężczyzny...

– Ciekawe, gdzie bym teraz był. I gdzie byłaby Olga, Czesia, Marlena albo Doris...

– Każda w swoim własnym świecie. Może lepszym, może gorszym. Nikt tego nie wie.

&. &.

Kilka dni po wyjściu ze szpitala Filip zaczął łaskawszym wzrokiem patrzeć na Absurda, a raz nawet nie odsunął się z odrazą, gdy pies, przechodząc, otarł się o jego nogę. Szczerze mu bowiem współczuł, gdyż sam teraz doświadczał nadgorliwej opieki Doris. Wymościła mu gniazdko na zewnątrz i nie przeszła, żeby czegoś nie poprawić albo o coś nie zapytać. Filip nie miał zamiaru leżeć. Z rękoma w kieszeniach spacerował sobie wokół Magnolii lub po domu, patrząc obojętnym wzrokiem na wchodzących czy wychodzących gości. Parę razy musiał huknąć na Doris, żeby przestała się troszczyć o niego jak o jakiegoś ułomnego debila i zajęła swoimi obowiązkami, a wtedy trochę odpuściła. Pytana przez Marlenę, kiedy ma zamiar wybrać się do więzienia (trzeba było nie zawracać głowy!), odpowiadała, że lada moment, jutro lub pojutrze, niech się tu wszystko trochę uspokoi.

Pewnego wieczora Doris się rozmarzyła.

– Drzwi się otworzą, on wejdzie – mówiła, wyciągnąwszy się na jednej z ławek przed Magnolią, podczas gdy Marlena z Czesią próbowały zapanować nad grillem, a Filip nad ręką, by nie dotknąć odsłoniętego karku siedzącej obok Olgi. – Ja się odwrócę, bo na pewno będę stać tyłem. Zdziwi się. „Co pani tu robi, pani Aniu?" – zapyta, a ja mu odpowiem... Co ja mam mu wtedy odpowiedzieć? Marlena?

– Że akurat tędy przechodziłaś.

Doris obrzuciła ją obojętnym wzrokiem, kontynuując:

– Powiem mu, że jest coś, co nie daje mi spokoju. Wtedy on zapyta co, a ja powiem: „Pan, panie Marku. Pan i pana pieniądze". „Pieniądze?" – zdziwi się najpierw, a potem machnie ręką lekceważąco. Ach, pieniądze to jest to, o czym chciałby na zawsze zapomnieć, bo to one sprawiły, że był kimś, a teraz jest nikim. Zapytam wtedy, jak się czuje, a on mi coś odpowie i dopiero potem, po jakimś czasie wytłumaczę mu wszystko. Przy pożegnaniu dodam, jakby od niechcenia, że pieniądze, o których chce zapomnieć, ale dzięki którym ma szansę rozpocząć nowe życie, są tu i tu i w każdej chwili może po nie przyjść i je zabrać, bo należą do niego. Do nikogo więcej.

– Powiedz mu od razu o zdefraudowanej sumie – doradziła Czesia.

– Panie Marku – wpadła w manierę Doris Marlena – za część tej forsy zabawiłam się w artystkę...

– A za drugą byłam gościem w pobliskiej Magnolii... – dorzuciła Czesia.

– Może pan słyszał – używała sobie dalej Marlena. – Najlepsze obiady w okolicy, pana kumple wpadają tu często po odsiadce, by zabić smak więziennego żarcia, a poznać ich można po tym, po czym zwykle poznaje się byłych więźniów...

– Skończyłyście?! – zezłościła się Doris i na chwilę umilkła nadąsana, ale szybko jej przeszło. – Wiecie co? Zaraz za mostkiem, na prawo, na takiej jakby skarpie jacyś gospodarze chcą sprzedać starą chałupę. Trochę tam bałaganu i bardzo wszystko zaniedbane, ale...

– Dwieście siedemdziesiąt tysięcy wystarczy, jeśli do tego zmierzasz – powiedziała Olga.

Doris odrobinę się speszyła.

– Nie wiem, czy akurat do tego zmierzam. Chodzi mi o to, że z pewną kwotą zawsze można rozpocząć jakieś drugie, rozsądne życie.

– A bez pewnej kwoty nie? – zagadnął Filip.

Nie czekał na odpowiedź, ale się jej doczekał. Najpierw spojrzały na niego karcąco, wszystkie, jak jedna, a potem Czesia spytała odważnie:

– Ile miałeś na koncie, gdy usiadłeś na ławce koło Madeja?

– Miałeś tyle, że mogłeś sobie zaszaleć, kupując na przykład bez mrugnięcia okiem taką Magnolię – odpowiedziała za Filipa Marlena.

– Sama dobrze wiem, że pieniądze pozwalają rozwiązać pewne problemy. Choć na pewno nie wszystkie – dodała bardzo dyplomatycznie Olga.

Popatrzył na nie, odsunął się z krzesłem i wstał.

– Wszystko się zgadza – zaczął mówić, pochylając się nad stołem. – Kupiłem Magnolię z całym tym syfem naokoło i w ciężkich miesiącach miałem nawet z czego do niej dokładać. Tylko że koniec końcem nie jestem w stanie stwierdzić, czy to, w co się wpakowałem, można nazwać rozsądnym życiem.

Dosunął z hukiem krzesło do stołu i pożegnał kobiety, życząc im dobrej nocy i dużej wyobraźni w konstruowaniu marzeń.

– Nie wolno ci się teraz denerwować, Filipie! – przypomniała mu Doris. – Z twoim sercem.

Wyciągnął w górę rękę, pomachał im i zniknął w domu.

À propos marzeń… Życie potrafi je, niestety, weryfikować. Marzenia Doris, które na oczach całej reszty skonstruowała z iście literacką wyobraźnią, zostały zweryfikowane w dość okrutny sposób.

Było piątkowe popołudnie, ciche i spokojne. Doris z nudów wybierała niedopałki z kamiennej wysypki na werandzie. Żeby nie wiadomo ile popielniczek nastawiać, i tak goście wrzucali tam beztrosko pety. Gdy dojrzała mężczyznę, zajmującego miejsce w samym kącie przy wejściu, otarła ręce, weszła przez werandę do sali, złapała po drodze kartę ze stolika przy kuchni i położyła przed przybyłym, mówiąc krótkie „dzień dobry". Podziękował i odwrócił się w jej stronę. Dokładnie tak jak ona w zaimprowizowanej, naprędce wymyślonej scence do niego się odwracała. Doris zbladła i znieruchomiała. On odwrócił się jeszcze raz, przyjrzał jej się, po czym pochylił nad kartą. Dokładnie w tym momencie wpadła do Magnolii Marlena.

– Doris! – rozdarła się już w przedsionku. – Doris! Maniek do mnie przyjechał, bo za cholerę nie mógł się dodzwonić, i zgadnij, co mi powiedział? Ten twój...

Doris w jednej chwili znalazła się przy Marlenie, położyła jej rękę na ustach i wypchnęła tamtą do kuchni, a stamtąd dalej, na zaplecze.

– Zamknij się, bo on tu jest! – syknęła, wciąż trzymając rękę na ustach Marleny.

Ta odepchnęła ją ze złością.

– Odbiło ci? Co wyprawiasz?! Kto?

– Marek.

– No właśnie Maniek po to do mnie przyjechał. Żeby mi powiedzieć, że facet wyszedł po apelacji. Co on tu robi?

– Wpadł na obiad.

– Żartujesz?! – Marlena wychyliła się z kuchni, żeby go sobie obejrzeć.

– Nie poznał mnie! – wypaliła Doris jednym tchem.

– Jak to cię nie poznał?

– Coś mu zaświtało, bo przyjrzał mi się raz i drugi, ale w sumie to mnie nie poznał.

– A jak miał cię poznać? – wtrąciła się Czesia. Stanęła obok i ucierając jajka w glinianej misce, obrzuciła Doris wzrokiem od stóp do głów. – Przecież ty sama byś się nie poznała, gdyby rok temu ktoś pokazał ci obecną ciebie.

Doris zatrzepotała rzęsami, nic nie rozumiejąc, zaraz jednak wszystko do niej dotarło. Przysiadła na stołku.

Marlena pokiwała głową.

– No jasne, jak miał cię poznać! Facet wychodzi z więzienia w samym środku Bieszczad, wstępuje do zapyziałej dziury na obiad i widzi kelnerkę podobną do dziewczęcia z jego dawnej ulicy. Na tamtej ulicy, gdybyście się minęli w pobliżu swoich domów, pewnie nie miałby żadnych wątpliwości, ale tu… Gdybyś nawet wyglądała tak jak rok temu, nawet przez chwilę nie pomyślałby, że to możesz być ty.

Doris zakołysała się na stołku.

– Pójdę i przyjmę zamówienie – zdecydowała.

Ale Marlena ją powstrzymała.

– Daj mu trochę czasu. I sobie, na ochłonięcie.

– Co mówiłaś? Że dlaczego wyszedł? – Doris uszczypnęła się w policzki i nabrała dużo powietrza w płuca.

– Złożył apelację. Adwokat wynajął prywatnego detektywa i wyniuchali całą sprawę. Dotarli nawet do kierowcy autobusu linii sto piętnaście i facet miał podobno poznać torbę, którą Marek, wysiadając, postawił na przednim siedzeniu, a twój stary, w jakiejś maskującej czapce na łbie i ciemnych okularach, wsiadł i zabrał ją stamtąd. Teraz wszyscy szukają pieniędzy.

– O Maryjo! – jęknęła Czesia. – No toś się urządziła, Doris! Potrzebne ci to było!

– Wszyscy? – jęknęła Doris. – To mój mąż pewnie też.

– A nie. Dobrali mu się do tyłka. Czeka na wyrok.

– No to jeszcze gorzej. – Wyobraźnia Doris działała już na pełnych obrotach. – A jak go tu wsadzą?!

– Przestań, Doris. – Marlena się wykrzywiła. – Wiesz, jaka jest na to szansa?

– A jaka była szansa, że Marek wpadnie tu ni z tego, ni z owego na obiad?

Czesia chrząknęła skromnie.

– To przeze mnie – odezwała się. Gdy obie wlepiły w nią wzrok, dodała: – Chodzą legendy o mojej kuchni po okolicy. W więzieniu też. Tamci co rusz to wpadają po odsiadce, same byłyście nieraz świadkiem.

– Świadkami – sprostowała Marlena.

– Dlaczego?

– Jeśli obie, to świadkami.

– Nie macie teraz większych problemów?! – przerwała obydwóm Doris. Czując, jak obezwładnia ją nowa fala paniki, wstała, postanawiając, że pójdzie. – Idę – powiedziała.

Potem poszło już gładko.

Doris stanęła przy stoliku i grzecznie spytała, czy już się na coś zdecydował. On coś tam mruknął, zerkając na nią kątem oka. Z lekkim zainteresowaniem, ale bez zdziwienia. Doradziła mu jakieś danie i w zasadzie na tym mogło się skończyć. Przeprosił, że tak jej się przygląda, ale bardzo mu kogoś przypomina. Wtedy Doris poczuła jakąś nieuzasadnioną niczym odwagę. Spytała bez zająknienia:

– Podoba się panu w Bieszczadach? Jest wiele miejsc, godnych obejrzenia, chociażby tunel… tu niedaleko i wiele zapierających dech w piersiach widoków na każdym kroku. – I jeszcze dodała z fantazją: – Proponuję panu krem z tegorocznych borowików i pyszną kaczkę nadziewaną jabłkami. Do tego deser…

– Nie jestem turystą – przerwał jej ostrym, zimnym tonem. – Wyszedłem właśnie z pierdla i potrzebuję zjeść szybko jakieś proste danie. Chcę się porządnie najeść, złapać jakąś okazję lub autobus i wynieść się stąd jak najszybciej. Rozumie pani? Proste, niedrogie danie, bo na tyle tylko mnie stać.

– Rozumiem – szepnęła.

– Kaczki i takie inne pierdoły niech pani sobie zostawi dla snobów. Albo złodziei, którzy okradają porządnych ludzi, bo tylko takich na to stać.

Doris odrzuciła blond loki do tyłu i odważnie spojrzała mu w oczy.

– Żurek i schabowy po bieszczadzku? – Widząc, jak

marszczy czoło, dodała szybko: – Zwykły schabowy, dla zmyłki taką ma tu nazwę.

– To rozumiem. Pospieszy się pani?

– Tak.

– I dwie pięćdziesiątki. Jedną teraz, a drugą po wszystkim.

– Nie mamy w ofercie wysokoprocentowego alkoholu, ale myślę, że znajdę coś na zapleczu.

– Byle szybko.

Weszła jak automat do kuchni i bez mrugnięcia okiem wyrecytowała zamówienie. Nie pozwoliła Czesi i Marlenie wciągnąć się na zaplecze. Zbiegającego z góry Filipa poprosiła o butelkę zwykłej czystej wódki, a on, o nic nie pytając, wyjął z barku pierwszą lepszą flaszkę. Dopiero wtedy mruknął pod nosem, że odkąd nie pije namiętnie, wódka jest dla wszystkich do pełnej dyspozycji i nie trzeba go prosić. Doris nalała wódki do małej szklaneczki po brzegi i zaniosła ją do stolika.

– To jest według pani pięćdziesiątka? – warknął, ale wypił. Znowu na nią zerknął.

– Kogo panu przypominam? – spytała, zabierając pustą szklaneczkę.

Zerknął na nią przelotnie, krzywiąc się.

– Taką jedną ofiarę losu – odparł.

Doris potem powiedziała, że nawet jej to nie ruszyło. Stała i patrzyła na niego z kamienną twarzą. Serce też chyba zamieniło jej się w kamień, bo przestało bić.

– Tylko pewne rysy... – poprawił się. – Bo tak to całkiem

nie w pani stylu. Cholerna kretynka, zawsze czatowała w oknie, jak wychodziłem z psem na spacer. Stare dzieje.

Doris usiadła na stołku w kuchni i nie reagując na natarczywe, zadawane szeptem pytania Czesi i Marleny, czekała na zamówienie. Gdy obiad był gotowy, zaniosła go do stolika i życzyła tamtemu smacznego. Potem poszła na górę. Zeszła, kiedy kończył. Podała rachunek, puste naczynia odstawiła z tacą na sąsiedni stolik. Postawiła przed Markiem drugą pięćdziesiątkę. Kiedy wypił, położyła na stoliku kluczyki i dokumenty od samochodu oraz torbę.

– Co to jest? – spytał.

– Tu jest dwieście siedemdziesiąt siedem tysięcy osiemset – wyjaśniła, kładąc rękę na torbie. – A to kluczyki od tego czerwonego opla na podwórku. Więcej nie mam.

Takiej konsternacji na czyjejś twarzy Czesia z Marleną, otwarcie już obserwujące wszystko z kuchni, nigdy nie widziały. Bo sama Doris od pewnego momentu nie widziała nic.

– To jednak… pani… – wyjąkał po chwili. – Ale jakim cudem? Pani… Zapomniałem, jak pani ma na imię…

– Doris.

– Doris? Wydawało mi się, że jakoś inaczej.

– Mnie też – odpowiedziała cicho.

Podsunęła Markowi pod nos rachunek, a on zapłacił, z milionem pytań na twarzy, nawet na chwilę nie spuszczając z niej oczu. Wydała resztę co do grosza i, zabierając tacę z sąsiedniego stolika, zadała ostanie pytanie:

– Jak to się stało, że tak szybko rozszyfrował pan żonę?

– Skąd pani wie, że ją rozszyfrowałem? – wymamrotał, uciekając w bok spojrzeniem.

– Widziałam całą akcję na ulicy, stałam wtedy przed domem, na schodach.

– Znalazłem test ciążowy, a konkretnie opakowanie po nim, koło szafki w łazience. Wciąż na bieżąco kontrolowała, czy nie jest w ciąży, żeby w razie czego w porę zareagować. Tak jak to robiła przez pięć lat, kiedy staraliśmy się o dziecko. Łapie pani? Nie robiłaby tego, gdyby naprawdę była w ciąży...

– Rozumiem, nie musi mi pan aż tak dokładnie tłumaczyć – powiedziała Doris.

– Wszystko było ukartowane. Wszystko – ciągnął niskim głosem jak w transie. – Jej ciąża... Śmiechu warte! Traf chciał, że schyliłem się po coś w łazience i dojrzałem opakowanie po teście. Sprzątała tam codziennie, nie mogło leżeć długo. Olśniło mnie. Ironia losu, że po fakcie.

– Los potrafi czasem spłatać niezłego figla – szepnęła, odchodząc.

– Dopiero wtedy zacząłem myśleć, zadawać pytania i kojarzyć. Skąd pani się tu wzięła?! – zawołał za nią.

– Spadłam z nieba – odparła.

W kuchni rozejrzała się bezradnie dookoła. Spojrzała na Czesię, Marlenę i Filipa.

– A miało być tak pięknie... – szepnęła.

Zgarnęła napoczętą butelkę i poszła z nią na zaplecze. Pociągnęła sporo, nie odrywając flaszki od ust, i upadła.

Wtedy Filip wziął ją na ręce i zaniósł na górę, do pokoju pełnego obrazów, którymi się otoczyła, by ciągle przypominały, że kawałek jej życia wart jest wspomnień.

🐜 🐜

Trzy wzgórza utonęły w bielutkiej mgle. Czwartego, tamtego z tyłu, w ogóle nie było widać. Tak czasem bywało po długotrwałych opadach. Wzgórza, parując, wyłaniały się z delikatnych welonów mgły. Uśpione monotonią deszczu bardzo nieśpiesznie poddawały się słońcu, które powoli zaczynało je odsłaniać, rozjaśniając każde swoim światłem, jakby chciały sobie jeszcze podrzemać, pośnić.

Deszcz jednak nie padał. Filip był o tym przekonany, choć ręki nie dałby sobie uciąć. Może znowu uciekł mu jakiś fragment rzeczywistości. Może zasnął. Tak naprawdę nie był pewien, jaka to pora dnia i jak długo tu siedzą.

– A tamten co? – zapytał Maciek.

– Kto?

– No ten… Marek, czy jak mu tam.

Więc jednak nic mu nie uciekło.

– A siedział z rozdziawioną gębą przy stoliku i niewiele kumał. W sumie gębę miał dość ograniczoną, nic ciekawego w oczach. Doris, wtedy, przy tym kuchennym oknie, musiała być naprawdę bardzo zdesperowana, żeby tak nieciekawego typa do tego stopnia wyidealizować. Marlena podeszła do stolika i, nic nie wyjaśniając facetowi, zabrała dokumenty i kluczyki.

– Żartujesz?

– Mruknęła coś pod nosem w kuchni, że nie widzi powodu, by Doris miała sprezentować komuś lekką ręką samochód Marcela, wart najwyżej dwa tysiące, skoro sama nic więcej nie ma. Niech się cieszy, że oddała mu forsę, i spada.

– Babka z charakterem.

– Z głową na karku. Zaczynaliśmy chyba powoli wierzyć w wielość i rangę wykonywanych przez nią w przeszłości zawodów.

– Chociaż w ani jednym się nie odnalazła.

– Przypominam sobie, jak spytała kiedyś ze znudzeniem, po co ją wypytujemy o to czy tamto. Nie znalazła się tu z miłości do łagodnych gór, tylko z nienawiści do pełnego agresji świata. Marlena nie rozczulała się nad przeszłością, która doprowadziła ją do tego miejsca. Miała duży dystans do siebie i swoich spraw. Kiedy można było się powygłupiać, to się wygłupiała, nieraz sprawiając wrażenie nieczułej egoistki. Jednak to ona najlepiej reagowała z nas wszystkich w trudnych sytuacjach, pokazując nie tylko charakter, ale i dużą wrażliwość. Choć do wrażliwości Marlena nigdy w życiu by się nie przyznała.

🍂 🍂

Przede wszystkim bardzo poważnie zajęła się sprawą Tuśki i cały czas trzymała rękę na pulsie, ani na chwilę jej nie zdejmując. Co dzień gdzieś jeździła, robiła wywiady, dopytywała się, pokazywała.

– Wkurwia mnie – zaczęła kiedyś – że w tak delikatnej i skomplikowanej sprawie wszystko zależy od decyzji urzędnika. Łatwo rozpieprzyć całą rodzinę po okolicy, trudniej połączyć na nowo.

– Już przecież ją roz… no wiesz – wtrąciła Olga.

– To, dzięki Bogu, na razie etap przejściowy, zachowawczy, ostateczne decyzje jeszcze nie zapadły. Dlatego muszę wszystko wiedzieć na bieżąco i pokazywać, że się interesuję – tłumaczyła Marlena, chaotycznie przeglądając prasę. – Dla urzędnika to ważne. Póki matki nie pozbawią praw do opieki, a to – zdziwiłybyście się – można załatwić w sekundę jednym podpisem urzędnika, sprawa jest do odwrócenia. Ale żeby potem z kolei tamto odwrócić – to już droga przez mękę. Wątpię, czy matce Tuśki starczyłoby determinacji i siły. Uczciwie mówiąc, kiepsko to wygląda. Ale co ja robię? Bajeruję lekarza prowadzącego do wydania cząstkowej, nieoficjalnej, jednak robiącej swoje dla urzędnika opinii, że kondycja psychiczna Kaliny Kęckiej dobrze rokuje na przyszłość. Oczywiście w odpowiedniej chwili opieka społeczna sama się zwróci o oficjalną, pełną opinię, ale może do tego czasu ta kobieta poukłada sobie wszystko w głowie na tyle, że będzie w stanie zająć się dziećmi. Co to za łomot za oknem, do cholery?!

Czesia wyjrzała na werandę.

– To Doris – wyjaśniła, wracając.

– Co Doris?!

– Wyrzuca obrazy przez okno.

– Zwariowała?! – Marlena wstała, żeby też wyjrzeć. – To po to je mazała przez całą zimę?

– Wiesz, że nie po to – odpowiedziała cicho Olga. – Może chce się czegoś pozbyć.

– To niech się pozbywa! – Marlena na to. – Ale ciszej. Idę stąd, bo mam dość. Znowu przez to wszystko zapomnę porozmawiać z Asią na skajpie. A o niej chyba przede wszystkim powinnam pamiętać, o własnej córce.

Doris wyrzuciła oknem wszystkie obrazy, które z taką determinacją malowała zimą. Te, które się jeszcze do czegoś nadawały, Filip pozbierał i zaniósł do kabaryn. Zmieściły się w największej, ośmioosobowej celi.

– Są bardzo ładne – wyjaśnił Czesi, gdy pytała wzrokiem, po jakiego diabła to robi. – Jak Doris upora się z przeszłością, powieszę je w sali jadalnej.

– Po co?

– Po to, żeby wisiały.

– Chyba że tak.

Nie wyglądało jednak na to, żeby Doris szybko miała się z czymkolwiek uporać. W ogóle nie wychodziła z pokoju, a co tam robiła, nikt nie wiedział.

– Doris jest żarłokiem, długo tak bez porządnych obiadków, tylko na nocnym podjadaniu, nie wytrzyma – prorokowała Czesia. – A porządny obiadek trzeba zjeść między ludźmi. Wtedy ktoś coś powie, coś się zapyta…

Tylko patrzeć, jak Doris zacznie śmigać między stolikami i podlewać kwiatki.

Gdy minęło parę dni, a tamta nie wychylała nosa z pokoju, Czesia machnęła ręką.

– A! Zdążyłam się już przyzwyczaić, że znowu wszystko na mojej głowie. Filip! Może byś tak raczył zanieść drugie danie gościom do stolika! Ja się nie rozdwoję.

– Po chleb jadę.

– Będę jednak musiała. – Chwyciła talerze, kopnęła wahadłowe drzwi od kuchennego zaplecza, minęła szukającego kluczyków Filipa i pomaszerowała, mamrocząc pod nosem, nie zważając na gości: – Wszyscy tu mają prawo mieć złe dni, tygodnie, a nawet i miesiące. Ja jedna tylko zawsze na posterunku, jak jakaś głupia! I wracaj zaraz! Nie siedź tam znowu na tej stacji nie wiadomo po co!

Filip wrócił z chlebem, a ona mamrotała dalej:

– Marlena też! Wczoraj olała drugą kawę, dziś też już dawno minęła jej pora, gęby do kogo nie ma otworzyć ani kogo o co zapytać. Też bym się chciała zakochać i przeżywać miłosne zawody albo jakie inne, wtedy może by się każdy zdziwił, ile trzeba pracy, żeby to wszystko miało ręce i nogi, bo tak to nikt nie wie. Kto tam idzie, Filipie, od bramy, taki wielki?

Wyjrzał przez okno.

– Chyba Wilczewski.

– Który?

– Ja ich nie rozpoznaję.

– Jak zapyta o Marlenę, to może Olaf.

Wilczewski wszedł i zapytał o Marlenę. Od piątku jej nie widział.

– Marlena nie jest nastolatką, żeby miała się komu opowiadać, gdzie idzie. Albo jedzie – odparła Czesia, dodając: – Kobieta w jej wieku… – Filip szturchnął ją łokciem, więc nie dokończyła.

– Nawet w kościele wczoraj nie była – dodał Wilczewski.

– To ona chodzi do kościoła? – Czesi już dawno nic tak nie zdziwiło.

– W każdą niedzielę.

Marlena pokazała się dopiero nazajutrz. Chodziła po ludziach we wsi, tłumacząc każdemu, co mają mówić, kiedy pracownicy społeczni przyjdą na wywiad. Była w Rzeszowie u znajomego kuratora dziecięcego, żeby jej to i owo podpowiedział. Czesię interesowało tylko jedno.

– To ty chodzisz do kościoła?

– Co niedziela.

– Jak Wilczewscy.

– Dawniej też chodziłam.

– Chciałabym to widzieć. Wilczewski cię szukał.

– Który?

– Zgadnij, co mnie to obchodzi. Pijesz kawę?

– Nie piję.

– Dlaczego? Obraziłaś się?

– Podjadę do szkoły. Nauczyciele już mają dyżury. Z wychowawczynią Tuśki muszę pogadać.

– To jedź. I wracaj szybko. A temu swojemu amanto-
wi daj jakiś znak, że żyjesz, niech mnie tu nie nachodzi.
Wystarczy, że Jaszczuk co wieczór przyłazi, jak przyłaził,
i truje o Doris. Żeby się tak o mnie raz w życiu kto zapytał!

Wilczewski wieczorem już czekał na Marlenę, jak się
dowiedział od Czesi, że każdego wieczora przychodzi,
bez względu na to, ile razy wcześniej by tu już była.
Kiedy weszła do Magnolii, podszedł, zamknął jej dłonie
w swoich i wyprowadził ją na zewnątrz. Czesia wzruszyła ramionami.

– Myślałby kto! Nagle wielka miłość.

– Może nie nagle – odezwał się Filip. Gdy Czesia zwróciła ku niemu szeroko otwarte oczy, wyjaśnił: – Może
od początku była.

– Ja tego nie widziałam. Ty coś widziałeś?

– Widzieliśmy to, co Marlena chciała, żebyśmy widzieli.

Czesia zakręciła się po kuchni, trzaskając garnkami
i przestawiając je z miejsca na miejsce, a potem odwróciła
się do Filipa i powiedziała:

– No właśnie! Gdyby się wszystko mówiło wprost, nie
byłoby potem problemów, łez i niewychodzenia z pokoju.
I takich tam innych.

Filip podszedł do Czesi i ujął jej dłonie.

– Czasem brakuje na to odwagi, moja Czesławo. A czasem nie ma takiej potrzeby.

Szturchnęła go boleśnie w bok za tę Czesławę, a potem
pocałowała w czoło za dłonie, mówiąc ze łzami w oczach,

że jej starszy, Pawełek, zawsze tak robił. Pomyśleć tylko, dopiero co był dzieckiem...

Nazajutrz mieli prawdziwe urwanie głowy, gdy w porze obiadowej rozsiadła się w jadalni grupa gimnazjalistów z jakiegoś rajdu, z opiekunem na czele. Ten opiekun, typ przerośniętego harcerza, był gorszy od dzieciaków. Zamówił jakąś zupę dla wszystkich, a potem, gdy Czesia już nalewała ją do talerzy, uznał, że nie, i zmienił na pierogi. Cześka nie miała tylu zamrożonych pierogów. Gdy już rozwałkowała ciasto, żeby szybko dorobić, przyszedł, wsadził głowę na zaplecze i powiedział: „Proszę pani! Albo nie... Naleśniki. Chłopcy to lubią". Nim skończył, Czesia rzuciła wałkowanym ciastem o ścianę, a że nie było jeszcze wyrobione, to się przykleiło, i zawołała do Filipa:

– Filip! Przyprowadź mi tu natychmiast Doris i powiedz jej, że jak nie przyjdzie, to ja pójdę do niej i ją zabiję, może wtedy wreszcie się otrząśnie.

Filip, który dzielnie spisywał się na mniej zapalnym froncie, w miarę sprawnie obsługując pozostałych gości, zajrzał do kuchni i powiedział, że nie ma czasu latać tam i z powrotem na górę, zwłaszcza że to i tak nic nie da.

– Zeszła wreszcie z góry, nie widziałeś?

– I gdzie jest?

– Na dworze, pod drzewem.

– Co robi?

– Maluje.

– Obrazy?

– Ja bym tego tak nie nazwała.

Poczekał chwilę, aż Czesia dokończy, a gdy milczała, ponaglił ją:

– Więc nazwij inaczej.

– Jakiś dzieciak z wczorajszego noclegu zostawił na werandzie malowankę. Złapała ją, poszła na dwór i maluje. Kredkami! Kredki też chyba zostawił.

Filip rzucił okiem na salę i uznawszy, że na razie wszyscy mają to, co im potrzeba, zrzucił czarny kelnerski fartuch, który jakiś czas temu podarowała mu Marlena, mówiąc, że takie są teraz na topie, i wyszedł.

Doris, trzymając na kolanach książeczkę do malowania, kolorowała z przejęciem postacie z bajek.

– Doris… – zaczął ostrożnie Filip. – Doris, bardzo cię proszę, żebyś wstała, poszła ze mną do kuchni i pomogła nam się pozbierać, bo nie dajemy rady. Zaraz mają przyjść Marlena z Olgą, i chyba Zenek. Wiesz, po co? Żeby wysłuchać zakończenia historii Tuśki, przysłała nam ją dzisiejszego ranka w liście. Pamiętasz Tuśkę? To taka dziewczynka, która usiłowała nas przekonać, że jest najbardziej beztroskim dzieckiem na świecie. Do pewnego czasu nawet jej się to udawało. Wszystko dzieje się do pewnego czasu, Doris. Potem zaczyna się dziać co innego.

Jej ręka zatrzymała się na niedokończonym obrazku. Malowanka upadła z kolan na ziemię. Doris usiłowała ją przez chwilę podnieść, ale w końcu zrezygnowała. Wstała i przytuliła się do niego, wybuchając płaczem. Filip objął ją i pozwolił jej się wypłakać. Potem uścisnął ją mocno, zostawił pod drzewem i wrócił do środka. Zaraz po nim weszła tam Doris. Odsunęła Czesię od kuchni i jakby nigdy nic, jednak pociągając jeszcze nosem, zaczęła smażyć naleśniki.

– To prawda – spytała po chwili – że Tuśka przysłała nam dokończenie o Luizie i Rudolfie?

Czesia, jakby nigdy nic, odpowiedziała:

– Biedne dziecko. Wiedziała, że nie możemy się już doczekać.

CZĘŚĆ V

Sześć lat, od pierwszego do ostatniego dnia wakacji, Luiza codziennie przychodziła na stację i czekała na Rudolfa. Z każdym dniem i z każdym rokiem coraz mniej miała nadziei, a coraz więcej żalu i rozpaczy w pięknych oczach. Nie dzieliła tej rozpaczy z nikim, nawet z najbliższymi, ale każdy, kto ją widział, jak przechadzała się po peronie i wypatrywała wśród wysiadających z pociągu tego jedynego, mówił potem, że dotąd nie było w tej okolicy tak smutnej i nieszczęsnej istoty. Do wszystkiego jednak można się w końcu przyzwyczaić, do nieszczęścia także, zwłaszcza kiedy jest cudze. Widok Luizy, każdego dnia lata wyczekującej na Rudolfa, przestał z czasem budzić emocje. Zdawać by się mogło, że w niej samej także powoli wygasają wszelkie uczucia, a żal i rozpacz ustępowały miejsca obojętności, która zwykle towarzyszy niezmiennym i powtarzalnym czynnościom; przychodziła tu, kierowana już tylko pewnym nawykiem, i już może sama nie wiedziała, na co lub na kogo czeka. Wyglądała jak półżywa istota nie z tego świata, jak widmo snujące się całymi godzinami po peronie zapomnienia. Nic poza tym nie widziała i nic do niej nie docierało. Nawet plotki, powtarzane od jakiegoś czasu we wsi, że jej ukochany ma gdzieś w dalekim świecie narzeczoną.

Wystarczyło jednak, że ten ukochany znalazł się tutaj, by rzuciła się ku niemu z dawnym okrzykiem: „Rudolf do mnie przyjechał!" – i nie liczyło się nic więcej. Ani to, co mówili ludzie, ani to, co on, trzymając ją chwilę potem w ramionach, powiedział:

– Przed momentem odjechało z tej stacji całe moje poukładane życie, najdroższa Luizo. Cóż z tego! Wystarczy wziąć cię w ramiona, by wiedzieć, że żyć bez ciebie się nie da.

– Sześć lat, Rudolfie – szeptała, tuląc w niego mokrą od łez twarz. – Sześć lat cię nie było. Jak mogłeś uwierzyć w tamte dziecinne słowa? Ja tylko tak, tylko tak…

Nie mógł jej powiedzieć, że uwierzył w inne życie. W chwili, gdy zdecydował, że odtąd będą razem na zawsze, nie miało to już żadnego znaczenia. Oderwał ją na chwilę od siebie, by się przekonać, że nic nie zapomniał z jej twarzy. Nie tylko nie zapomniał. Pamiętał rysy Luizy z każdego okresu jej życia – małej i dużej dziewczynki. Teraz była dwudziestotrzyletnią kobietą, na tyle dojrzałą, by nie pytać jak dawniej: „Co robiłeś cały ten rok beze mnie, Rudolfie?". „Tęskniłem" – odpowiadał, nim zaczął wyliczać, co robił przez te jesienno-zimowo-wiosenne miesiące. Co miałby powiedzieć teraz, gdyby zapytała? Sześć lat to za długo, by tęsknić. Wystarczająco, żeby zapomnieć. Nie chciał jej dokładać bólu. Przeszła dość przez ten czas. Dwa lata temu umarła matka, bracia rozjechali się po szerokim świecie, a jego, Rudolfa, tutaj nie było.

– Wszystko ci wynagrodzę, moja Luizo – przyrzekał, gdy w tumanach łupkowego pyłu szli drogą do wsi.

Minęli istniejący jeszcze wtedy zewnętrzny oddział położonego kilka kilometrów stąd więzienia, machając skazanym, którzy wyruszali z kabaryn do pracy przy naprawie drogi po wiosennych powodziach, potem kilka łemkowskich chat na prawo i lewo, stanęli na chwilę na mostku nad Osławą, patrząc, jak płynie spokojna i czysta. Stamtąd już widać było chatę babci i wujostwa na niewielkiej skarpie po prawej stronie drogi. Rudolf zdecydował, że tam najpierw pójdą, a potem dopiero pod las do Józefiny, u której Luiza po śmierci matki zamieszkała.

– Słyszałam, mój drogi chłopcze – zaczęła babcia Rudolfa, jak tylko weszli do chaty – że narzeczoną mi tu przywiozłeś przedstawić.

Luiza nie zdziwiła się, nie zaniepokoiła nawet. Ciotka Józefina była o wiele młodsza od babci Rudolfa, a też już mówiła od rzeczy.

– Tak, babciu. – Rudolf poprowadził Luizę do wersalki pod ścianą, na której babka spoczywała. – To moja narzeczona.

Trzeba było stare oczy mocno wytężyć, by zobaczyć, kogóż to przywiózł ukochany wnuczek.

– Ach, to Luiza! – wyrwało się babce, może nazbyt głośno. – Nieszczęsne dziecko. Tyle razy o śmierć się otarło, a tu proszę.

Rudolfowi nie chciało się słuchać, jak śmierć Luizę tyle razy ominęła, więc przeszedł od razu do rzeczy:

– Ślub w sierpniu.

– Już w sierpniu? – zdziwiła się babka.

– Tak, babciu.

– A to może i dobrze. Przynajmniej doczekam.

Doczekała.

Zapowiedzi poszły od kolejnej niedzieli. Rudolf został ochrzczony w tym kościele, bo matka urodziła go, gdy przyjechali tu z ojcem na wakacje. Nie było żadnych przeszkód, żadnych trudności, by cokolwiek odwlekać. Józefina już następnego dnia po nagłych, aczkolwiek nikogo niewprawiających w zdumienie, oświadczynach zaczęła szyć, z pięciu swoich, ślubną suknię dla Luizy. Przymierzała ją na siostrzenicy każdego dnia, tu łapiąc kawałki materiału, tam wszywając koronkowe wstawki. Luiza znosiła to cierpliwie. Wyprostowana, z lekko przechyloną głową, patrzyła w okno, nic nie mówiąc. Józefinie za to nie zamykały się usta. Cieszyła się, że wszystko ułożyło się tak, jak już dawno powinno się ułożyć, ona ma wreszcie okazję uszyć wymarzoną suknię, a sierpień powinien być w tym roku piękny. Najbardziej jednak cieszyło ją to, że siostrzenica już nigdy nie pójdzie na stację, nie będzie tam stać lub spacerować przy samej krawędzi peronu i czekać nie wiadomo na co, jak to przez ostatnich sześć lat robiła. Za każdym razem, gdy zerknęła na twarz Luizy, nie mogła jednak pozbyć się wrażenia, że gości na niej uparcie jakiś nieokreślony, niepokojący wyraz. I dopiero dziesiątego dnia, pogłębiając nieco dekolt w koronkowym gorsecie sukni, Józefinę olśniło, że to nic innego, tylko zdziwienie. Spytała od razu:

– I czemuż tak się dziwisz? Czy dzieje się coś, czego ktokolwiek z okolicy od dawna by się nie spodziewał?

– Nie, ciociu.

– Więc co, bo ja nie rozumiem?

– Nie zdążyłam nawet powiedzieć tak – odparła Luiza zdziwionym głosem.

– Powiesz przy ołtarzu. Czegoś się spodziewała? Że Rudolf do końca życia będzie tu przyjeżdżał na wakacje?

Zdawało się Józefinie, że dziewczyna skinęła głową, ale równie dobrze mogła to być reakcja na bolesne ukłucie szpilką, których masę nawpinała w wycięty gorset.

Nikt nie pamiętał takiego tłumu na ślubnej mszy, jaki wtedy zgromadził się w małej cerkiewce, dawno temu przemianowanej na kościół. Cała okolica przyszła oglądać Rudolfa i Luizę przed ołtarzem. Nikt nie pamiętał tak pięknej panny , tak zadziwiającej sukni ślubnej, uszytej z delikatnego białego aksamitu, ozdobionej mnóstwem przepięknych koronek, ani takiego żaru, takiej miłości w oczach pana młodego. Luiza patrzyła nieprzytomnym wzrokiem na przepiękny ikonostas, jakby pierwszy raz w życiu go widziała, przenosząc wzrok z jednego fragmentu na drugi. Dopiero gdy powiedziała „tak", z jej twarzy znikł – ku wyraźnej uldze Józefiny – wyraz delikatnego, nawet niedostrzegalnego dla większości, zdziwienia.

– Jest taka sama jak ja – szepnęła potem Józefina

do babki Rudolfa, gdy czekały cierpliwie, aż cała okolica stojąca w długiej kolejce, która sięgała aż do drogi w dole, złoży państwu młodym życzenia. – Do samego końca nie wiadomo, czego się po niej spodziewać.

– Nieszczęsne dziecko – przytaknęła Józefinie babka Rudolfa.

Gdy ostatni gość wydukał już swoje życzenia, Rudolf szepnął wujkowi na ucho, by powiódł wszystkich zaproszonych do weselnych stołów, ustawionych w ogrodzie babki i wujostwa, sam zaś objął Luizę wpół i poprowadził do samochodu drużby. Wsiedli tylko we dwoje.

– Długo zastanawiałem się nad prezentem ślubnym dla ciebie, moja żono – powiedział, całując jej dłonie.

– Ty jesteś moim najpiękniejszym prezentem, Rudolfie. – Luiza z oddaniem oparła głowę na jego ramieniu.

Rudolf spojrzał na zegarek.

– Mamy piętnaście minut do pociągu – powiedział, ruszając, a Luiza spojrzała na niego szeroko otwartymi oczyma, bo wiedziała już, co to za prezent. – Ostatni raz, moja Luizo. Za to, że wtedy w taki sposób ci tego zabroniłem. Za te sześć lat, które przez moją głupotę zmarnowaliśmy bez siebie.

Gdy wpadli na peron, usłyszeli gwizd lokomotywy. W samą porę. Po chwili zamajaczyła na niedalekim horyzoncie. Wzięli się za ręce i czekali, aż podjedzie dostatecznie blisko. Luiza przechyliła głowę w stronę męża i powiedziała:

– Lubiłam tu stać i czekać na ciebie, Rudolfie.

Spojrzał jej w oczy i uścisnął mocno dłoń, nic nie mówiąc.

Nieliczni podróżni, głównie obcy, z zaciekawieniem zerkali na tę przedziwną parę. Ona, w pięknej sukni, gdy tak przesuwała leniwie wzrokiem po wzgórzach za torami, tchnących sierpniowym spokojem, zapierała dech urodą. On, w ciemnoszarym garniturze, wpatrzony w jej profil, sprawiał wrażenie człowieka, który nie tylko dla niej, ale razem z nią się urodził.

Pocałował ją w usta i powiedział:

– Ostatni raz, moja Luizo. Za to, że tak bardzo cię kocham. Teraz. I zaraz wracaj.

Luiza spojrzała mu w oczy i z wielką wprawą zeskoczyła z peronu. Kilka kroków wystarczyło, by pokonać dwie pary torów. Tam odwróciła się, czekając z uśmiechem na odpowiedni moment. Gdy nadszedł, uniosła lekko suknię obydwiema rękami i skoczyła z ostatnim w swoim życiu uśmiechem.

Z ust nielicznych podróżnych, oczekujących na peronie, wyrwał się jęk zgrozy. Pociąg był tuż-tuż. Rudolf otworzył ramiona, by pochwycić żonę, zamknąć w nich na zawsze swoją jedyną miłość i raz na zawsze pozbyć się nieustającego strachu o jej życie. Nigdy więcej już tego nie zrobi, pomyślał w jednej chwili i zbladł w kolejnej, widząc przerażone oczy Luizy.

– Rudolf! – krzyknęła, nie mogąc wyciągnąć stopy z podkładu między szynami.

Rozpaczliwy gwizd zbliżającego się pociągu słychać było podobno aż w ogrodzie babki Rudolfa. Goście weselni wstali od stołów i wszyscy, jak jeden, spojrzeli w stronę stacji.

🐚 🐚

– Czemu przerwałeś?! – wydarła się na Filipa Marlena, gdy złożył list od Tuśki i rzucił na stół.

– Nie przerwałem. To koniec.

– Koniec?! – zawołała Olga z rumieńcami na twarzy.

– Koniec?! – powtórzyła za nią blada jak ściana Czesia. Filip rozłożył ręce.

– A co jeszcze chcecie? Makabrycznej sceny z dokładnym opisem tego, co i tak było wiadome od początku?

Doris chwyciła kartkę i rozprostowała.

– „...spojrzeli w stronę stacji” – przeczytała. – No rzeczywiście. A ten pees na dole? Ślepy? „Resztę mogę opowiedzieć tylko na stacji. Jeśli będzie taka możliwość. Tuśka”.

– A to gówniara! – wykrzyknęła z niedowierzaniem Czesia.

– Cwana szantażystka! – zawtórowała Marlena. – Wyciągniemy ją z tego przytułku, to nam dokończy, a jak nie, to nie.

– Co to jest przytułek, pani Marleno? – spytał Zenek Jaszczuk, dyskretnie ocierając łzę, bo tak się wzruszył.

– Miejsce, z którego wszyscy się tu wzięliście – warknęła Marlena. – Niby jesteście stąd, a żadne nie wie, jak to się skończyło.

– A kto tu jest stąd? – Olga wzruszyła ramionami.

– Nikogo stąd tu nie ma – przytaknęła Czesia. – Z okolicy, to tak.

– A w okolicy to nic się o tym nie mówiło?

– Może się i mówiło, ale nie tak jak Tuśka. I dawno nikt już niczego nie pamięta.

– Józefina też? – Marlena nie dawała za wygraną. – Założę się, że to od niej Tuśka usłyszała większość tych bzdetów. Resztę sobie dołożyła.

Czesia machnęła ręką.

– Józefina nic nie powie. Na temat przeszłości milczy jak grób.

– Pewnie. – Marlena była w coraz bardziej bojowym nastroju. – Może z obawy, żeby się z tą historią z księdzem nie wysypać.

– No właśnie o tę historię z księdzem kiedyś ją zapytałam, jak jeszcze za Madeja po kaczki jeździłam.

– To dlaczego teraz nie jeździsz? – zareagował na jej słowa Filip. – Tylko mnie wysyłasz.

Czesia zlekceważyła jego pretensje.

– To mi powiedziała, że są sprawy, które lepiej, żeby na zawsze pozostały tajemnicą.

– No ale chyba nie ta – zaniepokoiła się Doris. – Mam nadzieję, że Tuśka wszystko nam opowie do końca.

– Wszystko już wiemy – zakończył Filip, wstając od stołu. – Resztę, czyli całą tę pseudoliteracką otoczkę, którą od grudnia, o ile się nie mylę, bajeruje was Tuśka, możecie sobie dośpiewać. Czego jeszcze chcecie?

Rekonstrukcji zdarzeń? Wizji lokalnej? Widowiska w stylu światło i dźwięk? Ta mała wciśnie wam wszystko, a wy we wszystko uwierzycie.

– Jesteś wstrętny – powiedziała z nadąsaną miną Czesia, a pozostałe jej przytaknęły.

Filip wyszedł na podwórze, zapalił papierosa i przez chwilę patrzył w kierunku stacji. Potem odwrócił się do nich i zapytał:

– Ktoś wie, gdzie mieszkała babka tego… jak mu tam, Rudolfa?

– Ja wiem – zgłosiła się do odpowiedzi Doris. – Tuśka mi kiedyś pokazywała. To ta chałupa, którą niedawno wystawili na sprzedaż. Na skarpie po prawo.

– Ta, w której w wyobraźni starzałaś się u boku tego… jak mu tam… Marka? – spytała niewinnym głosem Marlena.

– Ja jestem wstrętny? – zareagował Filip.

Doris lekceważąco machnęła ręką.

– To nic… Dajcie spokój. Kubeł zimnej wody był mi bardzo potrzebny. Chcesz kupić tę chałupę, Filipie?

Filip najpierw nie wiedział, o co jej chodzi, a potem parsknął śmiechem.

– Jeszcze czego! Brakuje mi do pełni szczęścia jeszcze jednej takiej ruiny, jakbym z tą miał mało kłopotu. Pytałem, bo byłem ciekaw, gdzie to jest.

– W środku tej części wsi – podpowiedziała Czesia.

– No więc właśnie, czyli ładny kawałek za nami, patrząc od strony stacji. Wątpię, czy dałoby się usłyszeć gwizd pociągu.

– A co to ma do rzeczy! – zdziwiła się Marlena i wszystkie ją w tym poparły.

– To, że cała ta historia pełna jest takich właśnie wymysłów – wyjaśnił Filip. – Ozdobników i niczemu niesłużących bzdetów.

– No i co z tego? – oburzyła się Doris. – Dlatego jest taka piękna.

– Piękna? – Filip wytrzeszczył oczy. – To ma być piękna czy prawdziwa?

Spojrzały na niego, wywracając oczami. Olga powiedziała:

– Kogo to tak naprawdę obchodzi, Filipie? Po dwudziestu latach?!

– Kto za dwadzieścia lat będzie chciał słuchać historii o gościu, który bez zastanowienia kupił Magnolię? – Mówiąc to, Marlena rozejrzała się po tamtych trzech, oczekując poparcia. Nie zawiodła się. Dodała więc: – Chyba że my staniemy się jej głównymi bohaterkami, to tak. Cztery piękne, niesamowite kobiety…

– Ja też? – wtrąciła Czesia.

– Ty przede wszystkim.

– Zapomniałaś o tej smarkuli – zauważył Filip.

– Nie zapomniałam. Może to właśnie ona tę historię komuś opowie. Znając Tuśkę, zrobi z siebie główną bohaterkę.

– Chciałbym tego posłuchać – zakpił Filip, wsuwając ręce do kieszeni i patrząc na nie z ukosa. – Niesamowite w was jest tylko to, że żeby nie wiem co się działo,

317

zawsze znajdziecie pretekst i okazję do durnej gadki o niczym, jakimś cudem prowokując to, co się tu dzieje, wpływając na wydarzenia i we wszystkim, cholera jasna, uczestnicząc. Tak mi działacie na nerwy, że sto razy już miałem ochotę wysłać was wszystkie naraz w nieskończony kosmos, inaczej mówiąc, do samego diabła. Jadę do Lorki!

– Po co? – zainteresowały się wszystkie naraz.

– Nie wasz zakichany interes – odparł, wsiadł do auta i odjechał.

≈ ≈

A potem był sierpień. Może równie piękny jak ten, który zapowiadała Józefina, szyjąc dla Luizy wymarzoną suknię. Ostatnie dni lata upływają zwykle w aurze niekończącego się spokoju, gasnących barw i leniwej monotonii. Cichnie wiatr, który zrywał dachy z domów, ustaje deszcz, zalewający pielęgnowane od wiosny ogrody, słońce przestaje palić. Wszystko łagodnieje. Zmęczona wcześniejszymi wybrykami natura ucina sobie drzemki w jasne jeszcze, ale już coraz krótsze popołudnia.

W ludzkim życiu też jest to taki czas, kiedy pewne sprawy dopina się na ostatni guzik, przygotowując się powoli do otwarcia nowych rozdziałów. Filipowi, towarzyszącemu naturze w tych popołudniowych drzemkach na ławce pod jakimś krzewem, zdawało się, że tak właśnie będzie. Pewne sprawy czekały na spokojną kontynuację, a inne, kończące się czy też wyjaśniające, wprowadzały każdego z osobna lub wszystkich razem w nowy rozdział.

Tuśka z dwójką najstarszego rodzeństwa z końcem sierpnia miała wrócić do rodzinnego domu pod opiekę jako tako postawionej na nogi matki. Lepiej byłoby, gdyby wszystkie dzieci wróciły, ale dobre i to. Marlena akurat pochwaliła urzędników za tę decyzję, twierdząc, że większość na szczęście potrafi jeszcze myśleć. Sama nie odważyłaby się na razie na więcej.

Przestała jeździć po opiniotwórczych – jak to nazywała – placówkach, a także uganiać się po okolicy i tłumaczyć każdemu, jak ma się zachować i co mówić w razie czego, jakby nikt poza nią nie wiedział. Dwa razy dziennie celcbrowała tcraz nioópioozno picio kawy, a potom jeszcze wieczorne pogaduszki, z czego Czesia, gotując najlepsze w okolicy obiady, była bardzo zadowolona.

Olga przywoziła pachnące latem warzywa. Zadowolona z pomocy Swietłany, zostawała dłużej niż dawniej, z takim samym leniwym spokojem jak inni włączając się w rzeczywistość Magnolii. To dla Filipa była ulubiona pora dnia.

Doris, różowa, morelowa, jasno – lub ciemnoniebieska, dbała o gości na wszystkich frontach, porządkując pokoje lub podając posiłki. Każdego dnia żałowała niezmiennie, że niektóre kwiaty już bezpowrotnie przekwitły, za to inne, jesienne, dopiero kwitnąć zaczynają. A krzewy! (Krzaki, poprawiał w myślach Filip). Krzewy tak pięknie się przyjęły… Prawie wszystkie.

– No ile się nie przyjęło? – pytała, potrząsając blond loczkami, w odpowiedzi na sceptyczne spojrzenie Filipa.

– Dziesięć procent? Tyle miało prawo się nie przyjąć.

– Przyjęłyby się wszystkie – dogadywał jej Filip – gdyby twój kochany Absurd nie lał na nie każdego ranka!

– Widzisz, jaki to mądry pies?! Nie sikał na wszystkie.

Filipowi czasem przychodziło do głowy, że Doris przydałby się może jeszcze jeden kubeł zimnej wody. A może nie – poprawiał się zaraz w myślach, bo trudno mu było sobie wyobrazić, żeby Doris miała być inna. Ona sama musiałaby tego przede wszystkim chcieć. A nie chciała.

– Lubię Doris – oświadczyła kiedyś przy późnej sobotniej kolacji, gdy Marlena pochwaliła jej makijaż idealnie skomponowany z całością, czyli tym, co Doris akurat miała na sobie, a chwilę potem zapytała, czy tamta nie tęskni za swoim dawnym wizerunkiem. – I nie zamierzam się zmieniać. Teraz jestem sobą i bardzo dobrze się z tym czuję. O Annie Woźniak myślę jako o obcej osobie, z którą przyszło mi mieszkać na tej samej ulicy. Mówię jej „dzień dobry", gdy się mijamy we wspomnieniach, po czym ona lub ja przechodzimy na drugą stronę ulicy.

– Doris! – Marlena gwizdnęła przeciągle. – Co za słowa! Czysta poezja. Pytanie tylko, czyje to: Doris czy Anny Woźniak.

– Zajmij się swoimi wilkami, które nagle wyszły z ukrycia. Żeby ich kto nie ustrzelił – zrewanżowała się Doris.

– Nie schodzą z Górki – odparła pewnym głosem Marlena.

– Poza tymi momentami, gdy nazbyt gorliwie pomagają Swietłanie zapakować się z zakupami do auta pod sklepem.

Marlenę na chwilę zatkało.

– A który to?

– A nie wiem. Co za różnica?

– No na pewno nie Olaf! – zdecydowała szybko Marlena. – À propos! Ktoś wie, jaka ma być pogoda na następny tydzień? Wybieramy się z Olafem na kilkudniową wycieczkę.

– Kup sobie telewizor – zaczęła leniwym głosem Czesia. – Tam są takie specjalne programy z prognozami pogody. Czasem uda im się utrafić, nawet w te długoterminowe. Będziesz wiedzieć.

– Telewizor? I co będę oglądać? Filmy robione dla ludzi o jednocyfrowym ilorazie inteligencji, czyli kompletnych idiotów? A może programy śniadaniowe, w których dwoje prezenterów, ludzi, jak by się wydawało, z jakimś wykształceniem, prowadzi z dwojgiem innych – też chyba nie po podstawówce – ożywione dyskusje na temat: Czy na otwarciu nowego snobistycznego klubu, sklepu czy salonu torebka aktualnej celebrytki to oryginał za trzy tysiące czy podróbka? Chcesz na to patrzeć? Bo ja nie.

– Są inne programy. Same bloki informacyjne…

– W których pokazują gęby tych aroganckich dupków z rządu na przemian z wypacykowaną buźką… Nie obraź się, Doris, aktualnej celebrytki, śmiertelnie obrażonej na media, które śmiały zasugerować, że naszywka na torebce, którą nonszalancko przewiesiła sobie przez ramię podczas otwarcia snobistycznego klubu, sklepu czy salonu, to nie Gabano czy Gabana… Cholera, nawet nie wiem dokładnie… tylko podróbka. Dziewczę z łezką w oku oświadcza narodowi, że kupuje tylko markowe rzeczy. Kurwa, a kogo to obchodzi! Może gimnazjalistki, które już mają gąbkę chłonącą same takie pierdoły zamiast mózgu. Bo na pewno nie Kalinę Kęcką, matkę Tuśki!

– Marlena! – wrzasnęła jej nad uchem Czesia. – Nie nakręcaj się!

– Same czasem tak gadamy bez sensu… o mało ważnych rzeczach – zauważyła cicho Olga.

– To są nasze małe rzeczy. Nie obarczamy nimi świadomości i uwagi innych. I nie są takie małe. Wolałabym powiedzieć: zwykłe. Ludzie powinni rozmawiać o zwykłych rzeczach. Dobrze, jeśli w ogóle to robią.

– Skończyłaś? – spytała bardzo grzecznie Doris.

– Chyba tak… Jeszcze nie wiem. A co?

– A nic. Słyszałam, że w przyszłym tygodniu ma być jeszcze ładnie. Tak jak w tym.

– Gdzie to słyszałaś? – Marlena przyjrzała jej się podejrzliwie.

– Górale bieszczadzcy mówili! – warknęła ze zniecierpliwieniem Doris. – Jasne, że w telewizji.

Marlena przez chwilę patrzyła na nią uważnie spod przymrużonych powiek.

– Wiesz, kochanie – odezwała się w końcu. – Mimo wszystko nie jesteś już chyba tą Doris, która zjawiła się tu pewnego grudniowego wieczora w różowym ubranku. Nie trzepiesz tak uroczo rzęskami, nie zachwycasz się wszystkim i zaczęłaś się wymądrzać.

I tak już będzie zawsze, pomyślał Filip, obejmując je jednym, leniwym spojrzeniem. Będą tak razem siedzieć, dogadywać jedna drugiej, śmiać się nie wiadomo z czego i nie wiadomo o czym paplać. Póki jeszcze trwa sezon, coś się dzieje, a potem nie będzie się działo nic. Przyjdą jesienne dni, zbyt krótkie na zdarzenia, zbyt długie na to, by nic nie robić. Chyba znowu zacznę pić...

– Mówiłeś coś, Filipie? – Pytanie Czesi kazało mu na nowo otworzyć oczy.

– Tylko myślałem.

– O czym?

– O jesieni.

– Słyszałam – odezwała się Doris, oglądając krytycznym wzrokiem świeżo pomalowane paznokcie – że jesień w tym roku ma być piękna. Ale pewnie będzie jak zwykle.

🐌 🐌

– Wszystko ma jakiś sens – powiedział Filip w zamyśleniu. – Po upalnym, suchym lecie z pewną ulgą przyjmuje się pierwsze deszcze i szarość jesieni. Albo po mroźnej zimie kaprysy wiosny... Niczego nie da się przewidzieć. Każdy rok jest zupełnie inny od poprzedniego, ale gdy zabawisz się w statystykę, dodasz wszystko, a potem podzielisz, okazuje się, że średnia wychodzi taka sama, plus minus niewiele w tę czy inną stronę. Więc w rezultacie niewiele się zmienia. Z takim założeniem popatrzyłem pewnego sierpniowego popołudnia na Czesię, Marlenę, Olgę i Doris i pomyślałem, że kolejny rok nie powinien być gorszy od mijającego.

– W jakim sensie? – spytał Maciek.

– W sensie różnorodności zdarzeń. Wystarczyło na nie spojrzeć.

– Tego oczekiwałeś?

– Nie wiem, czego oczekiwałem. Wiedziałem, że nie zanudzę się na śmierć, i to w zasadzie, w jakimś sensie, mnie satysfakcjonowało. Tylko że pewne sprawy i zdarzenia wymykają się wszelkim prawom, także statystyce. Dzieje się coś, czego nie byłeś w stanie w żaden sposób przewidzieć, nawet na podstawie średnich wyliczonych z miliona lat. W przyrodzie tornado w kilka sekund niszczy połowę spokojnego miasteczka, a w ludzkim życiu zdarza się coś, co w sekundzie powala cię na kolana i nie pozwala wstać.

Maciek położył rękę na ramieniu pochylonego Filipa i uścisnął go lekko.

– Wszystko w granicach normy, przyjacielu. Średnia...

– Chrzanię taką średnią! – nie pozwolił mu dokończyć Filip. – Takie głupie gadanie. Nie wiem, po co je zacząłem.

– To je skończ. Na wszystko przyjdzie pora. Pozostańmy jeszcze chwilę przy tym sierpniu... Spokój też ma swój urok.

– Spokój?! – zaśmiał się Filip. – A kto powiedział, że zapanował jakiś spokój?

– Ty tak w pewnym momencie zacząłeś…

– Poczekaj, aż skończę. Najpierw przyjechał Marcel…

Filip obracał żółtą kopertę formatu A4, którą przed chwilą odebrała od kuriera Czesia, cierpliwie wysłuchując jej narzekań.

– Skończą się kiedyś te przesyłki kurierskie? Co za jakaś nowa głupia moda! Jakby nie można było normalnie, przez pocztę. Listonosz, jak co miał, to wchodził, dzień dobry czy dobry wieczór, siadał na chwilę, pogadał, o to i tamto zapytał, a nie tak jak teraz. Stanie taki jeden debil z drugim debilem za bramą i trąbi, bo jaśnie panu nawet się nie chce wyjść. Tamta artystka na razie skończyła, to ten zaczął. Nazamawiają cudów, a żadnemu nie chce się wyjść, odebrać, podpisać… Patrz, cały biszkopt się przypalił! Wystarczyły dwie minuty. Miałam wyjąć, nie wyjęłam, bo jak debil zaczął trąbić pod bramą, to myślałam, że Bóg wie co się dzieje!

– Zeskrobiesz z wierzchu i jakoś się zje – nieśmiało zasugerował Filip.

– Nic nie będę zeskrobywać! Nie będę sobie psuć opinii przez waszych kurierów. Na drugi raz nie wyjdę. O deserze do kawki zapomnijcie.

Wyjęła przypalony biszkopt z blachy i podała Filipowi.

– Masz, idź zanieś ptakom, bo przecież pies artystki tego nie ruszy.

Gdy wychodził pokornie z biszkoptem, by go zostawić gdzieś w trawie dla ptaków, jako że Czesia nie miała zwyczaju niczego wyrzucać, zderzył się w drzwiach z rosłym mężczyzną. Po kilku przepraszających formułkach tamten zapytał o Dorotę Leszcz.

– Dorota Leszcz... – Filip zamrugał oczami, zaraz go jednak olśniło: – A, Doris!

– No... może i Doris... A więc jest tu?

– Doris! – wrzasnęła Czesia w górę schodów, przyglądając się podejrzliwie mężczyźnie.

Doris zbiegła zaraz, znieruchomiała na chwilę, po czym rzuciła się przybyłemu na szyję.

– Marcel! Jak mnie tu znalazłeś?!

– No przecież... – Marcel rozejrzał się niepewnie.

– A nie, spokojnie! – uspokoiła go Doris. – Oni wszystko wiedzą.

– Wszystko?

– Wszystko. No co tak wytrzeszczasz oczy? Chodź, siadaj. Kawy, herbaty, może coś zjesz... Zjesz coś, a potem wypijemy kawkę na dworze. Czesia nam poda ciasto tortowe, jeszcze takiego nie jadłeś.

Czesia, wchodząc do kuchni, mruknęła pod nosem:

– Żebyś się nie zdziwiła.

Doris zdziwiła się dopiero wtedy, gdy Czesia zaczęła codziennie piec tortowe ciasta (Marcel okazał się wielkim łasuchem), a przed sobotnią kolacją, która miała być ostatnią po jego kilkudniowym pobycie w Magnolii, spytała Marlenę, czy szary cień do powiek będzie jej pasował.

Wcześniej jednak Doris i Marcel wyjaśnili sobie wszystko. Wytrzeszczył oczy, gdy Doris ze szczegółami opisała mu finał całej sprawy, po czym powiedział, że on w zasadzie niczego innego się nie spodziewał. Obsztorcował ją nieźle za to, że jeśli nie wcześniej, to już po wszystkim mogła dać matce jakiś znak życia. Jego przejęcie i ton wzbudziły w niej znowu nadzieję, że może jednak jest jego córką, co skomentował tak samo jak wtedy, gdy u niego mieszkała, mówiąc: „Chciałabyś". Doris zatrzepotała rzęskami i odgarnęła blond loczek.

– No pewnie, że bym chciała.

– Ja za to nie wiem, czy chciałbym mieć tak nieodpowiedzialną córkę – odparł na to. – Dzwoniłem co jakiś czas, nie za często, bo coś tam nagadałaś przed wyjazdem, żeby z telefonami ostrożnie, ale za każdym razem zgłaszał się ktoś inny.

Okazało się, że podała mu numer różniący się jedną cyfrą (Doris utrzymywała, że po prostu źle zapisał), i nareszcie można było przejść do spraw bieżących, czyli tego, jak tu jej się żyje.

– A, wspaniale! – Doris klasnęła w dłonie i uścisnęła Marcela z czułością. – Zobacz, jak tu pięknie.

Rozejrzał się dookoła sceptycznym wzrokiem, wzruszył ramionami i coś tam mruknął, że nie tak ładnie jak u niego.

– Nie licytujmy się, Marcel! – zawołała Doris, wciąż podekscytowana jego przyjazdem. Widać było, że to dla niej wiele znaczy. Kochanek rodzonej matki nie był do końca obcym człowiekiem.

Po obiedzie wzięła go pod ramię i zabrała na długi spacer po okolicy. Czesia patrzyła za nimi ze schodów przed Magnolią, lecz w końcu machnęła ręką i poszła piec nowy biszkopt.

– Kremy gotowe, szkoda zmarnować. A biszkopt to moment – tłumaczyła się chyba sama przed sobą, bo Filip miał to w nosie.

Marcel, człowiek małomówny, słowem się nie odezwał na frykasy, które mu przez kilka dni podsuwała, chwalił jednak wszystko wzrokiem i to Czesi wystarczyło. Za którymś razem widać oboje spotkali się tym wzrokiem na dłużej, bo Doris zaczęła im się podejrzliwie przyglądać, a gdy Czesia do sobotniej kolacji umalowała sobie powieki lekko widocznym, szarym cieniem, nie wytrzymała.

– Czy ty, Czesia, nie chcesz czasem odbić mojej matce kochanka? – spytała wprost.

Czesia obrzuciła ją obojętnym spojrzeniem.

– Kochanka, jeśli już komuś tak bardzo zależy, żeby urozmaicić sobie życie lub co tam innego – zaczęła bardzo uroczystym tonem – bierze się na miesiąc, dwa, a nie na dwadzieścia lat. Chyba pora na coś się zdecydować: mąż czy kochanek. Zresztą ja nie wiem, czy to jeszcze aktualna sprawa. Jak ci na tym zależy, spytaj matkę.

– Nie aż tak.

– Ja miłości nie szukam, żeby wszystko było jasne. Nie w moim wieku.

– Nie ma wieku na miłość – wtrąciła Marlena.

– Przychodzi, kiedy chce, i dużo możesz zrobić. Wiem, co zaraz powiesz, ale byłabym wdzięczna, gdybyś ten jeden raz się powstrzymała.

– Nic nie powiem.

– Ja za to dodam, że nie zawsze może być albo tak, albo siak, bo o tym, zdaje się, tym razem zapomniałaś.

– Zapomniałam.

– Życie byłoby za proste.

– Bzdura.

– Nawet twoje życie, Czesia, takie nie jest.

– Nigdy go sobie nie komplikowałam.

– Przeważnie ono samo się komplikuje.

Czesia pokręciła głową. Marcel zza stołu patrzył na nią spokojnym wzrokiem, w którym wszystko było widoczne: podobasz mi się, kobieto, i gdybyś pewnego razu pojawiła się w mojej wsi, to kto wie. Czesia odpowiedziała z takim samym spokojem: Szkoda, że żyjemy tak daleko od siebie. Ja tu, a ty tam. Bardzo szkoda.

– Nieprawda – sprzeciwiła się Marlenie, nie spuszczając oczu z Marcela. – Pomyśl o Doris, idącej z torbą pieniędzy na autobus… Mnie coś takiego by się nie przydarzyło.

– Przydarzyłoby ci się coś innego.

– Aaa… – Czesia machnęła ręką. – Nie będę się nad tym zastanawiać. Szkoda życia.

– Brak odwagi.

– Jakżeś taka odważna, to idź, usiądź koło Wilczewskiego… Który tam akurat przyszedł… i przyjmij pierścionek zaręczynowy. We wsi aż huczy. Może trzeba by się w końcu na coś zdecydować.

– Nie będę podejmować pochopnych decyzji tylko po to, żeby ludziom we wsi poprawił się nastrój. Tak, jak jest, jest dobrze. Zresztą, nie przesadzaj – kto tu się kiedy takimi sprawami przejmował?

– Mnie też jest dobrze. Robię to, co lubię, i nikt mną nie rządzi, że ma być tak albo siak. Bierzcie mięso, jedna to, druga tamto, i do stołu. Ja wezmę deser.

Marcel, zagadnięty przez Filipa o życie w samotności, odpowiedział w podobnym stylu:

– Wstanę sobie rano, wyjdę w pole, popatrzę, porobię, co mam porobić, i idę spać. Śpię dobrze, bo jak człowiek robi to, co do niego należy, niczym się nie gryzie. Braci mam blisko, siostry też, nie jestem sam. Choć może nieraz przydałoby się mieć kogoś bliżej.

Marlena kopnęła Czesię pod stołem, a ta przygryzła wargi i spojrzała odważnie Marcelowi w oczy.

Potem Marlena utrzymywała, że była wielka szansa, by między tymi dwojgiem do czegoś doszło. Wystarczyło dwa słowa na pożegnanie: zachęty, zaproszenia, obietnicy...

– Dobre życie tu sobie stworzyłaś, Aniu – powiedział Marcel, obejmując Doris na pożegnanie. – Dam znać twojej matce, żeby się nie martwiła.

– Dasz znać? To jednak już się nie spotykacie... – Doris, co tu dużo mówić, była jednak bystrą dziewczynką.

Marcel jeszcze raz ją uścisnął, a potem pożegnał się z Marleną i Filipem, dziękując za gościnę. Czesia odprowadziła go do samochodu, niosąc pojemnik z ciastem na drogę.

Zabrakło kilku słów, które w takiej sytuacji mogły paść całkiem spontanicznie i dać czemuś jakiś początek. Babka Klara wszystko zepsuła.

Gdy Marcel ujął dłonie Czesi, uśmiechnął się i zaczął mówić, że do samotności można się przyzwyczaić, ale nie trzeba tkwić w niej z jakimś maniackim uporem, jeden z dalszych kuzynów Czesi zadzwonił z wiadomością, że babka umiera.

Czesia, jak stała, tak wskoczyła do auta, oddawszy jeszcze w pośpiechu uścisk Marcelowi, i odjechała. Marcel popatrzył za nią, uśmiechnął się ze smutkiem i też odjechał.

Wróciła dopiero po południu, cała we łzach. Nie można było niczego się od niej dowiedzieć. Zalewała się łzami jak rozżalone dziecko, a w końcu z siebie wydusiła to, czego każdy już się domyślił:

– Babka Klara umarła.

Pozwolili, żeby się wypłakała, pocieszając ją od czasu do czasu niezbyt nachalnie, a dopiero potem Marlena odważyła się zapytać:

– I… i powiedziała w końcu to, co miała powiedzieć?

Na te słowa Czesia znowu uderzyła w płacz, ale krótkotrwały. Po chwili otarła oczy i kiwnęła głową.

– Dziś jest o wiele ładniej jak wczoraj – oznajmiła.

– No nie powiedziałabym – Doris na to. – Chmurzy się od rana i tylko patrzeć, jak lunie.

– Nie, nie… – zaprzeczyła Czesia. – Babka tak powiedziała.

– Przed śmiercią?

Czesia skinęła głową.

Gdy weszła do chaty, wszyscy krewniacy już byli. Otoczyli łóżko babki ciasnym kręgiem, tak że Czesi ledwie udało się wcisnąć. Staruszka leżała z przymkniętymi oczami, oddychając nierówno. Gdy spod przymrużonych powiek dostrzegła Czesię, zrobiła taki zapraszający gest, po którym wszyscy się pochylili nad łóżkiem, wiedząc, że oto przyszła pora na wyjawienie tej ważnej tajemnicy, o jakiej tamta od wielu lat bezustannie mówiła. Babka otworzyła oczy, popatrzyła na wszystkich przytomnie, powiedziała: „Dziś jest o wiele ładniej jak wczoraj", i na wieki je zamknęła.

– Chrzanić tajemnice! – podsumowała Marlena, chyba tylko po to, żeby coś powiedzieć i nie parsknąć śmiechem. Doris i Filip przytaknęli skwapliwie – mieli ochotę zrobić to samo.

Czesia przyjrzała się podejrzliwie całej trójce. Wytarła porządnie nos w chusteczkę, jeszcze raz chlipnęła i rzekła:

– A tam! Obchodzą mnie sekrety sprzed kilkudziesięciu lat, nawet jeśli babka jakieś miała. Tylko że… że zdałam sobie sprawę, jak mi była bliska. Ogarniając kuchnię, żeby był jakiś porządek, gdy ludzie zaczną przychodzić, żeby się z nią pożegnać, przypomniałam sobie, jak wiecznie tu stała, gotując i smażąc racuchy albo jakieś inne proste przysmaki, które wraz z siostrą i kuzynami pochłanialiśmy. Po niej mam chyba ten talent, bo mama to niespecjalnie umiała gotować.

Nieco później Czesia przypomniała sobie jeszcze, w jaki sposób babka Klara ten swój talent każdemu, kto o to pytał, tłumaczyła. „Serce i uśmiech – mówiła pogodnie, nierzadko podśpiewując. – Wszystko, co człowiek robi z sercem i uśmiechem, zawsze będzie najlepsze".

– I teraz to już całkiem sama zostałam na tym świecie – rozżaliła się na koniec Czesia. – Chłopcy może wpadną na pogrzeb, a potem dopiero na święta. Siostra daleko... Jeszcze tylko jedna Klara dawała mi poczucie, że żyję w jakiejś rodzinie.

– Żeby mieć takie poczucie – odezwała się cicho Doris – czasem nie potrzeba żadnych więzi krwi.

Filip przyjrzał jej się z uwagą, po czym poszedł do siebie na górę. Tam, leżąc w wygodnym i czystym łóżku, obserwował białe obłoki, przepływające po niebie za oknem. Starał się nie myśleć o niczym, tylko leżeć i patrzeć. To był bardzo przyjemny stan, ale długo tak wytrwać się nie dało. W końcu pomyślał, a raczej zadał sobie pytanie, od jak dawna nie wita kolejnego dnia z niechęcią i nie żegna go z obrzydzeniem. Odpowiedzią był szybki, spokojny sen, w którym na krótko pojawiła się Olga.

Na jawie ujrzał ją nazajutrz, gdy jechał na stację po chleb, i nie mógł uwierzyć w to, co widzi. Drogą do wsi szła Olga z torbą podróżną na ramieniu. Minęła go z zaciśniętymi ustami i nie przystanęła, gdy zahamował tuż obok. Wyskoczył, pobiegł za nią i sam ją zatrzymał.

– Co się dzieje? – spytał, nie rozumiejąc sytuacji, nie rozpoznając nerwowych ruchów Olgi ani jej samej.

– Zostaw mnie, Filip. Po prostu mnie zostaw.

– Jak to, zostaw? Dokąd ty w ogóle idziesz?

– Gdziekolwiek. Wyszłam z domu i postanowiłam gdzieś pójść. Nie wolno mi?

– A Adam?

Rzuciła torbę na ziemię, objęła się rękami, potrząsnęła głową. Włosy rozsypały jej się na plecy.

– Adam! Adam! Adam! – wykrzyczała, unosząc dłonie do twarzy. – Jestem zmęczona Adamem. Nie mam siły uśmiechać się i udawać, że chce mi się żyć za dwoje.

– Mam wrażenie, że nie wybierasz się do Magnolii? – spytał, zerkając na jej torbę.

– Nie, nie wybieram się. Jak by powiedziała Marlena, nie chcę zaprzątać świadomości i uwagi innych swoimi sprawami.

– Marlena nie miała na myśli takich spraw – zaprotestował.

– Nieważne – odrzekła, podniosła torbę i poszła. Zaraz jednak wróciła, wyjaśniając: – Źle idę! Jedziesz po chleb? To mnie podwieź. Niedaleko za stacją jest taki dziwny dom. Stara kobieta wynajmuje tam pokoje.

Wsiadła do samochodu. Filip stał chwilę, zbierając myśli, po czym również wsiadł i ruszył.

– A co z Adamem? – spytał zaraz.

– Swietłana sobie poradzi. Ta kobieta jest odporna na wszystko.

– Na jakie wszystko?

– Na wszystko, Filipie. Radzi sobie z tym, na co ja już nie mam siły. Wywiozłyśmy go z łóżkiem na łąkę. Było tak ładnie... Tak cicho. Adam nie chciał patrzeć ani w niebo, ani na drzewa... Na nic nie chciał patrzeć. Powiedział, że od tego jeszcze bardziej go boli. Wtedy mnie wszystko rozbolało. Pobiegłam do domu i wrzuciłam do torby parę rzeczy.

– W jednej chwili podjęłaś decyzję...

– To nie była jedna chwila! – przerwała mu ostro.

Filip popatrzył na Olgę i skręcił w drogę, prowadzącą do ich gospodarstwa.

– Czy nie wiesz – odezwał się cicho – że jemu właśnie o to chodzi? O to, żebyś go zostawiła?

Olga się rozpłakała. Zatrzymał na chwilę auto, przygarnął ją mocno do siebie i przez kilka sekund całował jej włosy, po czym ruszył szybko.

Przed domem Olga wysiadła z samochodu, nie patrząc na Filipa, i poszła do drzwi, ciągnąc za sobą torbę. Weszła do środka, nie mówiąc nic do Swietłany, siedzącej na schodach z papierosem, i zatrzasnęła za sobą drzwi.

Filip postał chwilę przy samochodzie, po czym usiadł koło Ukrainki na schodach. Poczęstowała go papierosem.

– Takie to życie, panie – odezwała się, podając mu zapalniczkę. – Takie to życie...

᪣ ᪣

– Nie kusiło cię wtedy – przerwał Filipowi Maciek – by uciec z Olgą gdzieś w inny świat, nie oglądając się na nic?

– Innego świata już nie ma – odpowiedział po namyśle.

– W podświadomości...

– Podświadomość – tym razem Filip przerwał jemu – igrała ze mną dostatecznie długo. Nie życzę nikomu takiego stanu. Takiej niewiedzy, kim i gdzie się jest. To na dłuższą metę nie do zniesienia.

– Coś się w twoim życiu ostatecznie poukładało...

– Może raczej ustaliło. I nie ostatecznie. O ostateczności, po osiemnastu latach poukładanego życia, miałem już jakie takie pojęcie. – Parsknął gorzkim śmiechem. – Ostateczność! Co to właściwie jest, przyjacielu? I gdzie ona jest... Gdzie się podział świat, dla którego poświęciłem wyśnione po nocach szczęśliwe chwile z Olgą?

❧ ❧

Olga nie pokazywała się jakiś czas w Magnolii. Swietłana przywoziła warzywa i nabiał, ale w kwestii Olgi i Adama milczała dyskretnie, zorientowawszy się, że Filip nic nie powiedział. Raz tylko napomknęła o czymś, co mogło mieć z tą nieszczęsną parą jakiś związek.

– Słyszałam o takim przypadku, że kobieta osiem lat była w takim samym stanie jak Adam. Teraz chodzi z wnukami na spacery, choć lewa połowa jej ciała nigdy prawej nie dorówna. Problem jest w głowie, panie, bo tam u niego nie ma uszkodzeń fizycznych, żeby się do końca życia nie można było podnieść.

– Co może bardziej podnieść człowieka na duchu

niż wiara w czyjąś miłość? – spytał Filip, nie oczekując odpowiedzi.

– Może w czyjąś słabość – odpowiedziała Swietłana, dodając ciszej: – Prawie nie wychodzi z pokoju. Podziubie coś na obiad widelcem, zamyka się i nic jej nie obchodzi. Adam bardzo się przejął.

– Czym się przejął Adam? – zainteresowała się Doris. Czesia z Marleną również nadstawiły uszu.

– Ja jadę – oświadczyła Swietłana, wsiadając do starej łady, i odjechała.

Wtedy naskoczyły na niego, krzycząc jedna przez drugą, co tam się u Olgi dzieje, a one nic nie wiedzą.

– Jest jakiś nowy problem? – naciskała Doris. – Mów! Co się tak na nas gapisz, jakbyś rok nas nie widział.

– Miesiąca bym bez was nie wytrzymał. – Filip pozwolił sobie na lekką ironię. – Są sprawy, w które czasem lepiej się nie wtrącać.

– Nie wtrącać? Jak to, nie wtrącać?

– Zwyczajnie. Pozwolić, żeby same się w tę lub inną stronę rozwinęły.

Zostawił je, nie chcąc tłumaczyć czegoś, czego sam nie rozumiał. Po kilku dniach Olga znowu zaczęła przyjeżdżać. Zadbana, łagodna, może tylko trochę mniej uśmiechnięta. O nic nie pytał. Cieszył się, że może na nią patrzeć.

A potem dalej trwał sierpień. Wciąż pełen słońca, które nie było już tak ostre jak wcześniej. Turyści dopisywali jeszcze każdego dnia, więc nie pozostawało za wiele czasu, by się tą łagodnością słońca nacieszyć i jak najwięcej jego ciepła na szarość jesieni zatrzymać.

Marlena chodziła rozpromieniona i dumna, bo Olaf codziennie przyjeżdżał i „żyć nie dawał".

– Widzisz, jaki ze mnie wariat? – mówił, ujmując jej dłonie i wyciągając ją z Magnolii. – Tydzień mogłem z chałupy nie wychodzić i nic mnie nie obchodziło. Teraz jednego dnia nie mogę wytrzymać.

– Patrzcie, jaki wariat – mówiła do nich Marlena, gdy odjechał. – Żyć już beze mnie nie umie.

– A ty bez niego? – spytała kiedyś bez specjalnego zainteresowania Czesia.

– Podoba mi się, że taki staroświecki – odparła Marlena wymijająco. – Codziennie gada o tych zaręczynach.

– On taki piękny, ty przy nim taka piękna. Nie wiem, nad czym się zastanawiasz – dziwiła się Doris.

– Ja przy nim? – zareagowała Marlena. – A sama to co? Czegoś mi brakuje?

– Jakichś wielkich mankamentów na oko nie widać – odpowiedziała za Doris Czesia – ale nadzwyczajną pięknością nie jesteś. Zresztą, moja droga, w twoim wieku, ciesz się, że tak wyglądasz. – Czesia bardzo szybko doszła do siebie po śmierci babki Klary. Jeszcze tylko wieczorami trochę sobie popłakała. Poza tym zachowywała się jak dawniej. Pod każdym względem.

Marlena zmroziła ją wzrokiem.

– To co? Może powiesz, że mi wielką łaskę robi? Taki piękny!

– Nie mówię, że robi ci łaskę. Albo tak, albo siak. Masz jakiś problem?

– A może mam! – odparła prowokacyjnym tonem Marlena. – Może się kocham w Borysie?

– A to jest między nimi jakaś dostrzegalna różnica? – udała zdziwienie Czesia. – Chyba że w łóżku, jeśli z obydwoma spałaś.

Filip, który usiłował zatrzymać na twarzy jak najwięcej ciepła, łapiąc na ławce chwilowy oddech od gości, odezwał się z niesmakiem:

– Jakby was ktoś posłuchał z zamkniętymi oczami, jak ja teraz, toby pomyślał, że to mówią nastolatki, które mają problem z przebrnięciem przez zawodówkę.

– Patrzcie go! – zareagowała natychmiast Czesia. – Inteligent się znalazł! Odpowiedzialny za słowa i czyny. Ciekawe, od jak dawna!

Odwrócił się na drugi bok. Przecież mówiąc to, niczego innego nie oczekiwał.

Kilka dni później ktoś posunął się o wiele dalej. Była to córka Marleny.

W piątkowe popołudnie, po wyjściu sporej grupy gości, Filip znosił z sali talerze do mycia dla Doris, Czesia już coś szykowała na kolację, a na zewnątrz Marlena szperała w internecie. Gdy zadzwonił jej telefon, pozostawiony na kuchennym blacie, krzyknęła stamtąd:

– Czesia, odbierz! I powiedz Olafowi, niech mówi, gdzie i o której mamy w końcu jutro jechać, bo zaraz mi się zerwie połączenie, a muszę coś szybko wysłać. Na głośnomówiący włącz!

Nim tamta wytarła ręce i znalazła telefon wśród sterty naczyń, zdążyła się włączyć poczta głosowa. Usłyszeli młody, kobiecy głos:

– Mamo, dlaczego znowu nie odbierasz? Bo ci przypomniałam o badaniach? Zachowujesz się gorzej niż dziecko. Jeszcze raz ci przypominam, że kontrolowanie wielkości guzka to w tej rodzinie za mało. Zrób biopsję, niech ci powiedzą, co jest grane, i wytnij to w jasną cholerę! Chciałabym, żeby moje dzieci znały swoją babcię, bo ja nie miałam takiej szansy. Naprawdę chcesz, żebym rzuciła dobre studia i nie najgorszą pracę, żeby zajmować się tobą dwa lata, gdy to cholerstwo rozlezie ci się wszędzie, jak ty się zajmowałaś ciotką? Zrobię to, nie ma sprawy, ale wolałabym nie doczekać tej chwili. Zadzwoń wieczorem z informacją o konkretnych działaniach, bo jak nie, to przyjadę i sama zrobię z tobą porządek.

Dopiero po chwili Marlena weszła do środka i przerwała grobową ciszę, mówiąc:

– Dwadzieścia lat, a proszę, jakich słów używa. Gówniara.

– Wdała się w matkę – stwierdził Filip, przyglądając jej się z uwagą.

– No właśnie. – Zaśmiała się sztucznie. – Pod każdym względem. Tylko trochę bardziej wrażliwa. Byle czym się przejmuje.

– Bo chyba ma się czym przejmować – zauważyła delikatnie Czesia.

– A tam ma! – Marlena lekceważąco machnęła ręką. – Mikroskopijny guzek w piersi. Nawet nie guzek. Zwyczajna torbiel.

– Jeśli torbiel, to chyba nie mikroskopijna. – Czesia nie dawała za wygraną.

Marlena zabrała telefon i zaczęła się rozglądać za notesem.

– A myślcie sobie, co chcecie – powiedziała, wygrzebując go spod wazy z resztką rosołu.

– Tak sobie myślę – odezwał się Filip – że czasem najłatwiej zakamuflować prawdę, podając ją w beztroski sposób, żartem. To jednak nie rak krwi, jak nam swojego czasu lekko mówiłaś.

– Nie! – warknęła. – A jak wam miałam o tym mówić? Na poważnie? Wiecie, jak by to wyglądało?

– Jak? – spytała Doris.

Marlena parsknęła śmiechem, usiadła i położyła notes na kolanach.

– Babka w średnim wieku, ale jeszcze do rzeczy, rzuca wszystko i zaszywa się na jakimś zadupiu w Bieszczadach, by tam wykorkować na coś, co wcześniej w tym samym mniej więcej wieku zabrało jej matkę, a potem siostrę? Jakie to banalne!

– Banalne, a nawet dziecinne jest twoje zachowanie – odparła zdenerwowanym głosem Czesia. Odsunęła gary i położyła ręce na stole. – Mów całą prawdę, nie denerwuj mnie.

– I nie ściemniaj – wtrąciła Doris. – Już trochę o tobie

wiemy. Na przykład to, że dwa lata opiekowałaś się chorą siostrą. Wstydziłaś się tego, doradzając Oldze, żeby swojego męża gdzieś oddała?

Marlena pokręciła przecząco głową.

– To mów, po co tu przyjechałaś!

– Nie po to, by umrzeć.

– Tylko?

– Żeby poczuć kawałek prawdziwego życia. Przyglądałam mu się czasem, biorąc sobie kilkudniowy odpoczynek od wielkiego świata w więzieniu Mańka. Spacerowałam wzdłuż Osławy, oddychałam tutejszym spokojem, przyglądałam się ludziom i myślałam: To moje głupie życie. Czterdzieści lat i tylko dwie dobre rzeczy: małżeństwo, któremu pozwoliłam się rozsypać, i córka, której też przy sobie nie zatrzymałam...

„To moje głupie, głupie życie – powtórzyła jeszcze kilka razy Marlena – z którego prawie nic nie dało się zatrzymać". Gdyby jeszcze było jakoś wyjątkowo intensywne. Gdyby była ważną osobistością albo czegoś ważnego dokonała, na przykład zbudowałaby elektrownię wiatrową. Ale nie – była kimś na wskroś przeciętnym: policjantką kryminalną, psychologiem więziennym i na koniec właścicielką, pożal się Boże, biura detektywistycznego. O kilku innych zajęciach, których, szukając nie wiadomo czego, chwytała się między tamtymi, nawet nie warto wspominać. Nie wiadomo więc w sumie, czemu to wszystko robiła w biegu, nad niczym się nie pochylając na dłużej, nic ważnego nie odnajdując, tracąc tylko bezpowrotnie to, co było ważne.

Kiedy się ocknęła? No więc, jeśli chcą wiedzieć, to dużo wcześniej, zanim wymacała sobie ten cholerny guzek. Najpierw miała dość tego całego szajsu, z którym w swoim zawodzie, chcąc nie chcąc, musiała się stykać. Pewnego razu zatrzymała się na środku ruchliwego skrzyżowania, zadając sobie pytanie, jak ktoś, kto skatował do nieprzytomności niczego nieświadome, prócz fizycznego bólu, niemowlę, może spojrzeć sobie lub ludziom w oczy i nie zwariować. Albo tamten, który po zwierzęcemu wykorzystał, a potem zamordował piętnastoletnią dziewczynę, śliczne dziecko w niebieskiej sukience.

W roli psychologa też się nie odnalazła. Patrzyła cwanym recydywistom (na wszelkie sposoby starali się ją oszukać) w oczy i zadawała sobie pytanie, po co to robi. Komu to potrzebne. Wyjdzie taki jeden z drugim za rok, miesiąc czy pół roku i znowu skatuje żonę albo po pijanemu przejedzie na pasach dziecko.

W biurze detektywistycznym podejmowała się tylko bzdurnych spraw. Śledzenie żony lub męża, znalezienie haka na nieuczciwego wspólnika... Bzdurne sprawy też ją jednak przygniatały.

A potem wszystko zaczęło ją drażnić. Najbardziej i najogólniej rzecz ujmując, irytował ją świat, w którym chodzi już tylko o to, żeby jak najwięcej sprzedać. Rzeczy, talent, osobowość – wszystko jest towarem. Rozglądała się wokoło, nie mogąc uwierzyć, w jakim tempie i z jaką konsekwencją świat, który powinien być piękny, zamienia się (tak, w końcu użyje tego słowa) w wielki supermarket, gdzie jest tylko towar i nabywca. Nic więcej.

Prawdziwy przełom i jakieś niejasne przeczucie, że coś ze sobą musi zrobić, przyszły tamtego dnia, gdy w sklepie z butami dostała szału z powodu jednego grosza. Nie warto do tego wracać. Co miała powiedzieć, to już powiedziała. Przyjechała do Mańka, wzięła sobie pokój gościnny i zaczęła się włóczyć po okolicy, unikając (o ile się dało) ludzi. Pewnego dnia na walącym się płocie otaczającym łemkowską chatę zobaczyła ogłoszenie, że jest do sprzedania. Wróciła do Warszawy, zamknęła w jednym pokoju wszystkie swoje rzeczy, a resztę mieszkania wynajęła młodemu małżeństwu, oczekującemu dziecka. Potem w ekspresowym tempie pozałatwiała wszystkie sprawy, które tego wymagały, odwiedziła dentystę, lekarza rodzinnego i ginekologa. Dokładnie nie pamięta, który z tych dwóch ostatnich (bo raczej nie dentysta) znalazł jej ten guzek.

Tak więc, jak widzą, nie przyjechała tu umierać. Po co więc było o tym gadać, rozczulać się i tak dalej.

Matka umarła na rozległego raka, zanim skończyła czterdzieści pięć lat. Zaczęło się od piersi. Siostra to samo. Matka poszła do lekarza, gdy to cholerstwo było już w niej wszędzie. Siostra zaczęła leczenie od razu. Jedna i druga przeżyły trzy lata od pierwszego sygnału o chorobie.

– Będzie, co ma być – zakończyła Marlena. – Los i tak zdecyduje o wszystkim.

– No to ty chyba coś masz z głową! – wybuchnęła Czesia. – Pani z Warszawy, trzy fakultety, myślałby kto, a gada jak ciemna baba. Jesteś jeszcze bardzo młoda...

– Czy ja się aby nie przesłyszałam? – weszła jej w słowo Marlena.

– Pół życia przed tobą.

– Daj mi święty spokój. – Marlena zaczęła się zbierać do wyjścia. – No i już teraz nie wiem, czy poszedł ten mejl do wychowawczyni Tuśki! Narobiliście zamieszania. Nie wiadomo o co.

– Nie wiadomo o co? – zdziwił się Filip.

Marlena myślała już o czymś innym. Kalinę Kęcką mają wypisać dopiero po piątym września. Chciała wyjść na własne żądanie, ale Marlena jej odradziła. Przydałoby się wyrwać Tuśkę z domu dziecka na dzień lub dwa, niechby sobie zrobiła zakupy do szkoły.

W kilka dni później dziewczynka stała przed Magnolią, z czerwoną parasolką w ręce, i kręciła ją sobie nad głową.

– To kto właściwie dał ci tę parasolkę? – spytała Czesia.

– Ciotka Sabina – odparła bez zająknienia mała.

– Tuśka, nie zaczynaj.

– Naprawdę! Znalazłam ją kiedyś na strychu, jak czegoś poszłam szukać. Mama się rozpłakała i powiedziała, że jej siostra nie rozstawała się z nią przez całe tamto lato, kiedy się utopiła. Chodziła z nią po wsi i śpiewała wymyślone piosenki.

– To coś tak jak ty – mruknęła pod nosem Czesia.

– Jeszcze dobrze, że nie śpiewasz. Byłyście już na tych zakupach z Marleną?

– Byłyśmy, ale wszystko jeszcze niewypakowane, leży w samochodzie. Przyszłam, bo akurat podjechał jeden z braci, nie chciałam przeszkadzać. Później sobie wezmę, jak pójdę na nocleg.

– To u Marleny będziesz spać?

– A gdzie? Pani Marlena kupiła sobie piękny materiał na sukienkę.

– Czy ona zwariowała?! To mało teraz gotowych sukienek? Kto jej tu co uszyje?

– To samo i ja powiedziałam – przytaknęła skwapliwie Tuśka. – Ale pani Marlena na to, że po tych mieścinach to nic porządnego się nie znajdzie, a ona po wielkich sklepach… Najbliższy chyba w Rzeszowie… nie będzie jeździć, bo nie chce sobie psuć nerwów. Widziała jakiś szyld na drodze z Komańczy, że tam podobno jest jakaś krawcowa. O, pani Olga! Dzień dobry, dawno pani nie widziałam.

Olga oparła rower o ławkę i zdjęła z niego kosz z warzywami. Czesia, odbierając go od niej, z dezaprobatą kręciła głową.

– Pani z Warszawy, po trzech fakultetach… sukienkę u krawcowej spod Komańczy będzie sobie szyć. Już ja ją widzę w tej sukience!

– Marlena potrzebuje krawcowej? – zagadnęła Olga, odgarniając z karku spocone włosy. – Mam świetną. Sama u niej wszystko szyję. Dziewczyna ma prawdziwy talent. I wyczucie. Wie, co komu pasuje.

– A gdzie? – zainteresowała się Czesia.

– Za Bukiem. Tam, gdzie te twoje ulubione serpentyny. W tygodniu jest bardzo zajęta, ale w sobotę, niedzielę jak najbardziej. Pojutrze sobota. Możemy pojechać.

❦ ❦

– I w tym momencie coś powinno się zdarzyć – powiedział Filip z głębokim westchnieniem. – Jakiś grad wielkości strusich jaj, który zniszczyłby wszystkie samochody w okolicy. Jakaś powódź, która zalałaby wszystkie drogi…

– Wydaje ci się, że wiszące na włosku nieszczęście można w jakiś sposób odsunąć? – spytał jego rozmówca.

– Nie tylko odsunąć. Tego nieszczęścia dałoby się w ogóle uniknąć.

– Nie dałoby się.

– A ty skąd wiesz?! Nawet jeszcze nie wiesz, co się naprawdę stało.

– Przecież już można się domyślić.

Filip sposępniał.

Przy stacji zatrzymało się auto. Wysiadło z niego czworo ludzi. Dwie kobiety, dwóch mężczyzn. Jedna z nich podeszła na skraj peronu i przez chwilę chłonęła wzrokiem majaczące w dali wzgórza. Pozostali stanęli przed dworcowym budynkiem, zaczęli go podziwiać.

Zawiadowca wychylił się ze środka. Rozmawiali z nim chwilę, a potem zawołali do tej przy torach, czy już się napatrzyła, bo muszą jechać. Rozejrzała się, przez moment zatrzymując wzrok na ławce, na której siedzieli Filip z Maćkiem, i wróciła do samochodu. Odjechali.

– To takie miejsce, gdzie ludzie zatrzymują się przypadkiem podczas przejażdżki po okolicy, popatrzą i odjeżdżają – odezwał się posępnym głosem Filip.

– Cóż innego mieliby robić? – usłyszał w odpowiedzi.

– Co mówiłeś?

– Cóż innego...

– Wcześniej.

– Wcześniej? Chyba to, że pewnych rzeczy już można się domyślić.

– Domyślaj się. Teraz, gdy doszedłem do tego miejsca, odechciało mi się mówić.

Maciek położył rękę na jego ramieniu.

– Mów – poprosił. – Moje domysły zmieszczą się w kilku zdaniach. A gdzie cała reszta?

– Ta reszta, którą sprytnie zostawiła im na deser Tuśka?

– Mniej więcej.

– Zabawne! – Filip parsknął gorzkim śmiechem. – Cholernie zabawne, że cały ten rok... najbardziej intensywny i najbogatszy w emocje i zdarzenia, jeden pełny rok z całego mojego zakichanego życia, chciałem zamknąć w kilkuset słowach.

– Mógłbyś... Na upartego. Tylko że wtedy prawie nic

by z niego nie zostało. Nic bym nie wiedział o Czesi, Marlenie, Oldze i Doris ani o Tuśce. O tobie również.

🐍 🐍

W piątkowy wieczór Marlena urządziła imprezę. Tak to nazwała, chociaż każdy wiedział, że chodzi o zaręczyny.

– To on naprawdę chce się z tobą żenić! – dziwiła się Czesia, przygotowując w kuchni kolację.

– A tam, zaraz żenić! – Marlena udawała lekceważenie.

– A zresztą, nawet jakby, to cóż cię w końcu tak dziwi?

– A nic. Tylko że obaj co niedziela w kościele... Musi cię bardzo kochać, skoro rezygnuje ze ślubu kościelnego.

– Z niczego nie rezygnuje! – oświadczyła podniesionym głosem Marlena. – Jak ty mnie potrafisz wkurzyć. Małżeństwo z byłym zostało zalegalizowane tylko w urzędzie. Mogę sobie iść do ołtarza nawet w białej sukni! Z welonem ciągnącym się po ziemi! Ale chyba nie jestem taka głupia. Skromna sukienka... Pojedziemy jutro do krawcowej?

– Pojedziemy.

– Cicha msza, garstka przyjaciół... Nie! Co ja wygaduję?! Przecież nie będę wychodziła za mąż. Po co? W jakim właściwie celu? Odwołaj to wszystko, Cześka, powyłączaj gaz pod tymi garami. Przecież to jakaś paranoja. Zwariowałam tu razem z wami wszystkimi.

Czesia nie miała zamiaru niczego wyłączać ani odwoływać. Doprawiając sos do sarniny, którą przed południem przyniósł Lorka i przy okazji wprosił się na imprezę, zaczęła mówić, mieszając do rytmu:

– A w sumie to dlaczego nie, Marlena? Powiedz, co stoi na przeszkodzie? Przeszkadza ci coś? Chyba nie. Dlaczego masz być sama, jeśli nie musisz? Nie masz już trzydziestu lat, to prawda, ale, jeśli się za siebie weźmiesz, jak ci radziła córka… dzwoniłaś do niej?… to może jeszcze trochę pożyjesz. U boku takiego mężczyzny.

– Jakiego?!

– Oj, jakiego, jakiego! – Czesia straciła cierpliwość. – Przyjdzie, spojrzy ci w oczy, a wtedy zobaczysz jakiego, jakbyś do tej pory jeszcze nie wiedziała, i od razu powiesz „tak".

Olaf Wilczewski przyszedł, spojrzał Marlenie głęboko w oczy, pocałował ją, przechylając sobie na ramię i włożył jej na palec pierścionek. Marlena rzuciła mu się na szyję i odwróciła twarz, żeby inni nie widzieli, że płacze.

– Patrzcie ją! – dogadywała jej Czesia ze łzami w oczach. – Ryczy, jakby miała dwadzieścia lat.

Takich zaręczyn dotąd w Magnolii nie było!

Marlena w zasadzie nikogo oficjalnie nie zapraszała, ale zjawili się wszyscy. Nawet Adam Gorzelak. Filip z Jaszczukiem zapakowali go w nowo kupionym wózku (w którym siedział sobie jak król) do Zenkowej furgonetki i przywieźli po tym, jak Olga z rana oświadczyła, że nie przyjdzie. Co innego pogawędki przy kawie czy parę drinków w sobotnie popołudnie, a co innego uroczyste (jakie tam uroczyste! – próbowała bagatelizować

Marlena) przyjęcie, a więc prawdziwa impreza. To tak, jakby poszła bez męża na wesele i bawiła się beztrosko jakby nigdy nic. Adam próbował protestować, tłumaczył, że Olga może wszędzie sama chodzić i robić, co jej się tylko podoba, ale w pewnym momencie zabrakło mu argumentów, po tym jak Swietłana udowodniła mu, że siedzieć może równie dobrze jak leżeć i nie ma sensu dłużej się upierać.

Kiedy zaczęły się tańce, Lorka bardzo żałował, że nie przywiózł kuzynki. To biedactwo nie ma szczęścia do kawalerów. Znowu przyjechała się wypłakiwać, a żona Lorki nie owija w bawełnę i radzi jej za każdym razem, żeby dała się kiedy któremu poznać z innej strony, a nie tylko od strony łóżka. Filip, chcąc zmienić temat, podziękował mecenasowi za załatwienie sprawy, do której on sam nie miałby ani cierpliwości, ani głowy...

🐌 🐌

– A cóż to znowu za sprawa z Lorką? – wszedł mu w słowo Maciek. – Już raz coś o tym wspominałeś. To może już powiedz do końca, chyba że nie warto.

– Mogło być warto, ale teraz... Sam nie wiem. Nawet nie chce mi się zastanawiać, jak to odkręcić. Narobiłem sobie tylko kłopotu.

– Co to było?

– Formalnie – sprzedaż Magnolii. A tak naprawdę to darowizna dla Czesi Gawlińskiej.

– Czego?

– Wszystkiego?

– Magnolii?

– A miałem coś więcej?

– A więc jednak przestraszyłeś się tego drugiego zawału.

Filip zaprotestował.

– Nie przestraszyłem się – odparł. – Miałem czas pomyśleć i pomyślałem, co by się stało z Magnolią, gdybym jednak wtedy nie przeżył. Lorka wszystko pozałatwiał w urzędach, z notariuszami... Ja tylko całość opłaciłem. Lorka radził mi jakieś inne formy, z klauzulami, zastrzeżeniami. Ja chciałem, żeby było jak najprościej i nie do podważenia.

– A Czesia o tym wiedziała?

– Nie.

– Więc transakcja i tak nie została sfinalizowana. Musiałaby, jako strona, podpisać papiery.

– Podpisała.

W oczach Maćka pojawił się wielki znak zapytania, więc Filip zaraz wyjaśnił:

– Przesyłkę kurierską. Kurier dostał stówę i nie zadawał pytań. Podsunął Czesi do podpisania to, co trzeba.

Maciek roześmiał się głośno.

– No to już nie masz kłopotu.

– Łatwo ci żartować.

– Nie żartuję. Wracajmy do zaręczyn.

Dopiero wtedy wszyscy mieli okazję się przekonać, co Marlena od tamtego wieczoru sylwestrowego ukrywała, udając lekkie wariactwo na punkcie Wilczewskich, przeplatane niewymuszoną rezerwą i nonszalancją. Dziś nie mogła oderwać oczu ani rąk od Olafa. On przechylał ją na lewe ramię, prawą ręką osłaniał od zazdrosnych spojrzeń i całował.

– Niech nam zazdroszczą – mówił. – Ale nie muszą wszystkiego widzieć.

– Wszystkiego? – zagadnęła Czesia Filipa, gdy oboje znaleźli się w kuchni. – Nie wiem, czybym chciała. Jeśli tu się tak zachowują, masz pojęcie, co wyprawiają, kiedy są sami?

– Cześka, naprawdę cię to interesuje?

– W ogóle.

– To po co gadasz?

– Bo mnie złości, że tak się przed nami wygłupiała. Jakby nie można było wprost.

– Wprost? – Filip spojrzał jej głęboko w oczy. – To nudne.

– Ona by powiedziała, że banalne. – Popatrzyła na przytuloną parę i dodała: – Ale to nie jest banalne. Oni się kochają.

W jej oczach Filip dostrzegł prawdziwą życzliwość. I chyba właśnie wtedy pomyślał, że kiedy trochę się tu uspokoi, ochłoną po tym wszystkim, Tuśka wróci do domu i zacznie się normalny wrzesień, wtedy powie Czesi, co zrobił i dlaczego. Ona pewnie bardzo się zdziwi, potem zaprotestuje, a wtedy on, Filip, wyjaśni jej, że właśnie dlatego użył małego podstępu: żeby uniknąć zdziwień, protestów i niepotrzebnego zamieszania, bo on do takich rzeczy, po tym wszystkim, co tu się dzieje, nie ma już siły.

Tymczasem patrzył, jak cała ta, okazywana na każdym kroku, rezerwa Marleny wobec wszystkiego, a czasem wręcz arogancja, rozwiewa się teraz w potężnych ramionach Olafa Wilczewskiego.

Patrzył, jak Borys Wilczewski tańczy z Olgą, a Doris z mecenasem, i pomyślał, że wszyscy oni w tym tańcu są piękni.

Usiadł obok Adama i spytał, czy mu wygodnie w fotelu. Tamten tylko skinął głową i posłał uśmiech Oldze, a ona jemu.

Zenek Jaszczuk przysiadł się do nich z butelką i trzema kieliszkami, rzucając niepewne spojrzenie Adamowi. Podając mu pełny kieliszek, powiedział:

– Symbolicznie, panie Gorzelak. Chyba panu nie zaszkodzi.

– Nie powinno. Zwłaszcza przy takiej okazji. Za szczęście tej pięknej pary, panowie! – Adam wzniósł toast. – Co to za dziwny odgłos słychać tam od drzwi? – spytał, gdy wypili.

– To Absurd – wyjaśnił Filip. – Pies Doris. Uwalił się przy wejściu i warczy na wszystkich. Jeszcze po jednym?

Adam skinął głową. Drugi toast zadedykował Oldze i wypił za miłość, która nigdy nie mija.

Gdy muzyka na chwilę ucichła, pałętająca się tu i tam Tuśka spróbowała przypomnieć o swoim istnieniu.

– Jak chcecie, to jutro możemy pojechać na stację. Wtedy wam już wszystko do końca opowiem – zaproponowała.

– Wytrzymałyśmy tyle czasu – powiedziała Czesia – to jeszcze wytrzymamy. Na jutro mamy inne plany.

– Zabierzecie mnie z sobą?

– Zabierzemy – zgodziła się Marlena. – Potem cię odwiozę. Nie rób takiej miny. Jeszcze tylko tydzień i na stałe wrócisz do domu. Ciesz się.

– Będę się cieszyć, kiedy wszyscy wrócimy do domu – odpowiedziała Tuśka i poszła spać do pokoju Doris.

Dochodziła czwarta, gdy goście zaczęli się rozchodzić. Filip odwiózł Olgę i Adama furgonetką Jaszczuka, bo Zenek chrapał na kanapie w kącie sali i do niczego się nie nadawał. Po powrocie przykrył go więc jeszcze kocem i sam się położył.

Ocknął się z jakiegoś niespokojnego snu i zerwał na nogi. Zdawało mu się, że musi być już koło południa. Wszędzie panowała absolutna cisza. Wtedy spojrzał na zegarek. Dochodziła ósma. Położył się i na nowo zasnął.

Koło jedenastej wszyscy już byli na nogach. Czesia próbowała cokolwiek ogarnąć po imprezie, w końcu jednak machnęła ręką.

– Jak kto chce, to niech sobie co nie bądź odgrzewa, robi kawę czy herbatę, ja tu do wieczora nic nie ruszam. Pójdę sprawdzić, czy nie spadła z bramy kartka, że nieczynne…

Niech mi tu nikt dzisiaj głowy nie zawraca... Zjem kanapkę i możemy jechać. – Krzyknęła w górę: – Doris! Wstałaś już łaskawie czy znowu będziemy czekać?

– Maluję się! – odkrzyknęła tamta z pokoju.

– Maluje się! – mruknęła pod nosem Czesia i huknęła na Marlenę: – A ty pij tę kawę!

– Piję – słabym głosem odpowiedziała Marlena. Miała podkrążone oczy, ale było w nich coś takiego, że wyglądała młodziej niż zwykle.

Czesia musiała to zauważyć, bo mruczała dalej:

– Nie mogę się nadziwić, ile czasu potrzeba, żeby z malutkiej filiżaneczki wypić dwa łyki kawy, bo więcej jak dwa łyki tam się nie mieści.

– Lata treningu – odparła Marlena.

– Wzięłaś materiał?

– Wzięłam.

– Pokaż.

– Pod lustrem leży.

Czesia rozwinęła papier, obejrzała materiał, pomiętosiła w rękach.

– No ładny. Nie za poważny kolor dla ciebie?

– Weź przestań.

– Doris chyba schodzi. Tylko słuchaj, co powie.

Doris zbiegła z góry, zerknęła na rozwinięty z papieru materiał pod lustrem i podniosła dłonie do twarzy.

– Boże, jaki piękny!

Czesia z Marleną zerknęły na siebie i parsknęły śmiechem.

– No już, zbierajcie się. – Czesia w jednej chwili spoważniała. – Marlena, Doris… Po Olgę jeszcze musimy wstąpić. Tuśka od godziny stoi przy samochodzie.

Tuśka od pięciu minut stała przy samochodzie i kręciła czerwoną parasolką nad głową.

Gdy wychodziły, Filip usłyszał jeszcze Doris:

– Weźmiemy Absurda?

– Chyba jesteś niepoważna – usłyszał odpowiedź Czesi.

Zapalił papierosa, wyszedł na werandę, usiadł na schodach i patrzył, jak pakują się do auta, o coś się spierając lub coś tam tłumacząc jedna drugiej. W ostatniej chwili tylnymi drzwiami, które celowo przytrzymała Doris, wskoczył do środka Absurd.

Było dwadzieścia dwie minuty po jedenastej.

Filip chciałby móc powiedzieć, że zanim odjechały, odwróciły się wszystkie naraz, uśmiechnęły i pomachały mu ręką. Nic takiego jednak się nie stało. Po prostu wsiadły i odjechały.

Na zawsze.

Nie potrafił powiedzieć, jak długo siedział na tych schodach przed Magnolią, paląc spokojnie kolejnego papierosa. Wystawił twarz do słońca, oparł plecy o skrzynkę po piwie i upajał się ciszą, cudowną aurą kończącego się lata.

Ludzie czasem mówią, że na pewien czas przed tragedią, która miała się wydarzyć, czuli jakieś napięcie, zdenerwowanie, strach… Filip, prócz spokoju, nic nie czuł.

Popatrzył więc obojętnym wzrokiem na samochód zatrzymujący się przed bramą, która tego dnia wyjątkowo była zamknięta. Z auta wysiadł młody człowiek z telefonem komórkowym przy uchu, rozejrzał się, w końcu zawołał:

– Proszę pana!

– Nieczynne! – odkrzyknął Filip, nie ruszając się z miejsca.

– Widzę, ale nie mogę się dodzwonić do mamy… – Wszedł, uchyliwszy jedno skrzydło bramy, i zbliżył się do Filipa. – Jestem Paweł Gawliński. Mama tu jest? Dzwonię i dzwonię, ale nie odpowiada.

Filip zerwał się na nogi, podał młodemu mężczyźnie rękę, przedstawił się.

– Pojechała z koleżankami coś załatwić, myślę, że lada moment wrócą… Która to godzina?

– Osiem po trzeciej. Chciałem zrobić jej niespodziankę, więc nie uprzedziłem, bo wiedziałem, że jak nie w domu, to będzie tutaj…

– Już po trzeciej? – zdziwił się Filip, zerkając na swoją komórkę. – Rzeczywiście.

– Może nie zabrała telefonu? Sto razy dzwoniłem, w końcu by odebrała.

– Zobaczmy… – Filip wybrał numer i nasłuchiwał chwilę, nadstawiając ucha w stronę otwartych drzwi domu. – Nie, musiała zabrać, bo już by było słychać. Zaraz, wszystko sprawdzimy, zadzwonimy do drugiej, to pewnie wina komórki.

Wybrał numer Doris. Trzymał telefon długo przy uchu, ale nie doczekał się odpowiedzi. Wzruszył ramionami i zadzwonił do Marleny. To samo. Dopiero wtedy ogarnął go lekki niepokój. Czekając, żeby zgłosiła się Olga, czuł, jak strach wypełnia mu żyły i obezwładnia go całego aż do samej głowy.

Otrząsnął się, spróbował uśmiechnąć i zbagatelizować sprawę.

– Zaczekaj tu, młody człowieku, ktoś musi mieć to wszystko na oku... Wiem, dokąd pojechały. Wyjadę im naprzeciw, już powinny wracać.

– Dlaczego żadna nie odbiera? – zaniepokoił się syn Czesi.

– Włączyły radio na ful i drą się na całe gardło. Znam je.

Na twarzy chłopaka pojawił się uśmiech.

– Naprawdę? Super. Nie wiedziałem, że mama...

– Uwierz mi, one tak potrafią.

Sam chciał w to uwierzyć. I uwierzył, przekonując sam siebie, że to bardzo prawdopodobne. Wymyśliły fason sukienki, krawcowa wzięła miarę, zaczęły gadać o weselu (Jakie tam wesele! – próbowała protestować Marlena, ale ją zakrzyczały), o Tuśce, że jakoś to, dzięki Bogu, może się ułoży, Doris miała psa pod nogami, w głowach huczała im jeszcze nocna zabawa, a może nawet i alkohol. Włączyły jakąś muzykę na ful, komórki dzwonią, a one nic, wariatki, nie słyszą...

Do pewnego momentu bardzo mocno w to wierzył.

Jeszcze zanim dojechał do miejsca, gdzie droga wiła się na sporym odcinku jak serpentyna, minęły go dwa jadące z przeciwnego kierunku radiowozy, a za nimi karetka na sygnale. Potem druga. A na końcu wóz strażacki.

W pierwszym odruchu chciał zawrócić za nimi. Coś jednak kazało mu jechać. I pojechał.

Najpierw ujrzał poorane pobocze i ścięte lub połamane młode drzewa. Zatrzymał auto, wyskoczył i wtedy zobaczył wszystko. W dole, kilkadziesiąt metrów od drogi leżał potężny tir na słowackich numerach, roztrzaskany i pogięty w wielu miejscach. Okaleczone drzewa dokładnie wyznaczały trasę jego ostatniej jazdy. Makabryczny widok, ale Filip odetchnął z ulgą. To nie one.

Wygrzebał w kieszeni telefon i zaczął dzwonić. Może już przestały się wygłupiać. Odbiorą, a wtedy nakrzyczy na nie, nawymyśla im jak nigdy. I wtedy dostrzegł coś czerwonego w krzakach, kilkadziesiąt metrów od potężnej ciężarówki. Wytężył wzrok i zszedł trochę w dół.

– To na pewno nie parasolka – cicho szeptał do siebie, zsuwając się jeszcze trochę niżej.

Ale to była parasolka. Czerwona parasolka, z którą Tuśka od jakiegoś czasu się nie rozstawała, chodziła z rozpostartą nawet po Magnolii i kręciła nią nad głową, działając każdemu na nerwy.

Gwałtownym ruchem odwrócił głowę i spojrzał na tira. Spod jego kół wystawało coś, co bardziej przypominało zgniecioną obcasem pustą puszkę po piwie niż samochód. Niemożliwością było rozpoznać markę, wielkość, a nawet kolor. Filip jednak nie miał najmniejszych wątpliwości. Kawałek zielonego zderzaka od dżipa

Czesi Gawlińskiej, leżący nieopodal, i czerwona para-solka mówiły wszystko.

Świat zawirował niczym bohaterowie ostatniej nocy. Nie pamiętał, jak znalazł się z powrotem na poboczu. Idąc do samochodu, odwrócił się i jeszcze raz spojrzał na miejsce, gdzie rozegrała się największa w jego życiu tragedia. To była ostatnia rzecz, jaką zapamiętał w pewnej logicznej ciągłości. Potem zamknęła go w sobie stalo-wa puszka, litościwie odbierając zdolność odczuwania wszystkiego. Także bólu.

❧ ❧

– I odtąd jest tak, jakby ciągle urywał mi się film. Jestem tu, potem tam, nie wiem kiedy i w jaki sposób znalazłem się w jakimś miejscu ani jak z niego wróciłem. Siedziałem pod Magnolią albo leżałem u siebie na górze, w końcu nie wytrzymałem tego wszystkiego, wyszedłem i zacząłem iść w stronę stacji. I jakoś doszedłem.

– Tak – przyznał Maciek obojętnym głosem. – To może wydawać się trochę dziwne.

– Cztery wspaniałe kobiety, bystry dzieciak i... i ten cholerny pies.

Filip pochylił głowę, jak to już nieraz czynił, oparł ją na dłoniach i umilkł. Maciek poczekał, aż tamten wy-prostuje się, wróci do siebie. Wtedy spytał:

– Skąd wiesz, że one wszystkie nie żyją? Mogła któraś wypaść przez szybę, zdarzają się takie przypadki...

– Mogła! – przerwał mu Filip. – Ale nie wypadła. A samochód... Nie widziałeś tego! Mucha nie miała szansy na przeżycie.

– Skąd taka pewność? – dociekał Maciek.

Filip popatrzył na niego, potem spojrzał na wzgórza i powiedział:

– Bo je wszystkie widzę. Olgę, Czesię, Marlenę, Doris i Tuśkę, a nawet tego głupiego psa.

– Widzisz je? I to ma być dowód, że nie żyją?

– Tak.

– Dlaczego tak myślisz?

– One mnie nie widzą.

Zamilkli na długą chwilę. Potem Filip odezwał się niemal szeptem:

– To tak, jakbyśmy się znajdowali w dwóch różnych światach.

– Jak to tłumaczysz?

– Jak? Mam dwie koncepcje. Popieprzyło mi się w głowie po pół roku lania w siebie wódy, to po pierwsze. I silny wstrząs na miejscu zdarzenia, który uruchomił jakąś zapadnię w mózgu, a wtedy do mojej świadomości wysypało się parę milionów dodatkowych komórek, pozwalających takie rzeczy postrzegać, to po drugie. A po trzecie, może obie te rzeczy naraz.

– Może jest jeszcze inne wytłumaczenie.

– Musiałem się stamtąd ruszyć i dobrze, że się ruszyłem. Dobrze, że siedziałeś na tej ławce i zacząłeś mnie słuchać, bo inaczej nie wiem, jak miałbym to przeżyć i nie zacząć w końcu wariować. Dłużej nie mogłem na to patrzeć, uwierz, Maciek. One zachowują się tak, jakby ciągle żyły. Nie wiem, na czym cała ta zabawa po śmierci polega, bo nigdy nie wierzyłem w życie pozagrobowe, ale może właśnie na tym, tylko nie wiem, dlaczego ja mam to cały czas oglądać, uczestniczyć w tym i nie mieć na nic żadnego wpływu. Chodzą po Magnolii, piją kawę, tylko dogadują sobie mniej niż dawniej, są jakby trochę wyciszone, czemu nie powinienem się może dziwić, ale się dziwię. Przechodzę obok, zaglądam im w oczy, patrzę, co robią, i chce mi się krzyczeć, żeby do mnie wróciły, wszystkie, nawet ten cholerny pies, żeby nie wychodziły tamtej niedzieli z Magnolii, nigdzie nie jechały, zostały...

Zamilkł wyczerpany. Znowu się pochylił, a potem wyprostował.

– I wiesz co? – Zaczął się nagle histerycznie śmiać. – I wiesz co, Maciek? One... one myślą, że to ja nie żyję. Pociągają nosem, ocierają łzy w chusteczki i ryczą, gdy trafią na coś, co im mnie przypomina. Idę do siebie na górę, bo przedtem rzadko tam wchodziły, to i teraz nie wchodzą, leżę na łóżku, patrzę w sufit, a potem znowu ten urwany film, nawet nie wiem, na jak długo, nie mam też zielonego pojęcia dlaczego, przecież nie piję, jednej kropli nie wypiłem od tamtej chwili, chyba że nieświadomie, a jeśli tak, to chranię to wszystko, bo w takim układzie to nic już nie wiem i chyba trudno mi będzie dojść z tym do jakiegoś ładu, jeśli jakiś ład jeszcze w ogóle istnieje...

– Rzeczywiście – przerwał mu Maciek. – Paskudny ten pies.

– Jaki pies?

– No chyba tej… Doris.

– Pies Doris? Co ty pleciesz…

Filip skierował wzrok za skupionym spojrzeniem Maćka, znieruchomiał na chwilę i odezwał się zduszonym głosem:

– Jakiś cholerny pająk połączył nasze światy nierozerwalną nicią. Będą tak już chyba chodziły za mną zawsze.

Na peron weszły Czesia, Olga, Marlena, Doris i Tuśka. Przed nimi biegł Absurd, z nosem przy ziemi.

Zbliżyły się do ławki, a gdy ją minęły, Tuśka zatrzymała je, wskazując rękoma jakieś miejsce.

– Tu. Właśnie tutaj to wszystko się wydarzyło.

– Mała jest słowna – zakpił z goryczą Filip. – Obiecała, że dokończy im tę wyssaną z palca historię na stacji. Świetnie, ja też posłucham. Potem ci opowiem.

– Jeśli mógłbym wyrazić swoje zdanie…

– Poczekaj. – Filip zacisnął dłoń na ramieniu Maćka. – Niech mała wreszcie opowie do końca, po to tu przyszły. Może potem odejdą tam, gdzie mają odejść. Na wieki.

Tuśka porozstawiała wszystkie kobiety tak, żeby jedna drugiej nie zasłaniała. Sama stanęła na skraju peronu i zapytała:

– Na czym to wtedy skończyłam?

– Że goście wstali od stołów i zaczęli się gapić w stronę stacji – podpowiedziała jej Marlena, przewracając oczami.

– Luiza, nie mogąc wyjąć stopy spod podkładu, krzyknęła: „Rudolf!" – kontynuowała opowieść Tuśka. – A teraz patrzcie! Rudolf stoi tu, w tym miejscu, w którym ja teraz stoję, gotów chwycić ją w ramiona. Nagle widzi, co się dzieje. Jego Luiza w sukni jak ze snu wbija w niego przerażone oczy, rozpaczliwie usiłując się uwolnić. Pociąg, mimo gwałtownego hamowania, nie zdoła się zatrzymać, pędzi i zaraz ją zmiażdży. Luiza już czuje ciepło lokomotywy na karku, posyła więc przepełnione smutkiem spojrzenie Rudolfowi. Jego ciemne włosy w sekundzie siwieją. Ludzie na stacji wstrzymują oddech. Nikt nie jest w stanie się poruszyć, nawet krzyknąć. I nagle...

– I nagle?! – ponagliła ją Czesia. – Mów wreszcie, bo cię trzepnę.

Tuśka rozejrzała się w jedną stronę, w drugą, po czym skoczyła z peronu na środek toru. Pełnym dramatyzmu tonem zakończyła:

– I nagle Rudolf skacze. Z wielką siłą odpycha ją na sąsiedni tor... Patrzcie, o tu!... a sam w sekundę później ginie. Pod hamującym ze złowieszczym piskiem pociągiem, który zatrzymuje się parę metrów dalej. – Wskoczyła z powrotem na peron i pokazała ręką: – O tam!

W oczach patrzących na nią kobiet nie było nawet zdumienia czy niedowierzania, tylko jakaś niewysłowiona tępota.

– To Rudolf... Rudolf tu zginął? – wykrztusiła w końcu Doris.

Tuśka odważnie spojrzała każdej z nich w oczy.

– A co myślałyście!

– Nie Luiza? – upewniła się Marlena.

– Nie Luiza. Rudolf.

– Nie wymawiaj więcej przy mnie tych imion! – wrzasnęła Marlena i zagarnęła resztę ramionami. – Chodźmy. Smarkula nieźle nas przerobiła. Musiałyśmy całkiem zgłupieć, żeby tu przyjeżdżać i wysłuchiwać wielkiego zakończenia historii. Wielka mi historia! Doris, wołaj tego kundla! Idziemy!

Poszły, oglądając się na Doris, która przywoływała Absurda.

Filip roześmiał się głośno.

– Tej historii, przyjacielu, nie przebijesz.

Tuśka stała przez chwilę, a potem pobiegła za nimi, krzycząc:

– To co?! Miałam zmyślać, żebyście usłyszały to, co chciałyście usłyszeć?

– Idź do samochodu i czekaj. – Czesia wskazała ręką starego opla Doris, stojącego obok budynku, a potem zwróciła się do Olgi i Marleny: – Poczekajmy, może znowu trzeba będzie biegać po okolicy za psem artystki.

Maciek wstał z ławki i zrobił kilka kroków w ich stronę.

– Moją historię już znasz – powiedział, odwracając się do Filipa.

– Nie znam.

– Znasz.

– Skąd?

– Nie skąd, tylko od kogo.

– Od kogo?

– Od Tuśki.

Filip zerwał się z ławki. Spojrzał na Doris, która nawoływała Absurda po lewej stronie peronu, spojrzał w prawo na Maćka, stojącego tuż przed Marleną, Olgą i Czesią.

– Widzisz Absurda? – spytał.

– Widzę.

– A...

– Je też widzę – odpowiedział jego towarzysz, zanim Filip zadał następne pytanie.

– Rudolf?

– Rudolf.

– Jezu Chryste! – Filip stanął na krawędzi peronu, popatrzył na tory, po czym odwrócił się gwałtownie i podszedł do Maćka. – Dlaczego one ciebie nie widzą?

Tamten wsunął dłoń we włosy i przegarnął je chłopięcym ruchem.

– Jak by ci tu powiedzieć...

Z budynku dworcowego wyszedł dyżurny nieistniejącego ruchu i ruszył w stronę kobiet.

– Pani Gawlińska! – zawołał, zbliżając się do nich.

– Pani Gawlińska, a cóż to się stało z tym panem Filipem? Taki młody, miły człowiek... Nie mogłem uwierzyć.

– Nie dziwię się – mruknęła pod nosem Czesia i zaraz krzyknęła, patrząc na lewo: – Doris!

– Przyjechał, zagadał, posiedział na ławce... Za każdym razem. Usiadł i patrzył. Cóż to się mogło tak nagle stać?

– Sukienka, parasolka, pies – odpowiedziała Czesia ponurym głosem.

– Już sobie znalazłaś winowajców? – syknęła jej nad uchem Marlena. – Ty jedna zawsze niewinna. Ty i święta Olga. Sorry, Olga.

– Co takiego? – dopytywał się kolejarz.

– Zawał! – odparła głośno Czesia.

Filip oparł się o ławkę, zacisnął dłonie na metalowych prętach, a z jego gardła wyrwał się cichy jęk.

– Tyle to i ja wiem – odparł zmartwiony mężczyzna. – Myślałem, że coś więcej... Miły człowiek. Ludzi się naszło na pogrzeb.

– Z ciekawości – prychnęła Marlena. – Prawie nikt go nie znał.

Filip pokręcił głową i spojrzał na Maćka.

– To już mnie pochowały?

– A na co miały czekać?

– Cholera! Maciek, to one żyją?!

Tamten wzruszył ramionami. Popatrzył dookoła obojętnym wzrokiem i wrócił na ławkę.

Doris biegła już z Absurdem. Pozostałe kobiety zaczęły powoli iść w stronę wyjścia.

– To prawda, że pani kupiła Magnolię? – zawołał zawiadowca.

– Można tak powiedzieć, panie Kacperski – odparła z lekkim zniecierpliwieniem Czesia.

– Walendziak rozpowiada po okolicy, że to trochę dziwne i że skąd pani na to miała. Ale nikt za bardzo się nie dziwi. Wie pani, jakie tu są ludzie. Nie musi się pani przed nikim tłumaczyć.

– Nie muszę? To szkoda, bo mogłabym powiedzieć wszystkim, żeby się odpieprzyli.

– Ale pani Gawlińska... Przecież ja nic...

– Doris będzie dalej przyjeżdżać w czwartki po chleb, panie Kacperski. Chodźcie, dziewczyny.

Poszły.

Filip popatrzył za nimi z żalem. Wyciągnął rękę, jakby chciał je zatrzymać, a potem opuścił ją bezwładnie. Popatrzył na wzgórza w oddali – ciągle te same. Od czasu do czasu na ich tle pokaże się jakiś ptak, a jesienią dziecko z latawcem. Zima pokryje je śniegiem, wiosną znowu się zazielenią. A zaraz, tylko patrzeć, będą się złocić i czerwienieć do pierwszych mrozów... O ile jakieś zaraz w ogóle istnieje.

Odwrócił się w stronę swojego towarzysza, patrzącego obojętnym wzrokiem na te same wzgórza. Chciał warknąć, dlaczego tamten, u diabła, nie powiedział mu od razu wszystkiego, a wtedy Maciek-Rudolf przechylił głowę w jego stronę i uśmiechnął się przepraszająco.

Nie masz za co przepraszać, przyjacielu, pomyślał Filip. Jesteś tu już tak długo. Od dwudziestu lat docierasz do tej stacji niczym zmęczony wędrowiec, po bezdrożach wspomnień i tęsknoty, którymi nawet nie masz się z kim podzielić, by przeżyć z kimś na nowo to, co było najwspanialsze w całym życiu. Jeśli chcesz, też będę tu przychodził w nieskończoność i razem możemy siedzieć na tej ławce, od której wszystko się w moim życiu zaczęło. Możesz mi opowiadać o Luizie, do której pewnego lata wróciłeś. Gdybyś do niej nie wrócił, miałbyś teraz jakieś czterdzieści pięć lat... jesteś więc moim rówieśnikiem... i nigdy byśmy się nie spotkali. Gdybym wtedy umarł na huśtawce w tamto kwietniowe popołudnie, na samym środku wewnętrznego podwórza eleganckiego, wypucowanego na błysk apartamentowca, nigdy nie znalazłbym się na dnie, nie odbiłbym się od niego i nie dowiedział ani nie doświadczył tego wszystkiego, co sprawiło, że odtąd zawsze już będę tęsknił za życiem.

Babka Klara przed śmiercią wyjawiła Czesi i jej kuzynom swoją największą tajemnicę: Dziś jest o wiele ładniej niż wczoraj. Można też nazwać to prostą prawdą. Dziś ciągle trwa. Wczorajszego dnia już nie ma.

Dobry Boże... Zapewne jesteś, bo natura, jakkolwiek ogromne są jej możliwości, ofiarowała nam tylko tablicę Mendelejewa, z której zbudowaliśmy siebie i z której powstało wszystko, co nam potrzebne do życia. Cała nasza niefizyczność natomiast decyduje o tym, jakie jest tak naprawdę to życie. To mnie zadziwia... Ta różnorodność i nieprzewidywalność w każdym człowieku, którego stworzyłeś.

– Coś mnie zdziwiło... – odezwał się Maciek, patrząc w stronę Filipa.

Filip zbliżył się i posłał mu otwarte, jasne spojrzenie.

– Co takiego, mój przyjacielu?

– To, że bardziej przejąłeś się prawdą o mnie niż o sobie. Takie odniosłem wrażenie...

– Jaką prawdą?

– No wiesz... Pewnym stanem... Nie chciałbym jeszcze... Nie wiem, jak to nazwać...

– Zwyczajnie. Wprost – śmierć. Albo się żyje, albo umiera, pamiętasz? Pośrodku nie ma nic. Przez cały czas, kiedy tu siedzieliśmy, dopadały mnie wątpliwości i świadomość tego fatalnego stanu, z którego w swoim czasie nie potrafiłem się wyrwać. Owszem, prawda chwilowo wprawiła mnie w osłupienie, ale w końcu przyniosła ulgę. Wszystko, jak widzisz, ma swój sens. Gdybym w pewnym momencie nie znalazł się na dnie, być może miotałbym teraz się po tej stacji-widmie i nie dowierzał. A tak... uwierzyłem we wszystko.

– Ze spokojem?

– Z takim samym, z jakim ty czekasz na Luizę. Nigdy jej tu nie było?

Maciek wstał, podreptał na skraj peronu i stał tam chwilę, nic nie mówiąc.

– Raz tylko – odrzekł wreszcie. – Przyszła, stanęła w tym miejscu i powiedziała: „Popatrz, Rudolfie, jak życie mnie omija".

Filip miał ochotę podejść do niego i położyć mu rękę na ramieniu, zamiast tego jednak zapytał:

– Kiedy to było?

Maciek wzruszył ramionami.

– Nie wiem. Wyglądała na trzydzieści, trzydzieści parę lat... Tu nie ma czasu.

– Nie ma czasu?

– Po prostu nie mija.

– Może to i lepiej – uznał po namyśle Filip. – Nie musimy nigdzie się spieszyć. Może raczej nigdy lub z niczym. Nie ma czasu – to trudno. Najważniejsze, że można myśleć. W myślach jest wszystko. – Machnął ręką, odwrócił się i ruszył w stronę wyjścia ze stacji.

– Dokąd idziesz? – zawołał za nim Maciek.

– Wracam do Magnolii.

– Jak?

– Nie wiem. Wyjdę i będę szedł… Może dojdę. Chcę się dowiedzieć, co takiego stało się tam, na tej drodze, że one żyją. Sto razy będą to wałkować… Znam je. Będą się spierać, dogadywać jedna drugiej…

– Wrócisz?

– Gdy tylko zaczną mi działać na nerwy. A to pewne.

Filip szedł wolnym krokiem w stronę wyjścia. Minął zawiadowcę, grabiącego obok budynku pierwsze jesienne liście. Gdy znalazł się na zapylonej dróżce, odwrócił się gwałtownie i spojrzał na rozłożysty buk, pod którym rok temu zatrzymał auto, gdy po całym dniu jazdy donikąd skończyła mu się droga. Przez moment zdawało mu się, że samochód ciągle tam stoi.

– A więc nie tylko myśli… Zostają także złudzenia. Ciekawe, co jeszcze? – mruknął do siebie i poszedł w odwrotną stronę. W pewnej chwili, gdy tak szedł, zaczął gwizdać.

Śpiewać mu się nie chciało. Pomyślał, że to głupie.

Marlena zamknęła książkę, dopiła kawę i powiedziała, że na nią pora, bo tylko patrzeć, jak Olaf zacznie jej szukać. Podnosząc filiżankę, zobaczyła plamę z kawy na oprawionym w skórę notesie, sięgnęła więc po papierową serwetkę i zaczęła go wycierać.

– Po co właściwie łazisz z tym notesem? – zagadnęła ją Czesia, próbując przy kuchni zupę prosto z gara. – Co tam masz?

– A nic. Taki nawyk z poprzedniego życia. W policji, w więzieniu, w biurze… Bez notesu ani rusz.

– Myślałam, że może książkę piszesz. Wrażenia notujesz.

– Stuknij się.

Z werandy weszła Doris. Miała czerwone oczy i pociągała nosem. Podała Czesi bloczek z zamówieniem, wyjęła z szafki torbę z suchym psim żarciem i wybiegła z kuchni.

– A ta czemu znowu ryczy? – Marlena powiodła za nią wzrokiem.

– Czwartek przecież.

– Na stacji była.

– Za każdym razem to samo. Co tam pojedzie, to ryczy. Wejdzie do pokoju Filipa i to samo.

– Więc po co tam wchodzi?

– A zapytaj się. Na każdym kroku Filip. Przyjechała od Józefiny i wiesz, co wymyśliła?

– Skąd mam wiedzieć?

– „Filip miał rację – mówi – tam z Józefiną ktoś miesz-ka. Bo firanka się poruszyła".

– Nie możesz sama przywozić tego chleba?

– Mogę. – Czesia gwałtownie potrząsnęła głową.
– Wszystko mogę. Tylko nie wiem, czy zauważyłaś, że mam teraz trochę więcej na głowie, niż miałam. – Wzięła do ręki bloczek z zamówieniem i przez chwilę wpa-trywała się w kartkę. – A ta co tu znowu nabazgrała...
Doris! Stanie przy stoliku i ryczy, a potem nic nie można odczytać.

– Goście jeszcze dopisują?

– Tydzień, dwa, a potem sama wiesz, co będzie.
Wczoraj miałyśmy urwanie głowy. Dziś tylko mecenas ze znajomym i jakieś dwie pary. Lorka szykuje imieniny na sobotę. Wziął przy okazji papiery do przejrzenia, czy wszystko jest. Wiesz, kiedy przyszły. Głowy wtedy nie miałam, jedno rzuciłam tu, drugie tam...

Doris wróciła z ogrodu. Mecenas Lorka przyszedł z werandy z tekturową teczką pełną dokumentów.

– Co? – spytała Doris.

– Coś tu nabazgrała?

– Cztery grochowe, dwa ukraińskie i karkówki. Czytać nie umiesz? To wszystko. Chyba że pan mecenas coś jeszcze...

Mecenas zamachał ręką.

– Nie, my właśnie kończymy. Znajomy już jedzie, a ja zaraz przyjdę, ustalimy menu na sobotę. Proszę tymczasem schować te papiery, wszystko jest w porządku... – Zmrużył oczy, dodając zniżonym głosem: – Ale pan Filip to jakby coś czuł.

W oczach Doris błysnęły łzy. Odwróciła się szybko i zaczęła wycierać blaty.

– Aha – dorzucił Lorka zwykłym głosem: – Kuzynka będzie! Biedactwo, co ja się z nią mam. Jakby tak drugiego z braci dało się zaprosić... Miałaby koło kogo usiąść, zamienić słowo, wie pani...

– Jeszcze czego! – wyrzuciła jednym tchem Marlena po wyjściu adwokata. – Borysa szkoda dla takiej... Nie będę się wyrażać. Dla Borysa to tylko jakieś subtelne dziewczę o fiołkowych oczach. O! Doris by się nadawała.

Ale ta, szorując blaty, odparła płaczliwym głosem:

– Nie jest w moim guście.

Czesia z Marleną zerknęły na siebie.

– Myślałby kto. Taki piękny mężczyzna – zdziwiła się Marlena, a po chwili dodała: – Widziałyśmy ten twój gust, jak tu przyszedł na obiad. Pojedziesz jutro ze mną do przymiarki?

– Pojadę – zgodziła się potulnie Doris.

Marlena uścisnęła ją, wychodząc, i w powietrzu przesłała całusa Czesi. Kiedy Lorka wrócił, Doris ostentacyjnie wyszła z kuchni.

– Co jej jest? – zapytał, odprowadzając ją wzrokiem.

– No wie pan... To co nam wszystkim. Tylko może trochę mniej panuje nad emocjami.

Mecenas usiadł na stołku i wyciągnął z teczki kartkę.

– A bo wie pani, każdego ruszyło. Jak się dowiedziałem, wierzyć mi się nie chciało. Rzuciłem wszystko i przyjechałem, bo jak można było nie przyjechać. Podobno jeden z tych Słowaków przeżył?

Czesia skinęła głową.

– Jest w kiepskim stanie, ale żyje. A drugi na miejscu… Kierowca. Zasnął, wyrzuciło go na łuku, Miśkiewicz mówił, a jak tam było…

– No właśnie, pani Cześko… Jak to tam w sumie było? Bo ja to nawet za bardzo nie miałem czasu pytać kogo, interesować się. Zresztą kogo pytać? Wy najlepiej wiecie.

Czesia zagryzła usta, ręce jej zadrżały. Lorka się zreflektował.

– No, ale ja to delikatny jestem! Przepraszam, pani Cześko…

Odrzuciła włosy do tyłu, wzięła głęboki oddech i usiadła na stołku obok mecenasa.

– Nie, nie, panie Lorka. W porządku. Co tam, mówić czy nie mówić… Co miało się stać, to już się stało. Może gdyby nie ta sukienka…

– Sukienka?!

– Marlena sobie ubzdurała, że będzie szyć u krawcowej, jakby to mało gotowych teraz było. No to pojechałyśmy…

W tamtą stronę nawet nie szalały na tych serpentynach (z powrotem zresztą też nie). Czesia miała dość rozumu, żeby po takiej nocy zachować odrobinę wyobraźni na drodze.

Krawcowa wzięła miarę, materiał pochwaliła, a potem zrobiła kawę, bo każdej była bardzo potrzebna, i powspominały z Olgą sukienkę, którą szyła dla niej na ślub z Adamem. Posiedziały tam trochę.

W drodze powrotnej zaczęły rozmawiać o weselu Marleny, aż ta się zezłościła i powiedziała, że jeszcze nie wie, czy w ogóle będzie jakieś wesele. Ile ona ma lat, żeby się z weselami wygłupiać!

– No wiesz! – obruszyła się Doris. – Chyba nam nie odbierzesz takiej frajdy.

Oldze nagle zamarzyło się jakieś auto, w które bez problemów można byłoby wstawić wózek i jeździć z Adamem na wycieczki. Po tej imprezie w Magnolii całkiem inny się zrobił.

– Nie to, żeby się zachłystywał życiem, śmiał czy żartował, ale ja widzę i wiem, że jest inny.

– Ludzie muszą być między ludźmi i tyle – skwitowała Marlena. – Przynajmniej od czasu do czasu. Zrób prawo jazdy. Swietłana w każdej chwili może zechcieć jakoś inaczej ułożyć sobie życie.

– Zrobię – zdecydowała Olga. – Wszystko zrobię, żeby tylko coś się w nim odmieniło.

Rozmawiały o tym, o tamtym, jak zwykle. Tuśka widocznie bardzo się nudziła, bo w pewnej chwili wystawiła parasolkę za okno, rozłożyła jednym ruchem i zaczęła piszczeć:

– Patrzcie, jak wiatr nią łopoce!

– Zaraz ci ją wyrwie – ostrzegła Marlena.

Ledwie skończyła mówić, wiatr wygiął parasolkę i wyrwał ją dziewczynce z ręki. Przez chwilę unosiła się w powietrzu, a potem znikła, zepchnięta siłą podmuchów w dół, daleko za szosę.

– O matko! Parasolka Sabiny! – wrzasnęła Tuśka.

Czesia w jednej chwili zjechała na pobocze i zatrzymała auto. Tuśka wyskoczyła. Za nią Doris. A za Doris jej pies. Pognał między drzewa i znikł w krzakach, jak wcześniej parasolka.

– Absurd! – Usłyszały wrzask Doris.

Żadna się nie zastanawiała. W jednej chwili wyskoczyły z dżipa i pobiegły za Doris i Tuśką.

Potem wszystko się wydarzyło w kilka sekund. Najpierw usłyszały makabryczny pisk hamulców, a po chwili głuchy łomot i zaraz po nim trwający całą wieczność huk, jakby ziemia się rozstępowała, zabierając za sobą w przepaść drzewa.

Gdy zszokowane wybiegły na pobocze, ujrzały przerażający widok. W miejscu, gdzie przed chwilą stało auto Czesi, teraz były tylko fałdy zoranej ziemi, ciągnące się kilkadziesiąt metrów dalej. Tam, w dole, zobaczyły słowackiego tira, rozpłaszczonego w ściętych drzewach, i wystający spod niego kawałek blachy.

Po minucie Absurd stanął koło Doris i merdając ogonem, patrzył w górę, ziając z wywieszonym jęzorem jak jakieś monstrum. O parasolce nikt już nie myślał.

Zaraz zatrzymał się jakiś samochód. Ktoś zadzwonił na policję, wezwał pogotowie. Żadna z nich nie mogła tego zrobić, bo ich torebki z telefonami i całą zawartością znajdowały się pod kołami tira, zmiażdżone siłą kilkudziesięciu ton. Przyjechały karetki, policja, straż pożarna. Strażacy ułożyli na poboczu wyrzuconego przez przednią szybę kierowcę, po jakimś czasie wydostali z szoferki drugiego. Z pomocą sanitariuszy zaniesiono ich do karetek, choć jeden ze Słowaków nie dawał już żadnych oznak życia.

Czesia dostała mandat za zatrzymanie samochodu w niedozwolonym miejscu. Tir, jak wyjaśnili po pobieżnych oględzinach policjanci, już wcześniej złapał pobocze i gnał na oślep, nie mogąc się zatrzymać i zagarniając to, co akurat stanęło mu na drodze.

To wszystko trwało bardzo długo. W końcu któraś z nich, chyba Doris, ocknęła się, poprosiła jednego z policjantów o telefon i chciała zadzwonić po Filipa, żeby po nie przyjechał. Wtedy okazało się, że żadna nie zna jego numeru.

– W książce miałam – palnęła Marlena.

W książce to każda miała.

– Co za czasy – gderała Czesia, usiłując sobie przypomnieć numer do kogokolwiek. – Kiedyś znało się na pamięć numery do wszystkich, teraz człowiek jest uzależniony od pamięci kawałka plastiku czy metalu, mieszczącego się w dłoni. Wystarczy, że coś się z tym stanie, koniec, ginie wszelka pamięć, zero kontaktu ze światem.

Na szczęście Oldze wpadł do głowy pomysł.

– Dzwońcie do Adama! – zawołała, podając numer. – Niech Swietłana przyjeżdża.

Swietłana zjawiła się po kilkunastu minutach. Zgarnęła je roztrzęsione do samochodu, nie wypytując nawet za bardzo, Olgę wysadziła pod domem i pojechała z resztą do Magnolii.

Dochodziła piąta, gdy wjechały w bramę. Gdy Czesia ujrzała syna, nerwowo przechadzającego się po podwórku, wyskoczyła z auta Swietłany i rzuciła się chłopakowi na szyję. Dopiero po chwili i ona, i reszta zauważyły Miśkiewicza juniora, który podniósł się z ławki pod oknem kuchni. Był po cywilnemu, więc nawet nie pomyślały, że jest tu służbowo, ale nawet jakby był w mundurze...

– Mamo, co się z wami działo? – odezwał się zduszonym głosem syn Czesi. – Ten pan...

– Jaki pan?

– Ten Filip...

– Filip Spalski – posterunkowy Miśkiewicz junior przejął od chłopaka przykry obowiązek powiadomienia ich o nieszczęściu – miał czterdzieści minut temu zawał przy szosie... Sanitariusz z karetki wydzwaniał pod każdy numer z jego telefonu. Tylko mecenas Lorka odebrał. Zadzwonił zaraz do mnie.

Zdawało się, że wszystko w jednej chwili ucichło: wiatr, bicie serc, szum wentylatora nad oknem kuchni...

– Gdzie go zawieźli? – spytała jedna.

– Do którego szpitala? – dodała druga.

Miśkiewicz nie odpowiedział, tylko pokręcił głową.

Czesia wybuchnęła płaczem dopiero wtedy, gdy syn jej powiedział, że Filip wydzwaniał do każdej z nich, a w końcu, zaniepokojony, wskoczył do auta i wyjechał im naprzeciw.

Marlena rozszlochała się, gdy kilka godzin później wzięła komórkę Filipa, którą wraz z paroma innymi drobiazgami odebrały z prosektorium.

– Miał w telefonie tylko nasze numery, jakiegoś lekarza K., domu dziecka i Lorki – powiedziała, łkając.

Doris płakała bezgłośnie cały czas.

Tuśka, oparta o ścianę domu, zastygła jak kamień. Nie ruszyła się nawet wtedy, gdy przyjechała Olga ze Swietłaną (Olga stanęła z rękoma przy twarzy na środku podwórka, niezdolna wykrztusić słowa), ani wtedy, gdy zaczęły się zastanawiać, czy Filip ma w szafie jakiś porządny garnitur, w który można byłoby go ubrać do trumny. Nie miał.

– To moja wina – powiedziała cicho Czesia, wstając ze stołka. Urwała kawałek papierowego ręcznika z rolki i zaczęła wycierać blat, który już wcześniej wytarła Doris. – Mogłam się nie zatrzymywać. Albo zatrzymać się dwadzieścia metrów dalej. Ten tir i tak by spadł, nic na to nie można było poradzić. Filip wysiadł, popatrzył... Co by pan pomyślał, panie mecenasie? Niech pan powie, co można było pomyśleć? Tylko jedno: że leżymy tam wszystkie. Mnie też by serce stanęło.

– Pani Czesiu... Filip miał chore serce...

– To co?! Chce pan powiedzieć, że i tak by umarł? Może... Ale jeszcze nie teraz. Może dopiero za dziesięć albo dwadzieścia lat. A nawet jeśli za rok... Rok, panie mecenasie, to bardzo, bardzo długo.

🐌 🐌

Dobrze, że zostają myśli. W nich ukryte jest całe nasze życie. Zredukowane do kilku numerów w książce adresowej, w tym trzy to lekarz, adwokat i instytucja? Co z tego?

Dobrze, że można wyjść na drogę i spacerować nią tam i z powrotem. Można usiąść na ławce albo stanąć za bramą i patrzeć w okna przedzielone listwami pomalowanymi na niebiesko, zastanowić się chwilę: wejść do środka czy zawrócić.

To nic, że nie ma czasu. To nawet lepiej, bo nigdzie nie trzeba się spieszyć, a wystarczy popatrzeć na nie albo posłuchać, co mówią, i wszystko jasne – dopiero była wiosna, lato minęło jak z bata strzelił i tylko patrzeć, kiedy przyjdzie zima.

Potem wszystko zaczyna się od początku.